D1038864

Toi, mon père

Toi, mon père

De l'amour à l'oubli, du remords au regret,
écrivains, comédiens et artistes
se souviennent de leur père

Récits et témoignages recueillis
par Anne-Laure Schneider

■

Albin Michel

Remerciements

Jérôme Duhamel
Florence Dugot
Christèle Valin-Colin
Mathilde Allain
Marcel Jullian

Conception et réalisation maquette : Luc Doligez

22, rue Huyghens, 75014 Paris
www.albin-michel.fr

ISBN : 2-226-13307-0

Sommaire

La confusion des sentiments

Quand l'idée de ce livre a germé – idée simple au demeurant : demander à des « personnalités » de parler de leur père –, je me suis longtemps interrogée sur la manière dont il conviendrait de donner aux pages qui allaient s'écrire une introduction digne d'un sujet si vaste, si lourd et si troublant.

Il allait, évidemment, falloir répondre à des questions qui induiraient une forte réflexion sur notre société. Appeler à la rescousse les tenants de la psychologie et de la psychanalyse. Revenir aux grands textes fondateurs de la littérature, de l'Histoire ou de la philosophie. Prendre langue avec ceux pour qui seule la science est digne d'apporter toute réponse. Se tourner vers ces religions qui dictent frontières ou interdits. Ne pas oublier d'interroger le législateur qui croit pouvoir régler ou réguler les aléas de la nature humaine. Poser aussi, poser encore, poser toujours ces éternelles questions qui font régulièrement la une de nos si sérieux magazines : qu'est-ce qu'un père ? Qu'est-ce qui fonde la filiation ? Assistons-nous aujourd'hui à la mort du père ? Ou bien à l'émergence de ces « nouveaux pères » dont on nous rebat les oreilles ? Le congé paternité est-il un progrès social ? Et j'en passe, et j'en oublie et c'est tant mieux...

Mais *leurs* textes sont arrivés. Mais les mots qu'ils avaient écrits de leur propre main – eux les écrivains, eux les artistes, eux les comédiens – ont commencé à s'ajouter sur ma table de travail aux témoignages des disparus, essaimés au gré de leurs ouvrages, à ceux des vivants qui croyaient n'avoir plus rien à dire sur le sujet.

Et il a suffi de lire, la gorge nouée parfois, pour que s'efface toute velléité d'expliquer. Pour que devienne orgueil toute tentative d'enfermer ces témoignages dans le carcan d'une préface censée tresser un lien entre eux. Pour comprendre que ce serait insulter la mémoire individuelle que de la noyer dans une prétendue mémoire collective. Les quelque soixante-dix textes qui fondent cet ouvrage ne méritent pas d'être amalgamés dans une soi-disant « logique » éditoriale : chacun d'eux est en soi *un* livre et chacun de ces livres demeure le reflet d'un destin propre et singulier.

Un seul mot d'ordre a donc gouverné ce livre : celui de l'émotion. Car évoquer la figure du père – père fouettard ou papa poule, père adulé ou géniteur renié, père modèle ou fantôme de père, père complice ou présence tutélaire, père anonyme ou trop célèbre, père fondateur ou père destructeur, père troublé ou père troublant –, évoquer *son* propre père se révèle une gageure des plus intimes. C'est beaucoup parler de soi. C'est se *livrer*. C'est à la fois toujours trop et jamais assez.

S'y risquer, c'est pousser une lourde porte qui ne donne pas seulement sur les souvenirs (fussent-ils bons, fussent-ils mauvais), mais débouche aussi sur un monde où les regrets le disputent aux remords ; où se confondent le bien et le mal ; où la mémoire se heurte aux méandres de la passion et de la haine, du bonheur et de la révolte, à moins qu'elle ne vienne se heurter au vide d'une éternelle énigme.

Certains s'y sont essayés... pour mieux reculer. Trop personnel, trop intime. Impudique. D'autres ont choisi d'emblée de « garder leur papa pour eux » ou d'écrire « une belle histoire à leur père plutôt que de parler de lui ». Beaucoup pensaient également avoir « épuisé le sujet », avoir déjà tout dit, tout écrit ; mais à relire leurs pages, ils ont souvent souhaité les enrichir d'un sentiment nouveau ou d'une émotion neuve.

De tous ceux qui ont tenté de raconter ou d'expliquer dans ce livre, dans ces pages d'amour ou de pardon, qu'ils se soient frottés à la réalité ou dissimulés peu ou prou derrière la fiction, bien peu, je crois, sont ressortis indemnes.

Écrivains, comédiens ou artistes, femmes et hommes d'hier ou d'aujourd'hui, de tous âges et de tous milieux, ils n'ont pas seulement choisi d'écrire pour témoigner, mais aussi, bien souvent, pour se libérer. Se libérer du poids d'un amour ou d'une douleur, d'un manque ou d'une dette. La force de leurs mots et des images qu'ils engendrent est là pour nous en convaincre, comme la liberté de leur plume, comme l'émotion qui vrille leur mémoire. Que chacun d'entre eux en soit ici chaleureusement, *intimement*, remercié.

Anne-Laure Schneider

Père : homme qui a engendré un ou plusieurs enfants. Homme ayant autorité reconnue pour élever un, des enfants au sein de la cellule familiale, qu'il les ait ou non engendrés. Homme qui agit en père, qui manifeste des sentiments paternels.

Larousse

La paternité, un état mystique, transmis du seul engendreur au seul engendré.

James Joyce, Ulysse

Regarde-moi, c'est cela devenir un homme, voir le visage de son père en face, un jour.

Jean Anouilh, Antigone

L'histoire c'est la passion des fils qui voudraient comprendre les pères.

Pier Paolo Pasolini, Le Pornographe

Personne ne connaît le Fils si ce n'est le Père, et personne ne connaît le Père sinon le Fils.

Matthieu, II, 27

« Je n'ai pas de Sur-moi. »

par Jean-Paul Sartre

Jean-Paul Sartre à un an, en 1905.

Il n'y a pas de bon père, c'est la règle ; qu'on n'en tienne pas grief aux hommes mais au lien qui est pourri. Faire des enfants, rien de mieux ; en avoir, quelle iniquité ! Eût-il vécu, mon père se fût couché sur moi de tout son long et m'eût écrasé. Par chance, il est mort en bas âge ; au milieu des Énées qui portent sur le dos de leurs Anchises, je passe d'une rive à l'autre, seul et détestant ces géniteurs invisibles à cheval sur leurs fils pour la vie ; j'ai laissé derrière moi un jeune mort qui n'eut pas le temps d'être mon père et qui pourrait être, aujourd'hui, mon fils. Fut-ce un mal ou un bien ? Je ne sais ; mais je souscris volontiers au verdict d'un éminent psychanalyste : je n'ai pas de Sur-moi.

JP Sartre

Jean-Paul Sartre, Les mots, *1964*

« Je n'ai pas oublié la distance qu'il mettait entre lui et moi... »

par Jean Mauriac

Vous, mon père. Puis-je tracer la moindre phrase contre vous ? C'est pour moi inconcevable. Que penserais-je de mes enfants si, moi parti, ils pouvaient être des accusateurs ? Mais je sais qu'ils ne le seront jamais.

J'écris d'ailleurs ces lignes comme sous le regard de mon père. Comme s'il était là, derrière moi, lisant par-dessus mon épaule. J'entends sa respiration qu'il avait un peu rauque et haletante dès qu'il récitait des vers, ceux-là même que je connais aujourd'hui par cœur.

Il a, incroyablement, pesé sur toute ma vie, aussi indifférent, peu affectueux, qu'il ait semblé être à l'égard de l'enfant, de l'adolescent, de l'homme que j'ai été. Il est mort depuis près de trente-deux ans, à l'âge de quatre-vingt-cinq ans, et rien n'a changé : je sens toujours sur moi son regard lointain. Un regard interrogateur, quelques fois étonné, souvent irrité, plein de reproches qu'il n'exprimait jamais, toujours froid et en même temps de braise, d'une braise qui me brûle encore. Comment expliquer ?

Je n'ai pas oublié la distance qu'il mettait entre lui et moi, surtout lorsque j'étais enfant. Dans la vie familiale, il pouvait être impatient, tendu, souvent nerveux, parfois méprisant, toujours susceptible et n'aimant pas la contradiction. Mais quelle importance en regard du caractère extraordinaire de l'homme ? Tout s'anéantissait devant la profondeur du

François et Jean Mauriac : rare moment d'intimité.

personnage, devant son talent, j'allais dire son génie. Devant sa culture, sa foi en Dieu, ses combats, sa générosité, son amour de la vie. Et puis, il était toujours si drôle.

Ma vie a été une route heureuse – mais oui – pour beaucoup grâce à mon père. Je ne sais pas ce que je serais devenu si je n'avais été son fils. La part de bonheur qui lui revient dans l'homme, le vieillard que je suis aujourd'hui, je crois la connaître.

Je suis le fils d'un personnage connu, d'un grand écrivain, je suis le fils de François Mauriac. Je vais vous dire davantage : je pense n'avoir existé aux yeux des autres que pour cette raison. On me voit, on me remarque, on me considère et on se souvient de moi seulement parce que je porte le nom de Mauriac. Et c'est très bien ainsi : c'était cela ou un quasi anonymat. C'était cela dès l'école maternelle et le lycée, jusqu'à aujourd'hui où l'on me demande d'écrire ces lignes parce que je suis le fils de mon père. Et combien de femmes, tout au long de ma vie, ne m'auront regardé que pour les yeux de François Mauriac ! À tous ceux qui me demandaient bizarrement : « Être le fils de François Mauriac, qu'est-ce que cela fait ? » Je n'ai jamais su leur répondre.

Je n'ai jamais connu un homme aimant la vie autant que mon père. À le regarder vivre, il m'a appris à vivre, c'est-à-dire à jouir du plaisir d'exister. Dans les épreuves aussi : « Sois heureux même quand tu souffres car la souffrance aussi est riche d'enseignement... », m'écrivait-il en 1940.

Cher papa ! Vous m'aurez beaucoup apporté ! Cosette et Edmond Dantès, c'est vous ! et aussi *Booz endormi* et *La Maison du berger* ! Le quintette en sol de Mozart, celui en la pour clarinette et cordes, l'*Ave verum* et le *Laudate dominum*, c'est vous ! C'est vous, certains vers de Racine et de Jammes que vous murmuriez à mi-voix et que je récite toujours avec votre ton, et aussi l'odeur de la forêt, dans les Landes, après une pluie d'orage ! Et *Carmen*, entendu à vos côtés à l'Opéra Comique, avant 1930, et *Don Juan* découvert au premier festival d'Aix ! Et les clairs de lune, les arcs-en-ciel de Malagar ! Et le touron et les loukoums et les chocolats de Noël ! Et Maurice Chevalier entendu à vos côtés un 14 juillet bien avant la guerre, sur une place de Belleville, c'est vous ! Et les merles et les martinets de Paris, les rossignols des vacances de Pâques à Malagar ! C'est vous, c'est toujours vous ! Et les joies et les tristesses : j'ai partagé avec vous un vrai désespoir devant l'agonie de nos campagnes désormais sans oiseaux et sans insectes.

Curieusement, je ne souffre pas aujourd'hui, je n'ai pas souffert hier de la disparition de mon père. J'en souffre seulement quand je vois les tableaux qu'il aimait tant – *Le Concert champêtre*, *Les Pèlerins d'Emmaüs* –, quand je récite la poésie, celle qu'il adorait – « La paix qui m'envahit quand c'est vous qui souffrez » – et quand j'entends les musiques qu'il ne pouvait écouter que les yeux fermés, la tête dans ses mains. Alors, oui, il me manque : comment écouter du Mozart alors qu'il n'en entendra plus jamais !

Cette présence de mon père dans ma vie actuelle est telle qu'instinctivement je cherche toujours son nom dans tous les articles de journaux, les pages de livres où je sais pouvoir l'y trouver. J'appelle alors ma sœur Luce, dernière survivante : « Tu as vu ! On parle de papa... », je préviens mes amis et vais jusqu'à remercier ceux qui l'ont cité du bonheur qu'ils m'ont apporté en écrivant simplement ce nom : François Mauriac.

Jean Mauriac, texte inédit

Jean et François Mauriac à Malagar.

François Mauriac entouré de ses enfants : Claude et Jean, Claire et Luce.

Regrets et remords de François Mauriac

Claude et Jean, Claire et Luce, je ne crois pas les avoir nommés souvent au long de ces deux volumes. Je voudrais dire à leur sujet un de mes remords. Ah ! Il y en a bien d'autres que celui-là ! C'est d'avoir été un jeune père aussi indifférent que j'ai été à ces petites vies autour de moi dont je me déchargeais sur leur mère qui, elle, leur donnait chaque instant de ses jours et de ses nuits. Non que je ne les aie chéris et que je ne fusse inquiet de leur moindre malaise. Mais stupide écrivain pris par ses livres et par ce qui se passait au dedans de lui, je ne voyais pas la merveille qui naissait sous mon regard. Que ne donnerais-je aujourd'hui pour regarder vivre à tous les instants de leur vie ceux de mes petits-enfants qui sont encore des enfants… Mais quoi ! Sur ce chapitre-là, celui du père, comme sur tous les autres, je trace dans la marge le déléatur : la copie est à refaire décidément. Et elle ne peut pas être refaite : elle est écrite pour toujours : elle est cotée à jamais.

François Mauriac, Nouveaux Mémoires intérieurs, *1965*

« Je suis née bâtarde. »

par Françoise Xenakis

Madame,

Lorsque j'ai reçu votre lettre me demandant quelques souvenirs sur mon père et moi, mon premier mouvement a été de la jeter. En effet, je n'ai pas eu de « vrai père » et je n'ai donc jamais porté son nom. En clair, je suis née bâtarde.

J'ai vu mon géniteur quatre fois. S'il était ému ? Oui. Si je l'étais ? Aussi.

Une photo ? Il n'y en n'a pas, cela va de soi.

Et puis j'ai pensé que mon texte forcément plus court que celui des autres pouvait amener une lumière différente à votre propos.

Non, je ne me suis jamais promenée en serrant ma menotte dans sa grosse main.

Non, je n'ai jamais partagé un gâteau, un livre, une fête avec lui. Non, il ne m'a jamais punie pour mieux m'embrasser après. Des jamais comme ceux-là, je pourrais vous en écrire de quoi remplir un bien gros panier. Mais cela m'a trop longtemps engluée de désespoir pour que je me prête encore à cet exercice... Mais cela m'a fait aussi être plus jeune ! Comment ? Et bien je n'ai commencé à exister, à être, que lorsque j'ai rencontré Xenakis et n'ai eu un véritable nom à « moi » que lorsqu'il m'a donné le sien !

Voilà madame, si cette lettre n'entre pas dans le cadre de vos recherches, jetez-la à votre tour comme j'ai failli le faire pour la vôtre.

À vous.

Françoise Xenakis, texte inédit

Madame,

Lorsque j'ai reçu votre lettre me demandant quelques souvenirs sur mon père et moi, mon premier mouvement a été de la jeter. En effet je n'ai pas eu de "vrai" père et ~~je~~ n'ai donc jamais porté son nom. En clair, je suis née bâtarde, ~~et en 1930 cela était lourd à porter~~. ~~Je~~ J'ai vu mon géniteur ~~que~~ quatre fois. S'il était ému ? Oui. Si je l'étais ? ~~terriblement~~ aussi. [Une photo ? il n'y en a pas cela va de soi. [Et puis j'ai pensé que mon texte forcément plus court que celui des autres pouvait amener une lumière différente à votre propos.

. non, je ne me suis jamais promenée en serrant ma menotte dans sa grosse main.

non, je n'ai jamais partagé un gâteau, un livre, une fête avec lui

non il ne m'a jamais punie pour mieux m'embrasser après..

des jamais comme ceux là je pourrai
vous en écrire de quoi remplir un bien gros
panier. mais cela m'a trop longtemps
englué de désespoir pour que je me prête
encore à cet exercice. mais cela m'a (aussi) fait
être plus jeune ! Comment ? et bien je
n'ai commencé à exister, à être, que lorsque
j'ai rencontré Xenakis et que j'ai eu un
nom à "moi" que lorsqu'il m'a donné
(en fait) le sien !

Voilà madame, si cette lettre n'entre
pas dans le cadre de vos recherches,
jetez là à votre tour comme j'ai
failli le faire pour la vôtre.

A vous.

Fena !

« Le lait de ses soupes à la colère était brûlant. »

par Claude Nougaro

Pierre…

Pour certains de nous, c'est un thème poignant que le thème du père.

Le mien, un chanteur d'opéra, développait une aura certaine. Sa présence physique, la beauté de sa voix, la qualité de son phrasé, l'interprétation de ses personnages en faisaient pour les amateurs d'alors, un artiste incomparable.

Baryton Verdi, il avait souvent des rôles de méchant, et comme il l'était avec moi aussi, j'aimais plus que tout le voir mourir quand une Tosca-Callas lui plantait dans le bide un couteau vengeur.

Il faut dire qu'en naissant, je n'avais pas épargné sa jeune femme, Liette, la pianiste, la prunelle de ses oreilles. La sage-femme, sa propre mère à lui, avait dû, ruisselante de sueur, renoncer pour la première fois à la mise au monde d'un bébé. Il avait fallu qu'un obstétricien accouru, délivre aux fers la parturiente béante jusqu'aux yeux, d'une chose gluante, sanglante, moi. À ce moment-là, le cœur du père devînt-il de pierre pour ce rejeton apocalyptique ?

Dans mon enfance enfouie, je ne me souviens d'aucune marque d'affection tangible. Je pousse le vice à ne retenir que les sévices. Il n'y allait pas de main morte pour châtier ma cancritude. Le lait de ses soupes à la colère était brûlant.

Je ne cessais pas de l'aimer pour autant, seule façon de ne pas le haïr. Tant mieux, il m'aimait en douce, chapardait mes premiers vers, les lisait à quelques amis. Et puis, quand il m'en a jugé digne, il m'a accouché de lui. Il s'est mis à me reconnaître vraiment, mais sans jamais parler du passé.

Hélas, jamais le passé ne passe. À la fin, de sa maison de l'île de Ré, il allait à La Rochelle pour des transfusions, cancer du sang. On le savait perdu, pas lui. Je le revois, de dos, assis sur le lit de sa chambre. J'étais sur le seuil, lui le front accablé, les mains sur les genoux.

Pierre Nougaro à l'Opéra de Marseille dans le rôle du Chemineau de Xavier Leroux, saison 1951-52.

J'ai senti qu'il commençait à se savoir foutu. Entrer dans la chambre, m'asseoir près de lui, le bras autour de ses épaules, papa, Pierre... Oh ! Ce mur de pierres impossible à franchir.

Muet, je l'ai laissé seul. L'aventure de la mort se partage mal. On s'en approche sur la pointe des pieds avec une fuite en soi comme du bord d'un abîme. La mort, c'est d'abord plus personne, et puis une personne à qui l'on peut parler, enfin.

Nougaro

Claude Nougaro, texte inédit

« Le désespoir de n'avoir pas su plus tôt la place qu'il tenait... »

par François Cavanna

Le dimanche matin, quand il fait beau et qu'il a pas de jardin de bourgeois à aller bêcher ou de fosse à merde débordante à aller déboucher, papa ouvre la fenêtre, celle sur la rue, et il répare des mètres.

...

Papa est un garçon, mais pas vraiment l'arpète. Il a plus l'âge. Les arpètes, il les engueule, oui, plus fort que les compagnons, même. Petit compagnon, ça s'appelle, qu'il est. Ça veut dire qu'il se tape un boulot de compagnon et touche une paie de garçon. Un caractère en or, papa. Et puis, il sait pas lire. Un compagnon, faut que ça puisse lire le plan. Ecco. Tou comprende, Vidgeon ? Papa comprend.

Ah, oui. « Vidgeon », c'est le diminutif gentil de Luigi, en dialetto. Comme tu dirais « Petit-Louis. »

Les bouts de mètres cassés, il les ramasse, sur les chantiers, à droite à gauche, tout content, en se chantant une petite chanson sans paroles et sans musique, plutôt un bourdonnement guilleret, comme on s'en chante pour soi tout seul quand on est content d'être au monde et qu'on ne veut pas déranger les gens pour si peu. Il les ramasse et il les met dans sa boîte à fourbi.

...

François Cavanna, enfant.

« Il est petit, papa, tout petit, mais qu'est-ce qu'il est costaud ! Il est trapu et gras du bide, ça lui va très bien. Vous verriez ses yeux ! Bleus comme ces fleurs bleues, vous savez, quand elles se mettent à être vraiment bleues. Ses cheveux sont blancs et fins comme les fils de ces plantes qui poussent dans les haies, je sais pas comment ça s'appelle. Ils ont toujours été blancs. Quand il était gosse, au pays, les autres l'appelaient "Il Bianco." Maintenant, ils l'appellent "Vidgeon Grosso" ou "Gros Louis" (prononcer "Louvi"). »

Des boîtes à fourbi, papa, il en a plein. Sur chaque chantier en train, il en a deux ou trois. Plus une douzaine dans notre cave. Plus une dans la cuisine qui fait gueuler ma mère. Plus une dans le coin où il y a mon lit, avec cadenas terrifiant et cassé. Plus quelques autres dans les cabanes à outils des jardins qu'il bêche le dimanche pour se faire des sous que maman sait pas qu'il a – enfin, qu'elle sait pas combien au juste. Plus quelques autres dans des coins tellement secrets qu'il les a oubliés lui-même. Au fait, si vous en avez marre, autant me le dire tout de suite, parce que moi, quand je commence à raconter papa, on en a pour un bout de temps.

François Cavanna, Les Ritals, *1978*

Papa...

C'est quand j'eus commencé à écrire « Les Ritals » que je sus quelle place papa, à son insu – et au mien – avait tenue dans ma vie.

J'avais depuis longtemps, dans un repli de ma tête, l'envie d'écrire ce livre. Je l'imaginais comme une sorte de « Guerre des Boutons », les mille et un coups des petits Ritals effrontés lâchés dans les rues somnolentes de Nogent-sur-Marne... Dès que j'eus écrit la première phrase : « Le dimanche matin, quand il fait beau et qu'il n'a pas de jardin de bourgeois à aller bêcher ou de fosse à merde débordante à aller déboucher, papa ouvre la fenêtre, celle sur la rue, et il répare des mètres. », dès que j'eus écrit ça, j'étais piégé. En fait de « Guerre des Boutons » et de joyeuses cavalcades, il y avait papa, il s'était installé là va savoir comment, il prenait toute la place, et va le déloger, toi !

C'est comme ça, l'écriture. Ça va où ça veut. Toi, tu cours derrière... C'est là que j'ai su qu'il y avait en moi un trou énorme, et que ce trou était l'absence de papa. Pas seulement. Aussi le désespoir de ne pas avoir su cela plus tôt, la place qu'il tenait, quand il était là, quand j'aurais pu en profiter bien à fond, au lieu de l'aimer machinalement, sans y faire attention, comme une vieille habitude...

Qui écrit n'a pas besoin de psy. Il se retrouve sanglotant sur sa table alors qu'il était parti pour narrer du plaisant.

Rien que cette incapacité à écrire « mon père »... On me fit un jour remarquer que je ne disais jamais « mon père ». Toujours « papa ». Je ne m'en étais pas rendu compte. Ça s'était fait tout seul, tout naturellement. J'en restai baba. Il y avait là quelque chose. Un barbon de cinquante-cinq ans qui dit « papa » ! C'est plein de signifiant, là derrière, sûr. Mais lequel ?

Cavanna

François Cavanna, texte inédit

PAPA

[C'est quand j'eus commencé à écrire "les Ritals" que je sus quelle ~~importance~~ place papa, à son insu — et au mien ! — avait ~~eu~~ tenue dans ma vie.

[J'avais depuis longtemps, dans un repli de ma tête, l'envie ~~de fa~~ d'écrire ce livre. Je l'imaginais comme une sorte de "Guerre des Boutons", les mille et un coups des petits Ritals effrontés lâchés dans les rues somnolentes de Nogent-sur-Marne... Dès que j'eus écrit la première phrase : "Le dimanche matin, quand il fait beau et qu'il n'a pas de jardin de bourgeois à aller bêcher ou de fosse à merde débordante à aller déboucher, papa ouvre la fenêtre, celle sur la rue, et il répare des mètres.", dès que j'eus écrit ça, j'étais piégé. En fait de "Guerre des Boutons" et de joyeuses cavalcades, il y avait papa, il s'était installé là va savoir comment, il prenait toute la place, et va le ~~[illegible]~~ déloger, toi !

[C'est comme ça, l'écriture. Ça va où ça veut. Toi, tu cours derrière... C'est là que j'ai su qu'il y avait en moi un trou énorme, et que ce trou était l'absence de papa. Pas seulement. Aussi le désespoir de ne pas avoir su cela plus tôt, la place qu'il tenait, quand il était là, quand j'aurais pu en profiter bien à fond, au lieu de l'aimer machinalement, sans y faire attention, ~~[illegible]~~ comme une vieille habitude...

[Qui écrit n'a pas besoin de psy. Il se retrouve sanglotant sur sa table, alors qu'il était parti pour narrer du plaisant.

[Rien que cette incapacité à écrire "mon père"... On me fit un jour remarquer que je ne disais jamais "mon père". Toujours "papa". Je ne m'en étais pas rendu compte. Ça s'était fait tout seul, tout naturellement. J'en restai baba. Il y avait là quelque chose. Un barbon de cinquante-cinq ans qui dit "papa" ! ~~[illegible]~~ C'est plein de signifiant, là derrière, sûr. Mais ~~[illegible]~~ lequel ?

Cavanna.

« N'oubliez jamais que lorsque vous parlez à quelqu'un vous parlez à une bougie... »

par CharlÉlie Couture

La Bougie...
Parler à quelqu'un c'est parler à une flamme
La flamme d'une bougie
Quand il meurt c'est simplement que la bougie s'est éteinte,

Courant d'air, ou intempéries
Parce qu'on la souffle ou à cause de la pluie
La bougie peut s'éteindre de beaucoup de manières différentes
Parce qu'il n'y a plus assez d'envie
Ou parce que la mèche est noyée dans la cire.

Je reste là devant le corps de mon père, endormi à jamais, endormi pour toujours à l'âge de 82 ans,
lui, le grand Résistant torturé pendant plusieurs jours par la Gestapo et qui portait sur son corps les stigmates de ces terribles journées comme autant de cicatrices que nous ne comprenions pas quand nous étions enfants,
envoyé dans le dernier train qui partit de Paris en Juillet 44 vers les camps de concentration de Buchenwald, Nachthausen et Dora-Elrich, où il resta un an jusqu'à la Libération par les forces alliées en juillet 45, tenant debout comme un mort vivant, 1 mètre 82, 37 kilos, ça fait pas lourd,
lui qui avait tenu le coup en serrant les dents,
lui qui nous avait appris à obéir autant qu'à désobéir,

CharlÉlie Couture, ses parents et son frère Tom.

lui qui nous avait appris à écouter l'inspiration de nos aspirations,
et qui, essoufflé par tant d'efforts a finalement dû se résoudre à admettre l'inadmissible quand ses dernières forces l'ont finalement abandonné.

J'ai osé le toucher, lui, mon papa, qui était là,
maintenant immobile.
J'ai pris sa main froide dans ma main
Il n'y avait plus la chaleur, sa chaleur,
La chaleur du sang en mouvement,
La chaleur du feu de la bougie
Il était froid
Comme un carton d'emballage froid,
le corps comme un carton froid, un carton vide de toute forme d'énergie
Ça y est la flamme s'était éteinte.

Quand la chaleur de la flamme a été soufflée
Il reste la paraffine,
la paraffine froide
Son corps froid

On mettra demain son corps froid dans un cercueil

Une boîte,
On mettra son corps comme une boîte dans une boîte,
On mettra son corps comme la cire, la paraffine de la bougie éteinte dans une boîte
C'est tout

Mais son esprit est déjà parti,
Aujourd'hui peut-être que son esprit est encore là parmi nous qui l'avons connu, peut-être qu'il a rejoint le mystère des esprits,
mais ce qui est certain c'est que l'esprit est parti du corps de mon papa, qui, bien qu'âgé, était encore bien présent, comme un vieux copain il s'est réjouit jusqu'à la dernière minute de tout le bien qu'il pouvait tirer de la vie.

Mais fffft, ça y est, c'est fini, envolé.
Soufflé comme la bougie...

N'oubliez jamais que lorsque vous parlez à quelqu'un
vous parlez à une bougie,
À la flamme d'une bougie qui vous éclaire de son savoir-faire de ses connaissances ou ses humeurs, de ses colères ou de ses joies,
comme celles de mon père qui nous servaient de repères,
Et quand il n'y a plus la lumière on se sent envahi par l'ombre.

Au revoir papa.

Tu viens de t'endormir pour toujours vers cette Armée des Ombres à laquelle tu as participé pendant la guerre, tu t'es endormi avec le sentiment du devoir accompli.

Tu es allé jusqu'au bout sans jamais te plaindre, comme un porte-étendard, tu as toujours voulu être un exemple. Tu as affronté la Mort en face avec lucidité, éclairé par la lumière de ton intelligence qui voulait comprendre les mécanismes qui régissent notre Existence, évitant les pièges de la facilité et du confort des idées reçues.

Plusieurs fois tu as vu venir cette Grande Faucheuse qui rôdait de plus en plus menaçante depuis des années, mais tu t'es opposé à elle comme tu t'étais toujours opposé à ceux qui voulaient te contraindre. Chaque fois. Elle ne trouvait pas les arguments suffisants pour te prouver qu'il n'y avait plus de raisons à vivre et tu la renvoyais d'où elle venait en lui opposant la force de ton courage.

Tu ne t'es résigné, essoufflé de tant d'efforts que lorsque les dernières forces t'ont finalement abandonné. Tu as dû admettre l'inexorable fin du voyage. Comme un péage sur l'autoroute, elle a stoppé le véhicule de ta vie.

Tu me l'as dit en tenant ma main une semaine avant de mourir, « age quod agis », fais ce que tu fais. Tu étais un homme de Devoir, ce devoir que tu as toujours accompli avec rigueur : devoir de mari à l'égard de maman que tu as aimée jusqu'à la dernière seconde, ton devoir de père pour nous trois, Surya, Tom et moi-même à qui tu as tenté d'apprendre un certain nombre de principes fondés sur des valeurs solides, ou ton devoir national vis-à-vis de la Patrie que tu chérissais sans partage.

Au revoir Papa, puisqu'au-delà de toutes les idéologies notre métabolisme nous oblige à admettre que nous nous retrouverons tous un jour où l'autre là où tu te trouves aujourd'hui.

Au revoir aussi parce qu'à l'occasion d'une idée ou d'une discussion, je sais que tu reviendras en moi, ne serait-ce qu'à travers telle ou telle réflexion qui me restent de ces longues discussions que nous avions ensemble.

Au revoir aussi et non pas Adieu, parce qu'il m'est difficile de dire en ton nom, le nom de ce dieu de quatre lettres auquel tu te refusais de croire.

Au revoir à toi Papa, au nom de nous trois tes enfants,

Au revoir Pépé, au nom de tes petits-enfants et de leurs mères,

Au revoir monsieur Couture, au nom de tes amis et de tous ceux qui t'ont connu,

Au revoir Jean-Pierre, au nom de Maman qui trouvera toujours auprès de nous une aide et une assistance proportionnelle au grand silence que laissera désormais ton absence.

CharlÉlie

CharlÉlie Couture, texte inédit

« Il m'a fait aimer ses rêves. »

par Claude Klotz

Mon père m'a donné trois amours.

C'est pas mal si je précise qu'ils ont duré toute ma vie.

Il travaillait à la S.N.C.F. et offrait le spectacle de ce que l'on peut appeler un employé rangé, une sorte de Monsieur Tout le Monde, gentil, un peu craintif, et dont la devise était « Pour vivre heureux, vivons cachés. » Et c'est avec cette apparence légèrement tristounette qu'il m'a, sans y toucher, inculqué trois sources d'enthousiasme qui sont le football, le cinéma et l'opéra.

Je trouve un point commun à ces trois domaines que tout semble séparer : la démesure.

Le sport, l'image, la musique...

Rien de plus dissemblable, et pourtant il y a entre eux, parfois, une folie identique.

Il aimait, et j'aime, l'exploit du but marqué en pleine extension, la chorégraphie du joueur lancé en pleine vitesse...

Il aimait, et j'aime, les galops des cavaliers de western, les exploits des tireurs dans le soleil couchant des villes fantômes de l'Ouest américain.

En fait, il m'a fait aimer ses rêves. Dans une vie rangée, il a admiré ce qui en était l'inverse, le spectaculaire, l'élément fort d'une culture populaire qui ne m'a jamais quitté.

Dans la Marseille de la veille de la deuxième guerre mondiale, il m'a entraîné dans les trois temples qui furent ceux de mon enfance : le stade vélodrome où j'ai appris l'enthousiasme de la victoire et l'effroyable tragédie des défaites, le « Cinéac » de la canebière où j'ai vibré de toutes les émotions d'un cinéma héroïque et chaleureux, l'Opéra municipal où j'écoutais, fasciné, le miracle du chant et des orchestres.

Ce ne fut pas une initiation pédagogique. Il n'était ni cinéphile, ni musicologue, ni expert en tactiques footballistiques : il me montrait, c'est tout, et nous vibrions ensemble.

Il ne m'a jamais forcé. Je n'ai pas souvenance de ces barbantes visites de musée qui, à part quelques glissades sur parquets cirés, sont les terreurs des petits garçons. Il n'insistait jamais...

Un bon demi-siècle plus tard, je ne peux pas voir l'O.M. marquer sans entendre encore son cri de délivrance, le « Trouvère » tirer l'épée sans sentir le frémissement de son bras contre le mien, et c'est en surimpression sur celle de Lancaster que je vois sa silhouette pénétrer dans O.K. Corral.

Pas facile d'être papa... Je sais aujourd'hui qu'il s'est drôlement bien débrouillé.

P. Cauvin

Claude Klotz, dit Patrick Cauvin, texte inédit

Patrick Cauvin et son père dans les rues de Menton, septembre 1959.

« Il m'est arrivé de chercher mon père comme on cherche un mot oublié... »

par François Nourissier

Le 17 novembre 1935...

Mon père, celui qu'Alain et Gilles nomment parfois, d'une expression qui me prend toujours au dépourvu, « grand-père Paul », est un inconnu. Je ne voudrais pas feindre un inutile attendrissement ; on s'habitue fort bien à ne rien connaître de son père, ou presque rien : trois ou quatre photographies, un visage où je cherche en vain ce qu'est devenu ou deviendra le mien, quelques images sommaires de sa vie et, pour le reste, le silence, cet incompréhensible silence de ma mère que je n'ai jamais osé rompre, le silence des objets et du décor qu'assurent les déménagements et la vente des maisons, mon propre silence, obstiné, surprenant (et dont pourtant je ne pris conscience qu'à trente ans passés), enfin le vide de ma mémoire car, il faut le reconnaître, on oublie tout d'un homme enterré quand on avait huit ans. Un inconnu, donc, ce « grand-père Paul » sur lequel mes fils possèdent déjà les mêmes notions sommaires qu'on glissa en moi lorsque j'étais encore enfant. Gilles, à qui les liens de parenté créent des difficultés, récite parfois en ânonnant une espèce de théorème : « Grand-père Paul c'était ton père à toi, et le père de tante Jacqueline, et c'était le mari de Mamy... » Et il rit. Il faut avouer que ces notions – papa de papa, mari de Mamy – ces filiations et ces mariages des vivants et d'une ombre, présentent pour de petits garçons une irréalité cocasse. Cette irréalité, voyez-vous, fut

François petit garcon, avec son père, La Panne, 1934 :
« J'étais un enfant, son fils, il y a si longtemps. »

mon lot avant d'être le leur. Pour la combattre, mes armes restent faibles : je me souviens d'une certaine façon que j'avais, dit-on, de jouer avec mon père, de ramper entre ses jambes, et d'une autre façon, une coquetterie d'enfant, de poser ma main sur la sienne, à table, s'il était en colère contre moi, et l'on répétait sans doute dans la famille que je « faisais de lui tout ce que je voulais », qu'il « ne savait pas me résister ». Bien entendu, comme tout le monde, je me rappelle peut-être moins des scènes que le souvenir que j'en ai, souvenir que l'on a entre-temps fortifié. De toute façon, ainsi ou autrement c'est peu de choses pour satisfaire une mémoire.

Quoi d'autre ? Quelques livres, quelques lieux. Les livres : trois cents volumes de Bernanos à Georges de la Fourchardière et d'Anatole France à Marcel Prévost, que j'ai hérités très tôt et qui désorganisèrent sérieusement les lectures de mes douze ans. Les lieux : un village de Lorraine où je ne suis pas retourné depuis l'âge de vingt ans (ce sont les bombes et le feu, là, qui ont organisé le silence des choses), les plages bordées de dunes entre la Panne et Ostende dont on me disait « Ah ! ton père les aimait ! », un lac dans les Vosges, des routes en Suisse. Mais quelle réalité traquer sur ce sable, sous ces sapins, dans les couloirs aux portes bien laquées de l'hôtel Victoria d'Interlaken ?

Si j'insiste c'est pour vous donner l'échelle. Faites un effort pour imaginer ce que signifie la pauvreté de cette énumération. Il m'est arrivé de chercher mon père comme on cherche un mot oublié, obstinément, tout au long d'une soirée, et de ne rien découvrir que le vide. Ce vide irrite quand la mémoire l'oppose à un caprice ; il bouleverse quand la plongée a été profonde et répétée, avide de certitudes.

Sans doute, Gilles et Alain, lirez-vous ce livre vers vos dix-huit ans. Et là, j'entre en pleine brume. Serai-je à vos côtés ? Ce temps me sera-t-il laissé ? Je ne me sens pas trop d'optimisme sur ce sujet. Les hommes de la famille professent une discrétion excessive : ils se retirent tôt. Et si je suis là que seront nos confidences, nos colères ? Autant vous le dire tout de suite : je ne fonde pas trop d'illusions sur votre avenir, à vous et à moi. Déjà je vous juge et je me sens une démangeaison de vous juger plus encore, plus souvent, plus sévèrement ;

à votre tour vous me regarderez avec des yeux décillés. Nous nous aimerons, sans doute, ce qui n'a pas grand-chose à voir avec la révolte des garçons, ni avec cette déception qui saisit leur père quand il les voit se battre contre des ombres, mordre au hasard, détester au hasard, comme vous ferez bien entendu d'ici dix années, ou plus tôt. En somme, que je sois là ou non ce livre présente une utilité ; presque la même dans un cas ou dans l'autre. Le silence autour d'un père vivant risque en effet de ressembler singulièrement au silence autour d'un père mort. Il n'est que de regarder autour de soi pour s'en convaincre. Je me dis parfois qu'un père écrivain ce n'est pas la même chose, et même, de ce point de vue, que c'est pour les uns et les autres une aubaine. Que de traces ne laisse-t-il pas ? Que d'explications ! Mais un peu de lucidité solde vite cette blague. Un livre, c'est un vrai nid de malentendus. Sans parler du désordre de papiers, de lettres, de mensonges et de ragots que laisse derrière lui le gribouilleur et contre lequel on ne peut rien. Un vrai cancer, qui pourrirait toute vérité. Je n'ai pas envie qu'on me raconte jamais à vous. Je veux me raconter moi-même. Demain, pensez de moi ce que vous voudrez, mais sachez quelle part de moi fut tournée vers vous.

Je le confesse, j'espère être aimé de vous. Mais il y a chez les pères un étrange renoncement à l'amour de leurs fils, et tôt découvert. Notre modestie est extrême. La mode depuis quelques années est à l'innocence des enfants, à la culpabilité vague et générale des parents. On a beau en rire, on prend insensiblement la couleur de son temps.

Ne me croyez pas poussé à écrire par un sentiment abstrait, fabriqué de quelque façon. Si j'écris un peu « engoncé » cherchez-en la raison dans mon horreur des plumes molles, des cœurs mous. Il suffit de revenir à la comparaison de tout à l'heure entre votre enfance et la mienne, et de la garder présente à l'esprit, pour deviner l'oppression que font peser sur moi la mort de mon père, l'incertitude où je demeure à son endroit, et les deviner assez fortes pour justifier à elles seules ce livre.

Je voudrais vous donner quelques images de vous-mêmes et de moi. De ces images, je le sais, qu'on ne songe presque jamais à ranimer pour les siens. Je reconstitue par exemple, après en avoir perdu pendant des années jusqu'au souvenir,

Le sentiment paternel : une langue étrangère.

« On a trop plaisanté, chez moi, de ma rétention de sentiment paternel. On me mettait par surprise un bébé dans les bras, le temps d'une photo, comme on m'eût obligé à manger des huîtres ou des cuisses de grenouille. Personne ne se rendait compte que je vivais mon embarras comme une indignité. Je voyais tant d'hommes cajoler, lécher, choupouter de tout petits enfants ; et plus tard, c'était le père camarade ; plus tard encore, le confident viril, le rival sportif qui s'épuisait à la compétition. Quel était leur secret ? Quelle fibre me manquait-il ? Quel gène, quelle disposition naturelle ? Ma tendresse pour mes fils et ma fille restait abstraite, contrainte. [...] Je ne sentais pas mes bras, mes mains disponibles pour ces étreintes dont je voyais tant d'hommes envelopper leurs enfants avec gourmandise. Avais-je à ce point manqué de caresses autrefois ? Avais-je été privé de cette chaleur dont je ne trouvais pas en moi le secret ?

...

Le sentiment paternel, donc, me sera resté aussi fermé qu'une langue qu'on ne parvient pas à apprendre. Oui, la comparaison tient le coup : une langue étrangère. Je la baragouine. Incapable de m'exprimer dans d'autres mots que les miens, je connais ce trou infranchissable, ce découragement qui me saisit à constater non pas que j'ai les mots sur le bout de la langue, mais au lieu des mots, ce ciment amorphe, cette impression qu'un venin me paralyse et qu'aucune parole audible ne sortira entre mes lèvres. [...]

La seule vraie blessure : imaginer l'opinion que se sont faite de moi les enfants. Qui est-il pour eux, ce silencieux, ce fuyant, ce vite lassé ? Et voilà une fois de plus la relation inversée : je me préoccupe de moi et non de comment je les aime ; toujours moi, jamais eux. Ainsi dérape toute réflexion : je me retrouve au cœur de l'énigme. »

mes seuls efforts de petit garçon pour retenir au bord de l'oubli la présence charnelle de mon père : la prière du soir, les visites au cimetière.

La prière du soir fut un rite étrange, heureusement éphémère, instauré dans ma vie sur l'inspiration, me semble-t-il, de ma mère. Il consista pendant quelques mois de 1936 à m'enfermer chaque soir au salon, le dîner à peine terminé, et à demeurer là un moment, immobile, à genoux sur un pouf de velours rouge, accoudé à la cheminée, les yeux fixés sur une photographie de mon père vêtu en officier, prise au cours d'une « période » quelques mois avant sa mort. Cela durait d'étranges minutes suspendues entre le rêve, le sommeil et une superstition pieuse. C'était l'heure où l'on entend dans les maisons des vaisselles remuées. Mes yeux se fermaient. Je m'étonne aujourd'hui que l'on ait alors toléré, encouragé même cette manifestation quotidienne, à la fois morbide et ostentatoire.

« Il est neuf heures, disait ma mère, va faire ta prière avec ton papa... »

Et je m'enfermais dans le salon dont j'avais allumé le lustre.

Des visites au cimetière je me rappelle le triste chemin que nous empruntions pour nous y rendre, les problèmes de fleurs en pot de terre et de petites pelles, le long hiver que me paraissent avoir été ces mois qui suivirent le veuvage de ma mère, avec des voiles lentement raccourcis, les vêtements teints, le crêpe à mon bras puis au revers de mon manteau. Devant la tombe nous ne restions jamais que peu d'instants, les visages blancs, baissés, presque hostiles, dans l'hostilité générale des choses : froid, ciel bas, murs d'éternel ciment, le vent, la terre qui nous séchait aux doigts, et cette laideur de nos traits, en quelque sorte familiale, qui me semble dater d'alors. Ensuite nous avions le droit de « boire quelque chose de chaud » et de manger un gâteau chez Beck, le pâtissier alsacien.

Ce sont de ces images – soirées d'hiver dans la maison trop grande, après-midi d'hiver sous un ciel blanc – qui me donnent des raisons secrètes et pressantes d'écrire pour vous. Je redoute, c'est vrai, ces décors de silence et d'ignorance dans lesquels se jouent toutes les scènes qui suivent la mort. Les craintes les plus banales que lève la perspective de mourir – crainte du lendemain de notre mort, intuition d'un ordre inchangé des choses – sont de même nature : tout aura-t-il été dit ? Ce qui sera dit l'aura-t-il été assez clairement ? Ce qu'on ignore ou invente de la volonté d'un mort peut m'obséder. « Ton père aurait aimé que tu entres à Polytechnique... » Cette rengaine familiale me fit frémir lorsque j'avais seize ans. Elle m'emplit aujourd'hui de nostalgie. Quels autres désirs mon père n'aurait-il pas exprimés si l'occasion, le temps, lui en avaient été laissés ? Les veuves et les cousins se souviennent de Polytechnique mais ils oublient le reste – l'essentiel. Un père échafaude pour ses fils un avenir tourné vers le passé, bien sûr, vers son propre passé. Par le hasard de cette mort survenue dans un cinéma l'après-midi du 17 novembre 1935, j'ai fait l'économie des oppositions, des révoltes, de l'absurde et irremplaçable bataille sur quoi se fonde chaque vie d'homme. Ce n'est pas à ce gain de temps, à cette liberté trop grande que je pense aujourd'hui, mais à ce rien de naïveté, de folie, que l'on trouve toujours dans la tête d'un homme qui pense à ses fils, et que toujours j'ignorerai. On peut se faire, de l'état de fils, de l'état de père, des images innombrables. Je n'en retiens que fort peu. Un jour vient où l'on a tout ou presque tout à reprocher aux siens, et si possible à leur pardonner. Un jour fût venu où j'aurais été – ne fut-ce qu'une heure – l'ennemi de mon père, ce nécessaire ennemi que tout homme doit mettre au monde afin que les choses soient accomplies. Et ce jour-là rien ne m'eût servi, que d'avoir deviné ce qui traîne de chimères et de désespoir dans le songe d'un père. À cause de cela j'aurais tout cédé, tout aurait cédé en moi, il me semble... Mais aurais-je su ? Nous traversons les années vécues auprès de nos enfants sans lever ce doute, – aurais-je su ? On aime dans le noir, on aime à l'aveuglette, c'est la règle. Seule une distraction toute-puissante me permet de vivre. Nous dévalons une pente, pressés par des ombres, entourés d'inconnus, la tête pleine de nuages, les yeux fermés, sans nous être jamais expliqués, les yeux fermés, les yeux fermés.

François Nourissier, Un petit bourgeois, *1963*

Octobre 2000

Aujourd'hui, j'ai trente ans de plus que mon père : il est mort à 43 ans, j'en ai 73. La "force de l'âge", c'est lui ; les mille atteintes de l'âge, c'est moi. Relation mystérieusement inversée. Mais ce qui a donné son contenu à notre relation a-t-il changé ? Je n'ai pas appris à être un père parce que le destin ne m'a pas laissé jouer assez longtemps le rôle du fils. Mes rapports avec mes trois enfants se sont déroulés dans un *no man's land* qui n'appartenait ni à l'ordre des adultes ni à celui de l'enfance : parfois de la complicité, de l'humour, une camaraderie ; parfois une vigilance réciproque, des coups de froid. Puis sont venus les enfants de mes enfants : onze. ~~petits-enfants~~. Ils me paraissent beaucoup plus faciles à aimer, à *suivre*. Père, grand-père : je fais mal la différence. Si les grands-parents confondent si souvent les prénoms de leurs descendants, mélangeant les générations, les foyers (mais très subtils et précis sur les ressemblances, les *airs de famille*), c'est que le temps, les dates, les divorces, les distances comptent peu ; tous mes descendants sont mes enfants et me donnent la mesure de la paternité, c'est à dire l'intuition de ce que fut - ou aurait pu être - mon sentiment filial. Je ne comprends mon père que dans l'éclairage du temps d'après lui. Je me substitue à lui. Je *suis* mon père : seule façon de lui prêter un semblant de vie. Je ne parviens pas à imaginer l'homme que fût mon père, ni le père que je fus et suis pour mes enfants. Ce qui compte, c'est la chaîne, et non pas ses maillons. Le mur et non les pierres. Tout cela, d'ailleurs, avec les années, s'estompe. J'étais un enfant, *son* fils, il y a si longtemps. Aridité terrible du temps et de la mort.

F.N.
oct. 2000

Texte inédit dactylographié par François Nourissier.

« Mon père disait qu'une nuit il ferait une brioche... »

par François Morel

Mon père...

Mon père votait rouge car, disait-il, « ça rosit toujours ».

Mon père se disait gaulliste, mais de la première heure.

Mon père avait déjà croisé Léon Zitrone à la gare de Flers, et Lecanuet aussi.

Mon père avait deux veaux, pour s'occuper.

Mon père pensait que dans les églises on pourrait ranger du foin.

Mon père admirait Renée Saint Cyr et Jean Gabin bien sûr.

Mon père était abonné à *La Vie du rail* et au *Chasseur Français*.

Mon père avait fait l'Indochine.

Mon père était amateur de sardines à l'huile et de figues séchées.

Mon père disait aller à la chasse pour se promener surtout.

Mon père disait qu'il pourrait aussi bien aller à la chasse avec un appareil photo.

Mon père n'a jamais eu d'appareil photo.

Mon père fumait la pipe et la gitane maïs.

Mon père, un jour, dans une tombola, a gagné un sanglier.

Mon père était Renault 4 L, R 12.

Mon père faisait les trois huit.

Mon père pensait qu'il fallait supprimer les passages à niveaux.

Mon père avait beaucoup lu Jules Verne.

Mon père affectionnait l'expression « Où c'est que tu vas chercher ton cidre ? »

Mon père sur son harmonica jouait *Deux petits chaussons.*

Mon père nageait la nage indienne.

Mon père, très longtemps, a porté un béret.

Mon père aimait Gainsbourg et Caussimon.

Mon père n'était pas d'accord pour que Greame Allwright chante les pieds nus.

Mon père aimait la Bretagne, la mer, la tempête.

Mon père admirait Henry de Monfreid.

Mon père avait été apprenti boulanger, à Saint Bomer.

Mon père disait qu'une nuit il ferait une brioche.

Mon père, pour son départ en retraite, reçut une table de ping-pong.

Mon père plantait des arbres pour les générations futures.

Mon père mangeait lentement.

Mon père disait « À boire ou je tue le chien ! »

Mon père, à la gare, était surnommé « P'tit Louis. »

Mon père a peu connu son père.

Mon fils aussi – qui sait ? – considérera peut-être son père comme une énigme.

François Morel

François Morel, texte inédit

« Deux vieux séducteurs confrontant nos palmarès... »

par Georges Moustaki

Mon père Nessim...

Nessim m'a quitté le 16 août 1984. Je venais de le connaître.

La mort de Sarah, ma petite mère, quelques mois auparavant, nous avait réunis dans la même affliction. Nous avait laissés lui solitaire et moi orphelin. Tant que Sarah vivait, Nessim lui laissait le soin de combler ses enfants de tendresse. Il se contentait d'inspirer la crainte et le respect. Pudique ou distant, il se tenait à l'écart des effusions, n'entrait jamais dans les discussions futiles ou animées qui enflammaient nos repas de famille. Il se démarquait de notre tribu de Méditerranéens débraillés par son élégance discrète.

Indifférent en apparence, il sut comprendre et réaliser deux de mes rêves d'enfant : posséder une bicyclette pour sillonner la ville et un petit bateau pour rôder dans la rade d'Alexandrie.

Nessim m'offrit ces inestimables cadeaux.

Quand, à dix-sept ans, je voulus quitter l'école, la maison, Alexandrie pour aller me mesurer à Paris, je craignais de longues négociations pour le convaincre.

Il accepta sans discussion, avec bienveillance, de m'affranchir de sa tutelle et de me laisser partir à l'aventure.

À la mort de Sarah, Nessim n'était plus qu'un homme fragile, désemparé, désespérément seul. Persuadé que c'était lui qui partirait le premier il se sentait frustré, presque trahi, d'être encore vivant.

Peut-être Sarah avait-elle souhaité s'en aller discrètement et me laisser en tête à tête avec Nessim. Elle avait toujours voulu

Portrait de son père par Georges Moustaki.
« Mon père avait, à la force du poignet, monté une des plus belles librairies du Moyen-Orient, la "Cité du Livre". »

que je puisse mieux connaître ce père exemplaire et inaccessible.

Je n'eus que quelques mois pour l'emmener dévorer des tombereaux d'huîtres arrosés de Sancerre, faire de longues promenades dans les rues de Boulogne, vider quelques verres d'ouzo dans les gargotes grecques de Montparnasse, l'écouter parler de Giuseppe son vagabond de père, maître tailleur qui préférait laisser sa famille mourir de faim plutôt que d'accepter des travaux d'aiguille indignes de lui. Je sus que Nessim avait dû quitter l'école à douze ans pour être apprenti et contribuer à l'économie familiale rendue précaire par la susceptibilité professionnelle de Giuseppe.

J'appris que Sarah, sa cousine germaine, son épouse, lui avait donné la force de prendre en gérance une librairie dont il avait fait, en beaucoup plus modeste, une nouvelle Bibliothèque d'Alexandrie, après avoir exercé toutes sortes de métiers qui lui avaient permis d'approcher l'univers des bookmakers, trafiquants de haschisch et autres spéculateurs du marché noir.

Georges Moustaki : autoportrait.
« Non, décidément, grandir pour grandir, je voulais être tout de suite vieux. Je revendiquais davantage l'héritage de Giuseppe mon grand-père braconnier que celui de Nessim mon vertueux père. »

Oui, en s'effaçant sur la pointe des pieds, Sarah m'avait offert ce présent posthume, ce père fraternel qui m'avait souvent manqué.

Nessim accepta même de venir passer quelques jours avec moi dans la maison que je venais d'acheter en Provence.

Depuis que j'avais quitté Alexandrie, nous n'avions jamais dormi sous le même toit. Je comptais beaucoup sur la douceur provençale pour le réconcilier avec un monde sans Sarah ; pour vaincre l'accablement qui le brisait malgré l'affection unanime de ses enfants et de ses petits et arrière-petits enfants.

Le 15 août j'allais le voir à l'hôpital où il se réfugiait quelques fois sous le prétexte de faire examiner son cœur qui n'était malade que de Sarah. Je le trouvais particulièrement déprimé en ce jour férié où le personnel était restreint et les visiteurs rares.

Nous décidâmes de partir le lendemain.

Le 16 serait le grand jour. Le jour de la célébration des noces avec le père retrouvé. Le père pour moi tout seul, avec qui je partagerai chaque instant, à qui j'essaierai de rendre la vieillesse moins intolérable, pour qui je ferai griller des poivrons et des aubergines sur le feu de bois, jouerai de l'accordéon des tangos grecs et les chansons italiennes que nous chantait Sarah et que j'écouterai me raconter encore et encore...

Course contre la montre, contre la mort.

La voiture était prête, la valise bouclée. Je traînais dans les cafés de l'île Saint-Louis jusqu'au moment d'aller le chercher.

Mais il ne m'attendait pas. Trop impatient de retrouver Sarah, il avait pris son petit déjeuner, quitté ses pantoufles, ôté sa robe de chambre puis ouvert sa fenêtre pour se lancer dans l'espace vers elle, son épouse, sa cousine, son amour d'adolescent, sa compagne de toujours.

Georges Moustaki, Les filles de la mémoire, *2000*

« Sarah, ma mère, était la cousine germaine de Nessim. Ils se connurent enfants et se marièrent adolescents. Ainsi, nous étions tous cousins : mes parents, mes sœurs et moi, mes oncles et tantes et leur progéniture. »

Nessim Moustaki.
« Son physique à la Louis Jouvet lui donnait un ascendant sur les clientes qui venaient roucouler à la librairie… »

Nessim, encore…

– J'ai fait l'amour jusqu'à quatre-vingts ans, puis, il y a quatre ans, ta mère n'a plus été en bonne santé. Elle n'a plus voulu... enfin, ce n'était plus possible. Moi, j'en avais toujours envie, mais j'ai accepté. Après ça, mon sexe est devenu plus petit, comme si de ne plus servir.... Au fait, pourquoi me demandes-tu ça, tu es inquiet ?

Nous sommes à la brasserie Stella, avenue Victor Hugo. Comme chaque samedi, j'emmène mon père se gaver d'huîtres, de crustacés, de poissons. Le rituel ne change jamais : nous arrivons à midi quand il n'y a encore personne. Nessim est reconnu, appelé par son nom, dirigé vers la meilleure table. Ça lui plaît beaucoup.

Il poursuit :

– Toi, tu n'as rien à craindre. Tu as su rester célibataire, les filles te courent après, tu n'as qu'à choisir...

Pour la première fois Nessim me parle avec complicité. Nous voici comme deux vieux séducteurs confrontant nos palmarès.

Autrefois, à Alexandrie, dans sa librairie, « La cité du livre », son physique à la Louis Jouvet lui donnait un ascendant sur les clientes qui y venaient roucouler. Quelques fois il me confiait la caisse et disparaissait au sous-sol avec l'une ou l'autre des belles habituées. Il réapparaissait un peu plus tard le regard brillant et la mèche en bataille. Je m'étonnais qu'il emmenât des dames visiter ce sous-sol où il n'y avait que des livres pour enfants et une petite chambre à coucher où je dormais les nuits de bombardement.

Peut-être est-ce en voyant défiler toutes ces jolies créatures, que s'éveilla en moi le goût d'aimer les femmes.

Georges Moustaki, texte inédit

« Mon père s'en est allé persuadé que je serais toute ma vie un raté... »

par Bernard Clavel

Je ne pense jamais à mon père sans le revoir dans ce grand jardin où il a tant et tant peiné. Jamais sans imaginer ce que fut sa vie avant qu'il ne laisse sa boulangerie à son fils aîné et sans mesurer sa douleur quand il vit ce fournil où il avait transpiré, passer à un étranger – un homme qui n'était même pas du métier.

Mais l'image qui s'impose d'abord quand on me parle de mon père, c'est la séquence très courte d'un film à jamais gravé en ma mémoire.

Je devais avoir huit ou dix ans, papa en avait bien soixante. Petit et sec, déjà usé par le travail, il gardait de son passé de gymnaste joinvilais une souplesse, une rapidité, une force peu communes.

Un été, dans le jardin. Ma mère cueillait des haricots, je jouais dans mon arbre, mon père sarclait. Soudain, des cris, une galopade. Le Gris – un cheval que mon père avait dressé et mené des années pour livrer son pain, une bête qui connaissait les tournées par cœur et savait où s'arrêter quand son maître, épuisé par ses nuits entre four et pétrin, dormait sur son siège –, le Gris venait de bondir hors de son écurie, de traverser la rue des Écoles pour s'engager au triple galop dans le chemin qui longe notre jardin. Derrière lui, mon frère, son nouveau maître, hurlait comme un forcené.

Mon père laisse tomber sa pioche, court jusqu'à la barrière, pose une main sur la tête d'un piquet et s'enlève en un saut de flanc impeccable. Il a vingt ans ! Touche terre au milieu du chemin et lance :

– Alors mon Gris !

Le cheval s'arrête. Hésite. Le vieil homme fait un pas et le cheval aussi qui vient poser sa grosse tête sur l'épaule de son seul maître. Arrive mon frère toujours hurlant et brandissant son fouet. Mais la voix de mon père le paralyse :

– Fous-moi le camp ! Imbécile ! Tu ne sauras jamais ce que c'est qu'un cheval. Et il embrasse le Gris dont il caresse le pelage frémissant. La bête apaisée va le suivre jusque dans son écurie.

Tel était l'homme que je n'ai pas su aimer comme il méritait de l'être.

Mon père est mort dans une terrible solitude. Il s'en est allé persuadé que le plus jeune de ses trois garçons qui ne pensait qu'à peindre et à écrire des poèmes serait toute sa vie un raté.

« Mon père est né à Lons-le-Saunier en 1873, sous le signe de la vierge. Il avait donc cinquante ans de plus que moi... Mon père a vu le jour dans un monde dont le rythme était réglé par le pas du cheval. Il a connu le pétrissage à bras et la lampe à huile pour éclairer le four. Il est mort à l'heure de l'avion à réaction. Mais, si j'ose dire, il a regardé tout ça de très loin. C'était un homme qui parlait exactement comme si le monde se fût arrêté d'évoluer en 1914. »

Voilà celui que je pleure aujourd'hui alors que j'aurais dû le pleurer beaucoup plus le jour où je l'ai embrassé sur son lit de mort. Mais je n'avais pas encore mesuré quel homme il était. Je ne l'ai compris vraiment qu'en essayant de brosser son portrait et celui de ma mère qui l'avait précédé de quelques années dans la tombe.

Bernard Clavel

Bernard Clavel, texte inédit

« Mon père est encore un papa : c'est-à-dire il me protège. »

par Raphaële Billetdoux

Mon père était auteur dramatique. Personne, à part cela, ne peut dire vraiment qui il était : célèbre et inconnu, pauvre et riche, sinistre et rigolo, inoccupé et suroccupé, glorieux et misérable, humble et matamore, bon et très méchant, passif et violemment révolutionnaire, doux et agressif, amusant et désespérant, plein d'humour et parfois vachard... À force de pudeur et de secret, il a brouillé les pistes jusque dans l'œuvre multiforme et inclassable qu'il a laissée.

...

Nous étions quatre, plus la chatte, les femmes et le mainate. La maison avait trois étages... Ni sa femme, ni ses filles ne parlaient à François Billetdoux dans la journée. On s'en tenait à cet usage lorsque, plusieurs fois par jour – dans sa veste d'écriture dépenaillée, le regard confisqué, le front bourrelé, la toque en laine noire et rose des Carpartes amollie sur le crâne – l'une de nous le rencontrait descendant l'escalier, une chope de bière vide à la main, ou le remontant la chope pleine.

...

La fréquentation des âmes auxquelles tout jeune déjà, dans le silence de quatre murs, il ne cessait de donner audience, plus que celle des humains était sa fièvre et sa passion.

...

Contrairement aux pères de mes amies qui portaient des costumes anthracite, raclaient sur le trottoir des semelles à talonnettes comme cheval prêt à partir, faisaient sonner au fond de leurs poches pièces de monnaie et clefs de voiture, le mien, dans sa journée d'homme, était une ombre en robe de chambre qui longeait les murs comme le scarabée sacré dans la crainte qu'on l'apostrophe pendant sa trajectoire à découvert.

...

De son père à lui, mort par balle quand il avait trois mois, il ne sut que le mal qu'il avait fait à sa famille.

De sa mère, qui eut le tort de ne plus être lorsqu'il atteignit l'âge de sept ans, il garda toujours le sentiment qu'elle l'avait abandonné...

...

Ce sentiment qu'une femme absente occupait la place première dans le cœur de notre père ne nous quittait pas. Nous nous faisions en conséquence ma sœur et moi, plus douces, plus précautionneuses, ralentissions le pas avant de l'approcher, aménagions les accents de notre voix pour lui parler, tout comme les femmes amoureuses arrivées tard dans la vie d'un homme sont, d'instinct, plus humbles en exigences et démonstrations d'affection.

...

De son corps , il usait si peu qu'il atteignait l'heure du dîner secoué de longs frissons, qui le faisaient crier sur sa chaise, par intervalles, comme en rêve.

...

Mais, lorsqu'il prenait dans ses bras, il prenait comme peu d'hommes, largement et sans réserve... Toute sa poitrine, telle la coque d'un bateau, vous enveloppait et, debout au milieu d'une pièce ou d'un couloir, longuement, chaudement, la vague de ses lèvres se renouvelant en mouvement perpétuel sur une seule de vos joues, il berçait sur place à la façon des Noirs dans une abolition de l'espace et du temps.

...

Choquer, créer un choc, pour faire face à cette adolescente tellement en demande que j'étais, qui tentait de le retenir tard après dîner, marquait aussi, parfois, son art d'être papa :

« Je ne peux rien te transmettre. L'expérience ne se transmet pas.

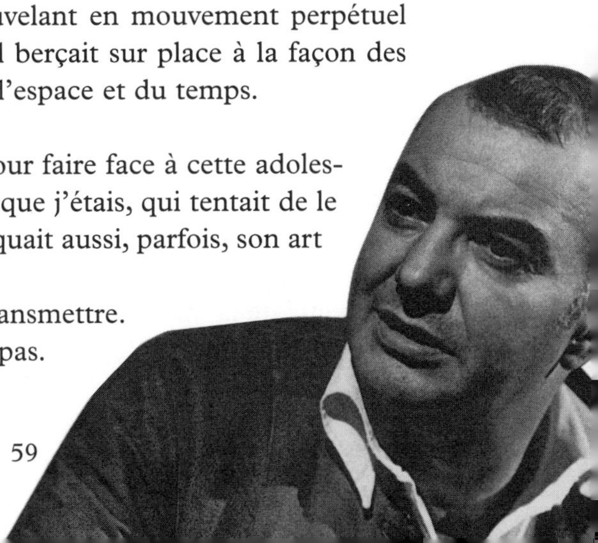

– Mais alors, à quoi tu sers ?
– À moi ! bonsoir, bonsoir ! »
Il riait tout bas en s'en allant dans l'obscurité.

…

Mais pouvions-nous savoir, alors même que notre égoïsme de jeunes filles se mettait en place et que son instinct de père nous refusait cette surprise partie, qu'il concevait sa pièce *Silence ! L'arbre remue encore* dans la douleur ? Mesurer, du saltimbanque chez qui nous vivions en bourgeoises, la solitude ?… Comprendre de quelle adversité se paye le choix d'une existence en marge où – rappelait-il souvent – il n'avait « pas

le droit de tomber malade » ?… Imaginer que, écrire, c'était un mot après un autre arraché au néant ?…

…

Le besoin de parler, tout à coup, de communiquer avec un autre être que sa femme, avec un homme, un semblable, lui faisait – de son bureau où, par routine après dîner il était remonté s'asseoir – brusquement rebrousser chemin, comme on cherche de l'air quand on meurt. Le rideau de fer du garage résonnait dans la ruelle, alors, avec le fracas du tonnerre. Le retirement de son corps et de la voiture ces soirs-là, hors l'enceinte de la maison, était une dévastation.

…

Oh, comment ne pas regretter tout fort qu'il n'ait su être pour lui-même monsieur Débrouille et plus heureux ! Infidèle, profiteur, bon vivant, malin comme les autres, il en rêvait parfois... Le pauvre ne l'a pas été du tout : il a pris la vie au sérieux, et l'art encore plus que la vie.

...

Souvent il suffit aux artistes que la vie, ce qu'on appelle familièrement la vie, sa rumeur et ses bruits, les rejoigne dans leur exil...

Chants d'oiseaux, volées de cloches, rires d'enfants, paroles d'amour, appétits et rendez-vous – de ce festin fugitif dont rien ne garantit qu'il sera resservi le lendemain, de cet ordinaire qui fait la vie des autres, ils ne reçoivent que les échos, comme au fond d'un océan... Et même ainsi atténués, il arrive encore que ces sons-là soient trop bruyants pour eux...

...

Un matin, soudain – notre père était levé, il avait pris son café, commencé peut-être à lire un bout de journal , un drôle de silence régnait entre les murs –, il chercha notre mère et, inquiet :

– Où sont les petites ? demanda-t-il.

– Elles étaient grandes, François ! Elles sont parties !

Alors ce fut pour lui , véritablement, un choc.

...

Les vingt premières années que nous passâmes auprès de lui, il a cru sincèrement que viendrait le jour où il lui serait permis de nous rejoindre à l'air libre, où il aurait atteint le bout de cette galerie souterraine qu'il piochait, tel le condamné à mort qui veut s'échapper, jour et nuit, samedis, dimanches et fêtes, et où ce qu'il appelait « mon combat » prendrait fin... Alors, « tous ensemble », « comme les autres », « en famille », « formant tribu » – les expressions de rêve abondaient – nous ferions « la fête », des voyages peut-être, des promenades en forêt, à tout le moins partagerions-nous « comme tout le monde » les dimanches après-midi... La veille de sa mort encore, un œdème aux chevilles, le corps raidi par l'envahissement des métastases, sa main exténuée me dessinait dans l'air l'énormité du travail qu'il lui restait « à faire »...

...

« Monde » fut le mot , je crois, qu'il a le plus employé, et juste après, « éberlué ».

Il avait souci du monde. Tout petit, il s'est offert à le prendre en charge... Il s'en occupait sous la lampe jusqu'aux premières lueurs du jour avec la même conscience qu'il secouait l'encensoir, enfant, en l'église St Pierre de Montmarlie. Il a misé sur la poésie, le son juste, la droiture et la persévérance pour le changer, s'y est acharné, en a crevé.

...

Je ne l'ai jamais vu si beau que l'après-midi où, tout de vert vêtu, l'œil doux et noir sous la visière de la casquette avec un air de jeune homme, une simple moue, sur les lèvres sensuelles, de latin en déroute, il franchit en chaise à porteurs entre deux ambulanciers le seuil de la maison pour la dernière fois.

...

Trois ans avant sa mort, tous les signes étaient là, qui montraient que l'artiste, en lui, avait une connaissance très étroite et très avancée déjà du voyage qui l'attendait quand, au quotidien, l'homme en ignorait tout, jusqu'à en être sot... Plus savante et plus évoluée était la part de lui qui n'était pas au monde.

...

Si demain, pourtant, l'on me disait qu'il est de retour dans sa maison, qu'il me suffit de prendre le 38 jusqu'à la Porte d'Orléans pour le retrouver assis au premier étage devant son bureau, la grosse veste de laine pendant de chaque côté du fauteuil, la toque en laine noir et rose des Carpates sur la tête, et ses doigts de fumée occupés à bourrer encore la petite pipe en peau de porc – mais comment aussi ne pas remettre en place les piles et les piles de documents, livres, revues et manuscrits et projets dont nous l'avons soulagé, qui rampaient sur le sol jusque dans les pièces domestiques, poussaient telles des montagnes sous ses coudes, sous ses pieds, et l'enserraient comme maître Rat dans son palais de papier... ; et comment, alors, reprendre la vie et ne pas faire état de ce que sa si longue absence a permis à chacune de comprendre, de soi, de lui, de la terre et du ciel... ? – pour maman je ne sais pas, pour Virginie je ne sais pas, pour tous ceux qui l'ont aimé et le regrettent encore je ne sais pas, mais pour moi, on me pardonnera l'aveu d'un phénomène qui m'étonne moi-même, mon père est devenu plus présent mort que vivant.

Léger, intéressé, calme, puissant, démultiplié, n'en finit pas de se lever en moi ce père intérieur, qui chuchote à nouveau dans le noir : « La mort n'est pas grave » et « Va ton chemin... va ton chemin. »

Raphaële Billetdoux, Chère madame ma fille cadette, *1997*

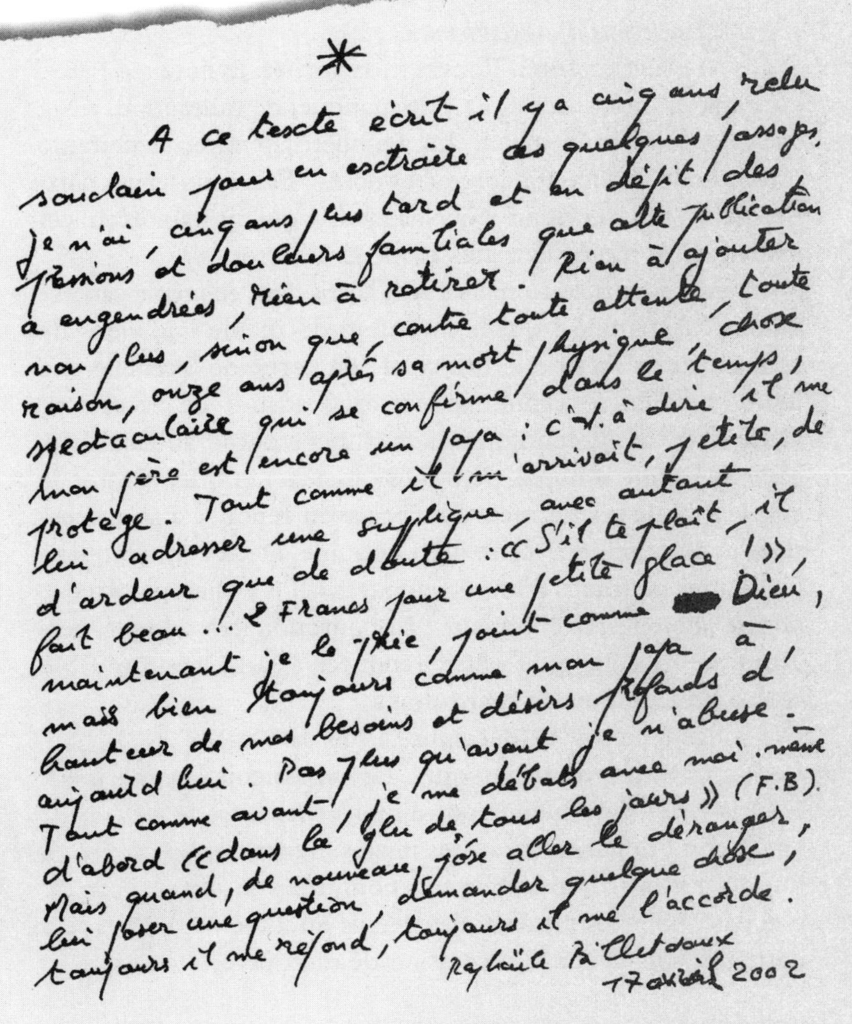

*

A ce texte écrit il y a cinq ans, relu
soudain pour en extraire ces quelques passages,
je n'ai, cinq ans plus tard et en dépit des
passions et douleurs familiales que cette publication
a engendrées, rien à retirer. Rien à ajouter
non plus, sinon que, contre toute attente, toute
raison, onze ans après sa mort physique, chose
spectaculaire qui se confirme dans le temps,
mon père est encore un papa : c'est-à-dire il me
protège. Tout comme il m'arrivait, petite, de
lui adresser une supplique avec autant
d'ardeur que de doute : « S'il te plaît, il
fait beau... 2 Francs pour une petite glace ! »,
maintenant je le prie, point comme Dieu,
mais bien toujours comme mon papa à
hauteur de mes besoins et désirs profonds d'
aujourd'hui. Pas plus qu'avant je n'abuse.
Tout comme avant je me débats avec moi-même
d'abord « dans la glu de tous les jours » (F.B).
Mais quand, de nouveau, j'ose aller le déranger,
lui poser une question, demander quelque chose,
toujours il me répond, toujours il me l'accorde.

Raphaële Billetdoux
17 avril 2002

Raphaële Billetdoux, texte manuscrit inédit

« Baiser la main des dames... »

par Gabriel Matzneff

Les leçons d'un gentleman...

11 février 1963. J'ouvre mon carnet. Je note :

« Papa est mort. Sentiment de manque, de mutilation. »

« *Panikhide* pour papa. La familière, tendre, déchirante musique de l'office funèbre orthodoxe. "Fais reposer en paix, Seigneur, ton serviteur Nicolas..." Ce qui m'habite en cet instant, c'est moins la tristesse que le désarroi. »

Un an plus tard, le 16 mars 1964, j'écris dans ce même carnet :

« Ah ! la famille ! quelle invention du diable ! Je viens de recevoir de la Trésorerie Principale de la rue de Grenelle une incroyable lettre recommandée, avec accusé de réception. Cette lettre m'apprend qu'à sa mort papa devait à l'État deux cent cinquante millions de francs (anciens) et que, comme je suis le seul de ses héritiers à ne pas avoir renoncé à sa succession, je dois "apurer" cette dette coquine. Deux cent cinquante millions de francs d'impôts impayés ! Il n'y allait pas avec le dos de la cuiller, le cher papa ! Et pourquoi, l'an dernier, personne ne m'a dit qu'il fallait renoncer à la succession ? Me voici à présent dans de beaux draps. »

Je songe à ce soir de décembre 1969 où Violette Leduc, Jean d'Ormesson, les François Nourissier et moi-même nous dînions chez un ami commun. Parmi les autres invités, figurait un jovial avocat. J'ai oublié son nom, mais je n'ai pas oublié les pittoresques détails qu'il me donna ce soir-là sur la succession de mon père,

Le petit Gabriel, enfant.

Comte Nicolas Matzneff : un père dandy.

qu'il avait dû régler. J'appris ainsi que papa avait, chez un grand tailleur parisien, fait faire quatre-vingt gilets, sans jamais en payer un seul. Que se passait-il dans la tête du couturier qui, n'ayant pas reçu un sous pour les soixante dix neuf premiers gilets, livrait nonobstant le quatre-vingtième au comte Nicolas Matzneff ? Mystère et confiture.
Ce sont le Don Juan et le M. Dimanche de Molière, en plus gratiné.

Si je rappelle ici ces deux anecdotes, la fiscale et la dandy, c'est parce qu'elles tracent, me semble-t-il, un amusant et juste portrait de celui que fut mon père. Un homme charmant, charmeur, mais artiste, extravagant, flambeur, inapte à une vie régulière et bourgeoise.

Mon enfance ressemble beaucoup à celle que j'ai prêtée à Raoul Dolet dans *Mama, li Turchi !* :

« Son père lui apprit quatre choses, les seules que, selon lui, un gentleman était tenu de savoir : baiser la main des dames, faire un nœud de cravate, cirer ses chaussures et découper la volaille. »

Papa était, comme l'étaient souvent les Russes blancs dans la panade, d'un vigilant snobisme, le blason l'aidant à surmonter les blessures de la vie. Ce côté junker était doublé d'un côté Felix Krull, plus inquiétant, dont les femmes qui l'ont aimé et les enfants qu'il leur a faits (car il avait le génie populateur), ont parfois subi les cruels contrecoups. Petit garçon, j'en ai souffert, mais aujourd'hui je ne veux me souvenir que du lettré, de l'esthète, du sybarite, du parfait gentilhomme que fut mon père. J'ai – cela est indubitable – hérité de certains de ses défauts. Ce n'est pas à moi de dire si je possède aussi quelques-unes de ses attachantes qualités.

Gabriel

Gabriel Matzneff, texte inédit

« Mon père était mort d'une mort idiote et lente. »

par Georges Perec

Je possède une photo de mon père et cinq de ma mère. De mon père je n'ai d'autre souvenir que celui de cette clé ou pièce qu'il m'aurait donnée un soir en revenant de son travail.

Le projet d'écrire mon histoire s'est formé presque en même temps que mon projet d'écrire.

...

Sur la photo, le père a l'attitude du père. Il est grand. Il a la tête nue, il tient son calot à la main. Sa capote descend très bas. Elle est serrée à la taille par l'un de ses ceinturons de gros cuir qui ressemblent aux sangles des vitres dans les wagons de troisième classe. On devine, entre les godillots nets de poussière – c'est dimanche – et le bas de la capote, les bandes molletières interminables.

Le père sourit. C'est un simple soldat. Il est en permission à Paris, c'est la fin de l'hiver, au bois de Vincennes.

Mon père dans son uniforme quasi neuf, a posé devant un des photographes ambulants qui font les Conseils de révision, les casernes, les mariages et les classes en fin d'année scolaire.

Georges Perec, été 1975.

Mon père fut militaire pendant très peu de temps. Pourtant quand je pense à lui c'est toujours à un soldat que je pense. Il fut un peu coiffeur, il fut fondeur et mouleur, mais je ne parviens pour ainsi dire jamais à me l'imaginer comme un ouvrier. Je vis un jour une photo de lui où il était « en civil » et j'en fus très étonné ; je l'ai toujours connu soldat. Pendant longtemps sa photo, dans un cadre de cuir qui fut l'un des premiers cadeaux que je reçus après la guerre, fut au chevet de mon lit.

J'ai sur mon père beaucoup plus de renseignements que sur ma mère parce que je fus adopté par ma tante paternelle. Je sais où il naquit, je saurais à la rigueur le décrire, je sais comment il fut élevé ; je connais certains traits de son caractère.

Ma tante paternelle était riche. C'est elle qui vint d'abord en France et qui y fit venir ses parents et ses deux frères. L'un de ceux-ci partit faire fortune en Israël. Ce n'était pas mon père. L'autre essaya mollement de se faire une petite place dans le monde des diamantaires où son beau-frère l'avait introduit, mais après quelques mois de sertissage, il préféra renoncer à faire son chemin dans la vie et devint ouvrier spécialisé.

J'aime beaucoup dans mon père son insouciance. Je vois un homme qui sifflote. Il avait un nom sympathique : André. Mais ma déception fut vive le jour où j'appris qu'il s'appelait en réalité – disons sur les actes officiels – Icek Judko, ce qui ne voulait pas dire grand-chose.

Ma tante qui l'aimait beaucoup, qui l'éleva presque seule, et qui prit l'engagement solennel de s'occuper de moi, ce qu'elle fit d'ailleurs fort bien, me dit un jour que c'était un poète : il faisait l'école buissonnière ; il n'aimait pas porter de cravate il se sentait mieux en compagnie de ses copains qu'avec les diamantaires (ce qui ne m'explique pas pourquoi il ne choisissait pas ses copains chez les diamantaires).

Mon père était aussi un brave à trois poils. Le jour où la guerre éclata, il alla au bureau de recrutement et s'engagea. On le mit au douzième régiment étranger.

Les souvenirs que j'ai de mon père ne sont pas très nombreux.

À une certaine époque de ma vie, la même d'ailleurs que celle à laquelle j'ai précédemment fait allusion, l'amour que je portais à mon père s'intégra dans une passion féroce pour les soldats de plomb. Ma tante me somma un jour de choisir pour la Noël entre des patins à roulettes et un groupe de fantassins. Je choisis les fantassins ; elle ne prit même pas la peine de m'en dissuader et entra acheter les patins, ce que je mis longtemps à lui pardonner. Plus tard, lorsque je commençais d'aller au lycée, elle me donnait chaque matin deux francs (je crois que c'était deux francs) pour mon autobus. Mais je mettais l'argent dans ma poche et j'allais au lycée à pied, ce qui me faisait arriver en retard, mais me permettait, trois fois la semaine, d'acheter un soldat (de terre, hélas) dans un magasin situé sur mon itinéraire. Un jour même, voyant en vitrine un soldat accroupi porteur d'un téléphone de campagne, je me souvins que mon père était dans les transmissions et ce soldat, acheté dès le lendemain, devint le centre habituel des opérations stratégiques ou tactiques que j'entreprenais avec ma petite armée.

Georges Perec à 5 ans.

J'imaginais pour mon père plusieurs morts glorieuses. La plus belle était qu'il avait été fauché par un tir de mitrailleuses alors qu'estafette il portait au général Huntelle le message de la victoire.

J'étais un peu bête. Mon père était mort d'une mort idiote et lente. C'était le lendemain de l'armistice *. Il s'était trouvé sur le chemin d'un obus perdu. L'hôpital était comble. Il est maintenant redevenu une petite église déserte dans une petite ville inerte. Le cimetière est bien entretenu. Dans un coin pourrissent quelques bouts de bois avec des noms et des matricules.

J'allai une fois sur ce que l'on peut appeler la tombe de mon père. C'était un premier novembre. Il y avait de la boue partout.

Il me semble parfois que mon père n'était pas un imbécile. Je me dis ensuite que ce genre de définition, positive ou négative, n'a pas une très grande portée. Néanmoins, cela me réconforte un peu de savoir qu'il y avait en lui de la sensibilité et de l'intelligence.

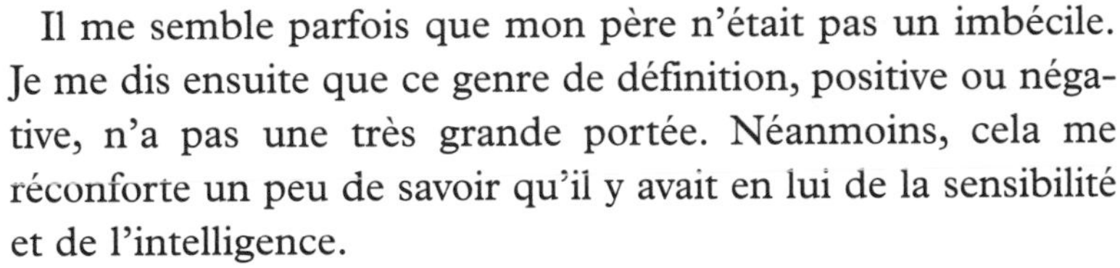

Je ne sais pas ce qu'aurait fait mon père s'il avait vécu. Le plus curieux est que sa mort, et celle de ma mère, m'apparaît trop souvent comme une évidence. C'est rentré dans l'ordre des choses.

Georges Perec, W ou le souvenir d'enfance, *1975*

---

* *Ou plutôt, très exactement le jour même, le 16 juin 1940, à l'aube. Mon père fut fait prisonnier alors qu'il avait été blessé au ventre par un tir de mitrailleuses ou par un éclat d'obus. Un officier allemand accrocha sur son uniforme une étiquette portant la mention « À opérer d'urgence » et il fut transporté dans l'église de Nogent-sur-Seine, dans l'Aube, à une centaine de kilomètres de Paris ; l'église avait été transformée en hôpital pour les prisonniers de guerre ; mais elle était bondée et il n'y avait sur place qu'un seul infirmier. Mon père perdit tout son sang et mourut pour la France avant d'avoir été opéré. Messieurs Julien Baude, contrôleur principal des Contributions indirectes, âgé de trente-neuf ans, domicilié à Nogent-sur-Seine avenue Jean-Casimir-Perier, n°13, et René Edmond Charles Gallée, maire de ladite ville, dressèrent l'acte de décès le même jour à neuf heures. Mon père aurait eu trente et un ans trois jours plus tard.*

« Pour vous plaire, je sacrifierais volontiers mon bonheur... »

par Wolfgang Amadeus Mozart

Je ne sais vraiment que vous dire d'abord, mon très cher Père, car je ne puis encore revenir de ma surprise et ne le pourrai jamais, si vous continuez à penser et à écrire de cette manière. – Je dois vous dire qu'à aucune des lignes de votre lettre je ne reconnais mon père ! – C'est bien un père, oui, – mais en aucun cas le père le meilleur – le plus affectueux – celui qui a souci de son honneur ou de celui de ses enfants. – Bref – ce n'est pas mon père. – Mais quoi ? – Tout ceci n'a été qu'un mauvais rêve.

– À présent, vous êtes réveillé et vous n'attendez plus de moi aucune réponse sur les questions que vous soulevez.

...

Je ne puis, dites-vous, sauver mon honneur qu'en renonçant à ma résolution ? – Comment pouvez-vous donc encore formuler un tel paradoxe ? – Vous n'avez pas pu penser en écrivant cela qu'un tel retour en arrière ferait de moi le drôle le plus lâche du monde ? – Tout Vienne sait que je ne suis plus au service de l'archevêque – sait pourquoi – et sait que c'est pour avoir été atteint dans mon honheur – atteint même pour la troisième fois. – Et publiquement je devrais attester le contraire ? – Et je devrais me faire considérer comme un crétin, et l'archevêque pour un noble sire ? – Il n'y a pas un homme qui puisse faire cela – moi, moins que personne !

...

Léopold Mozart avec sa fille Maria Anna et son fils Wolfang, sept ans. Gravure par Delafosse d'après Carmontelle, 1704.

Ainsi, je ne vous ai encore témoigné aucune affection ? – Ainsi, c'est aujourd'hui la première fois que je dois le faire ? – Comment pouvez-vous dire une chose pareille ? – Je n'aurais jamais voulu vous sacrifier un plaisir ? – Et quel agrément ai-je donc ici ?

...

Si c'est une satisfaction que d'être débarrassé d'un prince qui ne vous plaît pas et qui vous couillonne à mort, alors oui, c'est vrai, je suis satisfait – car quand je devrais du matin au soir ne faire que penser et travailler, je le ferais volontiers, rien que pour ne pas vivre à la merci d'un tel... je ne puis lui donner le nom qui lui revient.

– J'ai été forcé à faire ce pas décisif – et je ne puis plus maintenant reculer d'un cheveu – c'est impossible ! ...

Pour vous plaire, mon excellent, je vous sacrifierais volontiers mon bonheur, ma santé et ma vie – mais mon honneur – il est à moi – et doit être pour nous au-dessus de tout.

Faites lire ceci au comte Arco et à tout Salzbourg. Après cette offense – cette triple offense, l'archevêque en personne me proposerait 1200 florins que je ne les accepterais pas. – Je ne suis ni un jeune homme – ni un gamin.

Johann Chrysostomus Wolfgang Gottlieb Mozart,
dit Wolfang Amadeus Mozart, 19 mai 1781, Lettre à son père

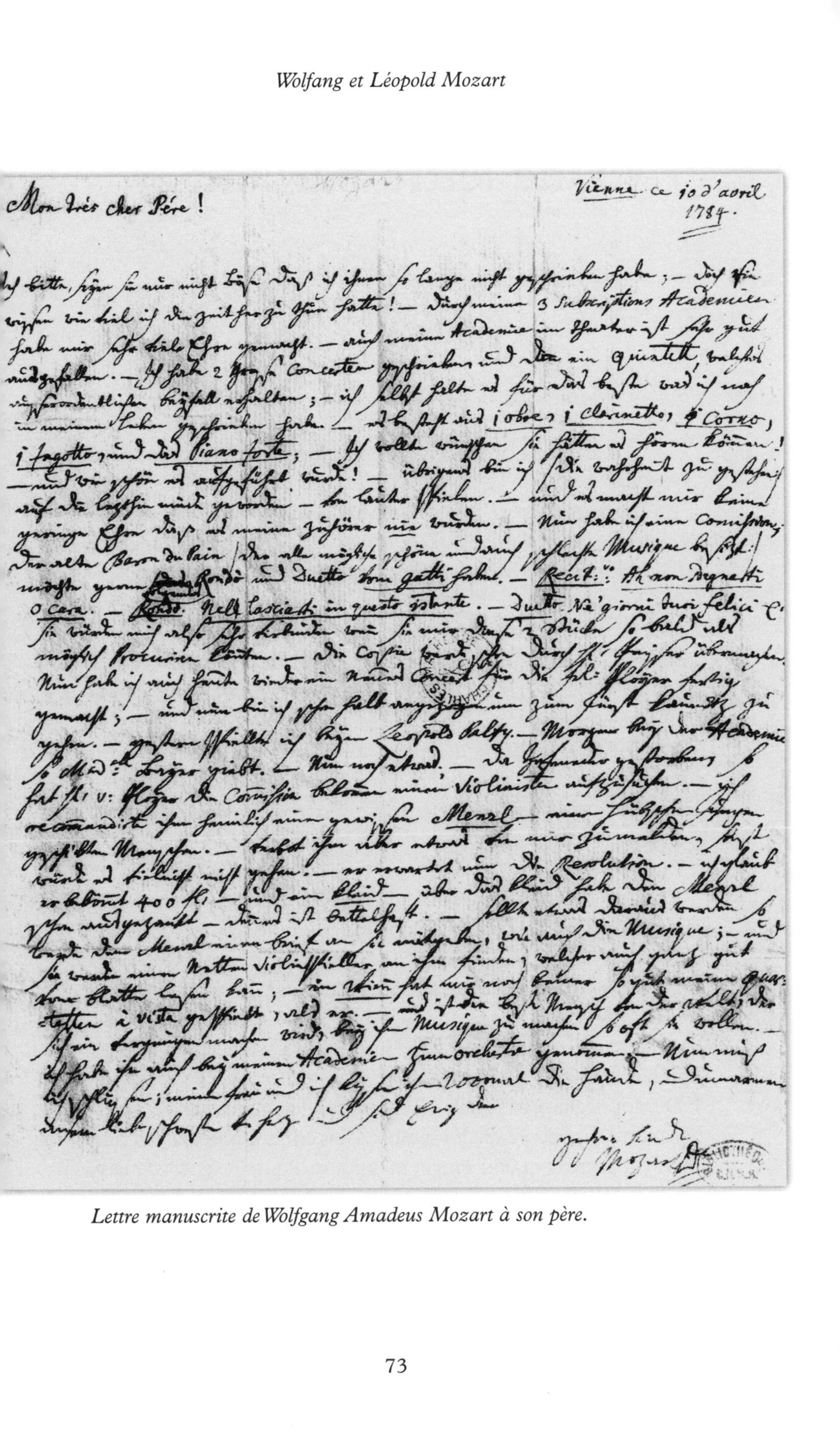

Vienne ce 10 d'avril 1784.

Mon très cher Père !

Lettre manuscrite de Wolfgang Amadeus Mozart à son père.

« Une lettre par jour. »

par José Giovanni

Il arriva la nuit dans laquelle Joe garda ses yeux bleus ouverts.

En fin d'après-midi, il y avait eu un coup de fil de l'assistante sociale de la prison centrale, pour annoncer que la grâce exceptionnelle des dix derniers mois libérerait José dès le lendemain matin.

Il y avait eu même davantage. La propre voix de José dans l'appareil. Une petite entorse au règlement. Et Lilie à l'autre bout du fil qui cria : « C'est le petit ! » Mais qui ne passa l'appareil à personne.

Et Joe, à une portée de main, ne le réclama pas. Il était à jour, au bout de son combat. Il ne cherchait rien. Il ne cherchait qu'à vivre encore une nuit pour revoir son enfant, cet homme de trente-trois ans, enfin libre.

Pour assister à cette deuxième naissance.

Et il ne dormait pas. Il craignait peut-être, en fermant les yeux, de ne plus les rouvrir. Une longue nuit comme celles de certains opérés. De quoi donc l'avait-on opéré au juste ?

De sa faiblesse, à cause de toute cette force qui était la sienne depuis dix ans ?... Mais, dans le noir de sa chambre, il sentit cette force s'éloigner de lui comme les cartes qu'on rejette après avoir raflé la mise au poker.

Devant sa glace, dès l'aube, il enleva son fixe-moustache et tapota sa lèvre supérieure qui lui sembla avoir enflé. Il prépara son café dans l'appartement endormi et mangea quelques beignets de farine de châtaigne glacés, qu'un sanglier aurait eu du mal à digérer.

Et il attendit. À la question de Lilie : « Tu iras ? », il ne répondit que par un signe de tête négatif. Elle se méprit sur ce refus d'attendre devant la porte de la centrale de Melun.

« Il existe souvent une dette impayable, j'ai cru avoir réglé les miennes envers la société à coups d'années de prison. Mais la souffrance causée à mon père, le mépris dans lequel je l'ai maintenu sommeillaient en moi pour se réveiller, comme un rongeur à l'hiver de sa vie. Vraiment ma peine la plus lourde, c'est d'avoir manqué mon père. »

José...

...et Joe Giovanni, son père.

Il préférait l'imaginer s'ouvrant. Dans son fauteuil, une bergère à dossier rond, muet, presque renfrogné, il vivait près de son fils ses ultimes gestes de prisonnier. Les vêtements civils qu'il allait enfiler à cette heure précise... ses papiers d'identité que le greffe lui rendait... l'argent qui restait sur son compte... ces billets de la liberté. Sa signature qu'il apposait. Devant la porte il y aurait son éducateur et son beau-frère.

Et Joe ne se disait pas que José serait déçu de ne pas y retrouver son Père. Son Père l'attendait chez lui... chez eux. Voilà ce que se disait Joe. Lilie n'en tira pas une parole, car il ne voulait pas expliquer que le fils devait marcher vers le Père.

Si j'ai eu un peu le vertige en sortant, il est vrai que je ne m'attendais pas à le voir là. Il n'était pas dans les choses et les gens qui tanguaient devant mon premier regard d'au-delà des hauts murs, et cela ne m'étonnait pas.

Pendant le voyage vers Paris je fabriquais les mots, les phrases que j'aimerais lui dire et que je ne lui dirais jamais. Et lui, dans son fauteuil, une main entre ses cuisses et l'autre tambourinant à côté dans une attitude familière, composait les grandes envolées qu'il garderait au fond de sa gorge.

Alors, Père, je m'en souviens. J'étais dans l'entrée assez étroite et je poussais la petite grille en fer forgé, dont ma mère avait toujours la marotte, pour l'embrasser et pour embrasser ma sœur. Mais mon regard était déjà sur toi, au fond, vers le petit espace salon. J'ai eu peu de pas à franchir et tu t'es lentement levé. Si lentement. Il n'y avait plus de grillage entre nous. Tes mains fortes et soignées ont emprisonné mon visage amaigri.

J'ai entendu : « Mon petit... mon gosse... », et encore autre chose que je n'ai pu définir. J'étais contre toi. J'ai voulu te remercier avec mon cœur, mon âme et mon sang, et j'ai dit seulement : « Bonjour, papa. »

Et nous avons un peu pleuré comme je pleure encore aujourd'hui en écrivant, comme ma voix tremble et se meurt si je parle de toi.

José Giovanni, Il avait dans le cœur des jardins introuvables, *1995*

Milord...

Tu semblais sortir de la chanson d'Édith Piaf. Chapeau Éden, pardessus et costume de la même étoffe, guêtres blanches, cravate régence.

Tu as longé les murs de la prison de la Santé pendant tellement de jours, de semaines, de mois et d'années, que tu en usas les pierres de ton regard bleu.

Au fil du temps, les prolos du café situé en face de la grande prison, s'habituèrent à ce grand bourgeois d'apparence, bien qu'il soit surtout un joueur de poker international. À jour et heure fixe, il traversait la rue et pénétrait dans la prison. À travers les grilles du parloir il me présentait son visage muet et j'entendais, malgré tout, les sons bloqués dans sa gorge. Je lui montrais sa dernière lettre. Une lettre par jour. Quelques mots qui avaient valeur d'un livre inconnu.

Je n'avais pas de date de sortie. Il avait oublié nos engueulades, ma révolte, mon mépris. Il ne se demandait pas si je valais quelque chose, ni pourquoi j'étais seul contre tous.

J'étais simplement son fils, son enfant, son gosse. Son petit. Il m'aimait. Et j'allais me mettre à l'aimer aussi. À la folie.

Simplement un peu trop tard.

José Giovanni

José Giovanni, texte inédit

« On a le sentiment de faire glisser d'une main dans l'autre les morceaux d'un vase cassé. »

par Éric Holder

Le fils de mon père…

Il y a des pères médecins. D'autres sont cheminots. Certains sont employés à l'usine, d'autres encore ne reviennent qu'à la fin de la semaine et desserrent joyeusement leur cravate. Des pères ne font rien, et attendent au café qu'un enfant vienne annoncer que le dîner est prêt. Des pères racontent, le soir, sous la lampe, à leur femme, et leurs enfants sont déjà en pyjama, qu'ils ont eu une journée éprouvante, au tribunal.

De modestes pères ne racontent rien, jamais. Ils portent des lunettes et ne payent pas de mine, dans des habits qui n'ont pas plus été choisis qu'une armure contre le monde. Rentrés chez eux, soudain, parce que le fils s'enflamme pour l'histoire de France au lieu de regarder la télé, ils vont chercher un Kleenex pour essuyer la buée dans leurs lunettes, et toussent un peu afin de faire croire qu'ils ont une saleté passagère, un truc qu'on attrape dans les cages d'escalier mal chauffées, dans des bureaux qui le sont trop.

Il y a des pères qui mettent leur progéniture en rang, ils se font rendre les hommages du soir en de brefs saluts secs. Plus tard, les fils, le cheveu court, trouveront un sens à la vie.

Mais nous ne sommes pas très nombreux à avoir un père comme le mien, si divers, si peu d'un bloc qu'en le passant en revue, on a le sentiment de faire glisser d'une main dans l'autre les morceaux d'un vase cassé. Et l'on n'a point de schéma. Et l'on n'a point de colle.

« Nous mesurons la même taille. Par mégarde, nos épaules se sont touchées. J'ai senti tous ses muscles, des pieds à la tête. Et je suis sûr qu'il a senti les miens, sous le blouson. »

Il a fait tous les métiers qui ne durent pas, et parfois aucun. Ou alors la cuisine pour nous, les mômes. Elle sentait l'huile de lin.

Ce musée, où il t'a emmené des dizaines de fois. La plupart des toiles parlaient d'un paysage qu'on pouvait voir des fenêtres. Alors, en regardant à travers le carreau, on prenait la mesure de ce que c'était, la peinture !

Au fond, tu ne veux pas rentrer dans le détail.

Il a plu aux femmes.

« C'est fini maintenant », avoue-t-il. On est dans la colline. J'ai un peu perdu l'habitude d'y crapahuter. Il mène la marche. Des châtaigniers morts de vieillesse inscrivent des taches blanches dans le vert du maquis, comme des bois que la mer aurait ramenés.

« L'âge... L'envie », dit-il. Mais on voit, à cet œil qui brille, qu'il s'est encore fait deux ou trois coups dans l'année.

Ainsi l'œil, aimant en souvenir, fait écho à l'œil qui a conquis. C'est avec l'œil qu'il les a, cet œil de peintre qui résonne sans ambages au gong de leurs belles jambes, de leur sourire, de leur regard. Elles lui en sont parfois reconnaissantes.

– Et la dernière, elle était belle ?

L'œil, toujours. Lissant des formes comme un couteau, la pâte.

La dernière n'aurait pas eu vingt-cinq ans, des seins en petites pêches dures, les fesses comme un soleil.

– T'exagères.

– Non, c'est vrai.

Au Guatemala, dont il avait l'amour, et où il passait plusieurs mois par an, il s'asseyait au seuil des marchés, il peignait sur des Canson des hommes avec leurs chapeaux, des étals avec trois fruits, des Indiennes rieuses. Elles venaient en cachette juger de l'effet.

L'une d'elles l'hébergea pendant une semaine. Elle lavait son slip dans le lac Atitlan avant qu'il fût levé. Ses voisines étaient jalouses. Cela fit du raffut. Il dut la quitter en sautant par une fenêtre, la nuit. On dirait du Stendhal.

Quand je passais après lui dans la salle de bain, le miroir était embué. Il y avait des éclaboussures par terre, et pas de bouchon sur la mousse à raser qui sortait du pulvérisateur. Sa brosse à dents était en chou-fleur.

Cela sentait l'eau de toilette pour hommes, et la joie de se laver.

Il est du Sud, irrémédiablement.

Il est de ce pays où les sources restent rares, où les orages sont violents, où les plantes, dès qu'on les touche, sentent le poivre.

Après le repas, où qu'il se trouve, la sieste l'envahit. Il s'endort sur une chaise. Il s'allonge devant la cheminée. Ainsi en Inde voit-on quelqu'un s'arrêter à l'ombre d'un arbre, d'un immeuble, quelle que soit l'heure, et déplier une natte. Dormir. Repartir.

Alors les anciens enfants, devant cette bouche ouverte qui n'émet plus de sons, devant ces joues qui se couvrent de poils – et, semble-t-il, deux fois plus vite durant le sommeil – découvrent le sentiment de l'absence.

...

On s'arrête dans les cafés. C'est ton fils ? on lui demande. Il te ressemble.

Et le fils de vérifier à la dérobée, dans son reflet en devanture, ce qui peut accréditer un tel jugement.

...

Plus tard, car ce genre d'histoire finit tard, le père aura dans la voiture le geste de vouloir te prendre par l'épaule. Même pas un geste : une intention. Ç'aura été imperceptible. Vous regarderez chacun votre phare, en vous raclant la gorge.

Le lendemain, alors que je fais du mortier dans la brouette, il arrive, de la terre plein les mains.

– Viens voir.

Non loin d'un amandier déplumé, il en a planté un autre – non plus un scion, mais une demi-tige, presque une tige.

– L'ancien ne mourra pas tout seul, dit-il. Le petit apprendra à vivre.

Il le dit sans malice.

É Holder

Éric Holder, La Belle jardinière, *1994*

Quelque part où tu sais, 2002

Cher papa,

Je suis en train d'effectuer une expérience curieuse. Je te rédige une lettre que plusieurs personnes découvriront au-dessus de ton épaule. Les écrivains – je te rappelle que j'en suis un – travaillent un œil rivé sur le public et l'autre sur leur feuille. Je garde les deux yeux sur toi.

J'en profite pour t'expédier un message. Je n'ignore pas qu'un livre, c'est un peu solennel, un peu tatatsouin. Pour te l'expédier vite : le temps nous est compté, toujours.

Voilà :

Dans une de ses chansons, le moustachu raconte comment quatre jeunes bacheliers se font entauler
« pour offrir aux filles des fleurs
sans vergogne... ».
Les trois premiers pères viennent récupérer chacun le sien, en hurlant qu'ils les renient. On craint l'arrivée du quatrième.
« C'était le plus gros, le plus grand. »
« Quand il vint chercher son voleur
sans vergogne
on s'attendait à un malheur...
Mais il n'a pas déclaré, non...
Que l'on avait sali son nom.
Dans le silence on l'entendit
Qui lui disait, Bonjour petit. »

J'ai vécu cela. Lorsque j'écoute ces paroles, quelque chose monte en moi depuis le ventre, gagne la gorge (un œil te quitte pour noter la présence des autres, je tire le rideau).

On me demande une photo. J'en possède une, je crois. Nous serons émus à parution.

La vie vous fait de ces cadeaux.

Je t'embrasse.

Éric.

Éric Holder, texte inédit

« Le trouble où se cherchent les pères et les fils... »

par Daniel Pennac

Chère Madame,

Ne m'en veuillez pas si je garde pour moi le souvenir de mon père ; il m'est précieux, je tiens à ce manque. En contrepartie, laissez-moi vous offrir un autre père, si vous ne le connaissez déjà : celui que décrit Benjamin Constant, dans les premières pages d'*Adolphe*. Ces quelques lignes me semblent le cœur même du livre que vous projetez.

"Je ne me souviens pas, pendant mes dix-huit premières années, d'avoir eu jamais un entretien d'une heure avec lui. Ses lettres étaient affectueuses, pleines de conseils raisonnables et sensibles ; mais à peine étions-nous en présence l'un de l'autre, qu'il y avait en lui quelque chose de contraint que je ne pouvais m'expliquer, et qui réagissait sur moi de manière pénible. Je ne savais pas alors ce que c'était que la timidité, cette souffrance intérieure qui nous poursuit jusque dans l'âge le plus avancé, qui refoule sur notre cœur les impressions les plus profondes, qui glace nos paroles, qui dénature dans notre bouche tout ce que nous essayons de dire, et ne nous permet de nous exprimer que par des mots vagues ou une ironie plus ou moins amère, comme si nous voulions nous venger sur nos sentiments mêmes de la douleur que nous éprouvons à ne pouvoir les faire connaître. Je ne savais pas que, même avec son fils, mon père était timide, et que souvent, après avoir longtemps attendu de moi quelques témoignages d' affection que sa froideur apparente semblait m'interdire, il me quittait les yeux mouillés de larmes, et se plaignait à d'autres de ce que je ne l'aimais pas."

Voilà, je crois qu'on ne peut pas dire plus clairement le trouble où se cherchent les pères et les fils.

Bien cordialement à vous,

DPennac

« Mon père ne m'a jamais puni... C'est pour ça que je n'ai pas de limites. »

par Patrick Besson

Mon père est un gros homme en costume sombre, avec *France Soir* sous le bras. Cheveux noirs ondulés, grandes oreilles, nez aquilin. Très vite, je comprends qu'il se force à vivre, c'est ça qui lui donne cet air vague, flou. Il a la mauvaise humeur chronique des gens qui s'ennuient tout le temps. Sans cesse obligé de simplifier, y compris pour lui-même, ce qu'il pense et ce qu'il sent pour pouvoir continuer à vivre. Tout lui demande un effort : sortir, conduire, parler. En société, dans notre société – familles d'anciens ouvriers étant montés plus ou moins haut grâce à l'ascenseur social encore en usage à cette époque –, c'est une pointure, il la ramène. On l'appelle Gaby.

« Qu'en penses-tu, toi, Gaby ? » Le prénom de papa est Gabriel mais, sur ses pièces d'identité, il s'appelle Albert. Est-ce à cause de ces trois noms que je n'ai jamais su qui il était ni même été sûr qu'il existait ?

Aux cartes, il est mauvais joueur. Il a horreur de perdre. Il insulte ses adversaires comme ses partenaires. Est-ce la raison pour laquelle je perds, à n'importe quel jeu, avec tant de bonne grâce ? J'ai essayé en tout de ne pas être mon père, ayant son tempérament. Cela forme l'être bizarre, fabriqué, irréel, qui est moi.

Ai-je été une fois plus heureux dans ma vie que lorsque, à Montreuil, mon père rentrait du bureau et sonnait à la porte d'entrée, bien qu'il eût ses clés, car il voulait que je vienne lui ouvrir ? Je me revois galoper à travers ma chambre et le couloir. Papa m'a encore rapporté des feuilles blanches. Il dirige une petite imprimerie, aux Buttes-Chaumont. Ou bien il me donne un nouveau livre de la Collection Rouge et Or, dont il a fait la photogravure. Je retourne dans ma chambre avec mes cadeaux. Papa est revenu du travail, donc le monde tourne rond.

...

J'aime mon père : travailleur, économe, tendre, modeste, désabusé.

...

Papa n'achète pas de livres. Il dit que ça ne sert à rien. Une fois qu'on a lu un livre, qu'est-ce qu'on peut en faire ? Ce serait comme garder une boîte à camembert après avoir mangé ce qu'il y avait dedans. Mon père prend donc ses livres à la bibliothèque, *la bibli*.

Aujourd'hui, il m'emmène avec lui.

...

Nous descendons le boulevard Aristide Briand. Mon père, à côté de moi : montagne lourde et sombre. L'immense tendresse pour moi diffusée par son grand corps. Il a des livres sous le bras. J'imagine aujourd'hui son bonheur de marcher, presque sexagénaire, à côté de son gamin de dix ans, ayant laissé à la maison la femme de sa vie. Je n'ai pas assez de son vivant admiré mon père d'avoir fait ce que peu d'hommes sur terre sont capables de faire : rencontrer la femme de sa vie, divorcer pour elle, lui acheter un appartement, lui faire un enfant et réussir à la garder longtemps après qu'elle eut cesser de l'aimer.

La bibliothèque municipale se trouve dans une aile de la mairie stalinienne, pour l'architecture, de Montreuil. Le silence, une fois la porte franchie, saute à la figure. C'est l'époque où je n'ai pas encore ouvert un livre. La littérature est pour moi un monde obscur, clos, mystérieux, presque dangereux, où je vois mon père s'aventurer rapidement, sans crainte. Je le suis dans les rayons. Il me conseille de regarder les livres pour enfants mais les livres pour enfants ne m'intéressent pas. Je ne suis pas un enfant.

Longues tables vertes. Reliures. Papa a fait son choix. Comment peut-il s'y retrouver à travers tous ces titres, tous ces auteurs ? Un an plus tard, je l'aurai remplacé, le mercredi après-midi, toute la journée du samedi et le dimanche matin, à *la bibli*. Même mon père s'inquiète de cette étrange passion.

...

Papa n'est jamais, de toute sa vie, arrivé à me parler méchamment. Je sens toujours en lui, quelles que soient les circonstances, cette énorme tendresse pour moi qui est, avec la passion qu'il a pour maman, sa raison de vivre.

...

De punition, il n'y en eut pas. Mon père ne m'a jamais puni. C'est pour ça que je n'ai pas de limites.

...

Ce que j'aime dans mon enfance, c'est que je ne jugeais pas mes parents, et ce que je hais dans mon adolescence c'est, bien sûr, le contraire. Tous ces bons moments classiques que mon père a vécus avec moi et que je ne vivrai pas avec mes fils, car l'époque ne s'y prête plus et moi-même je ne m'y prête guère.

Patrick Besson, 28, boulevard Aristide Briand, *2001*

« Je te surprenais, au milieu de la nuit, en train de caresser la tôle en murmurant... »

par Gérard Depardieu

Eh bien voilà, la Lilette est morte, et je n'arrive pas complètement à être triste. Toi, le Dédé, tu n'arrives sans doute pas à y croire. Tu n'as jamais eu le sens du définitif, du point final. C'est presque toi qui me fais de la peine, toi tout seul, tout bête, ruminant dans le vide. Tu as toujours ruminé. Je ne sais si c'est le mot exact. Je te revois lancer en l'air des phrases inachevées, des proverbes avortés. C'était une musique bien particulière, une philosophie intraduisible autrement que par des onomatopées résignées, presque désenchantées : « Mouaif ! C'est que Oufff, Oh là là bien sûr, bah alors... » À ces moments de ruminations solitaires, succédait une euphorie nocturne, une euphorie disciplinée, intérieure. Ainsi, je te surprenais, au milieu de la nuit, en train de caresser la tôle en murmurant. Tu prétendais qu'elle était plus tendre à la pleine lune. J'étais fier de te regarder travailler, faire corps avec ton métier. Tu étais totalement absorbé, fondu dans la tôle ! J'avais l'impression qu'il se passait quelque chose de mystérieux, une secrète alchimie. Quand on t'a fait comprendre qu'on n'avait plus besoin de tôleur-formeur, t'as accepté sans broncher de dégringoler doucement les échelons, d'être sous-employé, de finir par balayer les ateliers, toi l'amant, le troubadour de la tôle. Tu n'as pas eu l'air d'en souffrir dès l'instant où on te foutait la paix. La voilà la grande affaire de ta vie : avoir la paix. Sinon, tu buvais peut-être un peu plus. Un peu trop parfois. À la sortie de l'école, je te voyais sur le trottoir d'en face, la lune dans le caniveau ! Devant tout le monde. Je n'avais pas honte, j'étais plutôt furieux que l'on puisse savoir quelque chose de nous, de notre famille. Tu nous avais tellement habitués à faire comme si l'on n'existait pas, comme si nous étions invisibles. Alors, tout ce déballage sur la place publique.

À la maison, tu pouvais rester des heures sans bouger, sans rien faire, emmuré dans le présent, l'instant qui passe. Tu t'absentais, absorbé par des détails, par une mouche en train de voler autour de la lampe, à te demander ce qu'elle allait bien pouvoir faire, si elle finirait par se poser. Je te voyais dépenser des tonnes d'énergie dans le présent. Je te voyais prisonnier, pris en otage. Tu avais peu à peu abdiqué, échappant à l'angoisse de la mort et du temps qui passe en passant avec le temps, en te recroquevillant tel un nouveau-né dans chaque seconde. Tu étais comme à l'intérieur d'une bulle étanche, un sas, un sablier. Autant te dire que cela me foutait les boules à la longue, que je me suis barré le plus vite possible pour éviter d'être changé en statue de sel.

J'étais loin d'imaginer que ces après-midi arrêtés me serviraient pour mon métier. Car un comédien doit jouer le présent, il doit être la situation, confondu avec le présent du rôle. Il doit rompre la distance le séparant de son personnage.

...

Surpris Dédé. Malgré toi, tu as tout de même été un modèle. Ah, bien sûr, tu ne m'as jamais dit un soir, à la veillée, en me fixant droit dans les yeux, la main ferme sur l'épaule : « Tu seras un homme, mon fils ! » Tu ne m'as jamais rien imposé, je n'ai jamais reçu de leçons, de conseils. Je n'aurais pas aimé d'ailleurs. Un père, je n'en voyais pas l'utilité, l'usage. C'est fait pour les enfants, et je n'ai pas eu le temps d'en être un. S'il t'arrivait de jouer à l'autoritaire, il fallait réellement que je tienne ma canne à pêche n'importe comment. Là, tu gueulais !

Beaucoup plus tard, les pères n'ont pas manqué. Tout le monde voulait m'adopter : Gabin, Montand, Truffaut pour qui j'étais un peu son enfant sauvage ! J'ai souvent craint d'être un mauvais fils. Avec Francis Véber, je me suis senti terrorisé à l'idée de le décevoir, de ne pas correspondre à ce qu'il attendait de moi, de trahir sa confiance. Une chose me vient à l'esprit, mon Dédé. Je ne t'ai jamais vu juger personne, dire une seule fois du mal de quelqu'un. Tout au plus, je t'entendais parfois soupirer un grand coup : « Ouaff ! » Et l'on n'en parlait plus.

Maintenant que notre Lilette est morte, je sais que tu dois ruminer indéfiniment en lançant de grands gestes vers le Ciel. Je sais que tu ne pleures pas. Mais il va me falloir beaucoup de lâcheté pour oublier que tu es seul· désormais, pour ne pas penser qu'en ce moment tu es peut-être en train de regarder absurdement une mouche en train de voler autour d'une lampe.

Gérard Depardieu, Lettres volées, *1988*

« Je t'en prie, papa, réponds à cette lettre. »

par Zoé Valdès

Lettre à mon père…

J'ai gardé les yeux clos une demi-heure, peut-être plus, à la recherche de ton visage diffus, les paupières tremblantes devant la silhouette qui se profilait dans ma mémoire. Je songeais à ce que j'allais t'écrire dans cette lettre. Rien de digne, ni de beau, ne me venait à l'idée. Mon esprit, vide de souvenirs, glacé, avait tout d'une éponge racornie. J'ai mis trente ans et des poussières à tenter de percer ton mystère. Mais peut-être n'y en-a-t-il pas. Nous sommes restés trop en retrait tous les deux. De mon côté, je crois qu'à présent je peux franchir le pas, sans heurts, en me mentant à moi-même sur mon enfance, pour laisser plus de chances au pardon.

Il reste bien peu de choses de la petite fille qui désirait plus que tout ta présence. Juste une femme meurtrie par l'incertitude, les traces d'une enfant qui n'eut pas à regretter les remontrances de son père, car nul ne regrette ce qu'il n'a jamais connu. La fille d'une femme, plus que celle d'un homme. Je n'ai jamais perdu mes illusions à ton sujet. Et j'attends ardemment ta réponse.

…

Moi, ta fille, je ne comptais pas. Tu m'avais rayée de ta vie. Plus grave encore, je devine que tu ne m'as jamais gardé une place dans ton cœur.

…

La perspective de te parler était d'autant plus terrible que l'événement était rarissime. Quand nous parvenions à convenir d'un rendez-vous téléphonique, la conversation était une impasse totale qui me laissait sur ma faim. Tu avais un mal fou à enchaîner des phrases cohérentes. On sentait que tu faisais tout pour éluder la moindre marque d'affection. Je priais en vain pour que tu lâches enfin ces mots qui auraient changé ma vie : « Je t'aime, ma fille. » Mais non, tu te contentais de demander si on avait besoin d'argent, même si tu n'envoyais jamais un centime. Tu te moquais de mes résultats scolaires, de la couleur de mes robes, ou plutôt de la seule robe que j'avais, c'était bien le cadet de tes soucis. Tu n'as jamais su si j'avais des jouets. Je n'ai jamais reçu un cadeau de toi. Ma première poupée me fut offerte par un soupirant de maman, qui l'avait achetée à El Encanto, avant que le célèbre magasin ne vole en éclats après un sabotage.

Dès que je devais saisir cet engin de bakélite noire pour te parler, les stigmates apparaissaient sur ma peau, des stries pareilles à des marques de fouet, mes oreilles gonflaient, brûlantes, prêtes à éclater, la température de mon corps s'élevait jusqu'à quarante degrés. L'émotion me submergeait, suffocante, bien que notre conversation se réduisît à ton monologue insensé, ponctué par mes hochements de tête, qui avaient le don de mettre ma mère hors d'elle. Elle m'allongeait une baffe et me soûlait les oreilles : « Parle, andouille, allez, raconte-lui qu'hier on t'a emmenée au zoo ! Rappelle-lui que c'est bientôt ton anniversaire, il daignera peut-être passer ou nous envoyer des sous. »

Elle aussi était toute chamboulée, autant que moi, sinon plus.

...

Je découvrais avec lassitude que j'étais une corde entre vous deux, que chacun de son côté tirait à l'envi.

...

En ce temps-là, en voyant la panique que tu lui inspirais visiblement, je ne pouvais me défaire de la timidité qui me figeait au son de ta voix. Dès qu'elle raccrochait, maman recommençait à lâcher des insultes. « D'accord, c'est ton père, mais c'est un sauvage, une brute incurable, un cas désespéré. Quand je pense que je l'ai eu dans la peau ! » Je me faisais une idée terrifiante de l'amour. Si c'était cela aimer un homme, alors je me passerais d'aimer.

...

Je savais que tu vivais dans la même ville, mais j'ignorais ton adresse. Et tes apparitions étaient si rares que pendant de longues périodes il m'arrivait d'oublier même jusqu'à ton existence. Je me souviens pourtant d'un autre anniversaire, je devais avoir onze ou douze ans. Romane la Douce et maman m'avaient invitée à El Conchito, un restaurant du Vedado. Nous étions à table quand mamie Bouba lâcha soudain, du bout des lèvres : « Voilà le père de ta fille qui s'amène. » Tu es passé, sans nous voir, au bras d'une de tes superbes maîtresses. Ce fut plus fort que moi : je fis pipi sur ma chaise. Mamie Bouba et Consuelo ne s'en rendirent compte qu'à la maison, à l'heure du coucher. Nous vivions alors rue Murulla, dans une piaule sans douche intérieure ni cuisine, et les relents d'urine empêchaient tout le monde de fermer l'œil. Elles pardonnèrent à ma vessie ce moment d'égarement quand je leur expliquai, en claquant des dents, que j'avais cru mourir sous le coup de l'émotion. Je les implorai de ne jamais plus mentionner ton nom de mon vivant et, dans un poème qui t'était dédié, j'écrivis le lendemain matin que je regrettais d'avoir été procréée par ton sperme.

...

Nous ne nous sommes pas reparlé avant mes dix-sept ans. Je rentrais d'une période de travail aux champs, maman était venue me chercher au Parc de la Fraternité. Comme les chauffeurs allaient ensuite déposer nos bagages au lycée, on a dû prendre un bus bondé pour les récupérer. Un homme a cédé son siège à maman, je suis restée collée contre son épaule nue, tandis que la foule se bousculait dans mon dos. Soudain, j'ai senti un sexe masculin dressé contre mes fesses nubiles. Gênée, j'ai tenté de changer de place, mais l'affluence m'empêchait de bouger d'un pouce. Comprenant qu'il se passait quelque chose d'anormal, maman regarda l'homme qui me dépassait d'une tête. « Le hasard fait bien les choses, Alma Desamparada, le type qui te colle au train est ton papa. » C'était bien toi, en effet, qui venait de prendre ton pied un bon quart d'heure, frottant ta pine au garde-à-vous contre mes fesses, et déversant des halètements rauques sur ma nuque. Je me suis retournée. La pudeur qui m'avait empêchée jusque-là de lever les yeux sur toi avait disparu ; à présent je me complaisais à soutenir ce regard de peloteur incestueux. Tu étais rouge comme une écrevisse. J'ai découvert alors que tu avais les yeux couleur miel de maman. C'est de ce mélange que sont nés mes yeux vert olive.

...

Non, père, tu ne pouvais être mort. Je te sentais là, tout près de moi ; je venais d'avoir vingt-six ans et j'avais à présent le désir de vivre avec toi ce que nous n'avions pas vécu. J'en voulais à ma mère de ne pas s'être battue davantage pour garder ton amour, de ne pas avoir bataillé pour que tu restes avec nous. Maintenant que je peux analyser ce que je suis devenue, je vois combien ton absence m'a pesé. Cette femme farouche, née d'une enfant solitaire. Écervelée, manquant de confiance en elle. Avide de tout contrôler depuis l'enfance. À force de vivre à la maison entre des femmes, j'ai longtemps cru qu'il était de mon devoir de remplacer l'homme absent.

...

Père, toi et moi avons passé la majeure partie de notre temps à nous faire des adieux. Chacun avait l'apparence d'une mort, après laquelle miraculeusement nous ressuscitions. Tout au long de ces journées, nous avons échangé de grands discours débordants d'amour, d'humanité, jamais pourtant je n'ai entendu la phrase que j'attendais ; peut-être était-il inutile que tu la prononces. Depuis ce temps, des années se sont écoulées, ma fille est née et je sais aujourd'hui combien il est essentiel que les parents disent à leurs enfants qu'ils les aiment.

...

Je t'aime, papa, et je tenais à te le dire au plus vite. Je ne veux pas que l'un de nous deux meure sans que je te l'aie dit ou écrit. Je n'aurai pas de cesse que je n'aie revu ton visage. Je sens la caresse de tes baisers sur mes joues et, les paupières closes, j'entends encore cette mélodie d'Orlando Contreras que tu fredonnais à New York : *En un beso la vida...*

Ah, le rêve de la vie. Je vis en rêvant la liberté. Le danger est plus grand que je ne le pensais. Père, dissipe une fois pour toutes cette part d'ombre de mon enfance. Je t'en prie papa, réponds à cette lettre.

Zoé Valdès, Le pied de mon père, *2000*

« Ce jour-là, il devint mon père à tout jamais. »

par Romain Gary

Mon père avait quitté ma mère peu après ma naissance et chaque fois que je mentionnais son nom, ce que je ne faisais que très rarement, ma mère et Aniela se regardaient rapidement et le sujet de conversation était immédiatement changé. Je savais bien, cependant, par des bribes de conversation, surprises par-ci, par-là, qu'il y avait là quelque chose de gênant, d'un peu douloureux même, et j'eus vite fait de comprendre qu'il valait mieux éviter d'en parler.

Je savais aussi que l'homme qui m'avait donné son nom avait une femme, des enfants, qu'il voyageait beaucoup, allait en Amérique, et je l'ai rencontré plusieurs fois. Il était d'un aspect doux, avait de grands yeux bons et des mains très soignées ; avec moi, il était toujours un peu embarrassé et très gentil, et lorsqu'il me regardait ainsi, tristement, avec, me semblait-il, un peu de reproche, je baissais toujours le regard et j'avais, je ne sais pourquoi, l'impression de lui avoir joué un vilain tour.

Il n'est vraiment entré dans ma vie qu'après sa mort et d'une façon que je n'oublierai jamais. Je savais bien qu'il était mort pendant la guerre dans une chambre à gaz, exécuté comme Juif, avec sa femme et ses deux enfants, alors âgés, je crois, de quelque quinze et seize ans. Mais ce fut seulement en 1956 que j'appris un détail particulièrement révoltant sur sa fin tragique. Venant de Bolivie, où j'étais Chargé d'Affaires, je m'étais rendu à cette époque à Paris, afin de recevoir le Prix Goncourt, pour un roman que je venais de publier, *Les Racines du Ciel.* Parmi les lettres qui m'étaient parvenues à cette occasion, il y en avait une qui me donnait des détails sur la mort de celui que j'avais si peu connu.

Il n'était pas du tout mort dans la chambre à gaz, comme on me l'avait dit. Il était mort de peur, sur le chemin du supplice, à quelques pas de l'entrée.

La personne qui m'écrivait la lettre avait été le préposé à la porte, le réceptionniste – je ne sais comment lui donner un nom, ni quel est le titre officiel qu'il assumait.

Dans sa lettre, sans doute pour me faire plaisir, il m'écrivait que mon père n'était pas arrivé jusqu'à la chambre à gaz et qu'il était tombé raide mort de peur, avant d'entrer.

Je suis resté longuement la lettre à la main ; je suis ensuite sorti dans l'escalier de la N.R.F., je me suis appuyé à la rampe et je suis resté là, je ne sais combien de temps, avec mes vêtements coupés à Londres, mon titre de Chargé d'Affaires de France, ma croix de la Libération, ma rosette de la Légion d'honneur, et mon prix Goncourt.

J'ai eu de la chance : Albert Camus est passé à ce moment-là et, voyant bien que j'étais indisposé, il m'a emmené dans son bureau.

L'homme qui est mort ainsi était pour moi un étranger, mais ce jour-là, il devint mon père, à tout jamais.

Romain Gary

Romain Gary, né Roman Kacew, La Promesse de l'aube, *1960*

« L'homme de la famille, c'était moi. »

par Françoise Giroud

Françoise Giroud, débutante...

« Ah, s'il y avait un homme pour nous aider ! »

Mais, précisément, il n'y avait pas d'homme. Ce protecteur hypothétique n'était jamais apparu. Je n'ai connu dans ma maison ni homme fort, ni homme faible, je n'ai jamais vu ni figure paternelle tutélaire ni homme mal rasé dans un pyjama fripé, réclamant son petit déjeuner. L'homme a été pour moi un animal exotique, avec tout l'attrait que cela suppose, mais dont l'état naturel est l'absence quand on a besoin de lui.

L'homme de la famille, c'était moi. Les décisions, les responsabilités et la réparation des prises électriques, c'était moi. J'étais la preuve vivante que, pour les choses importantes, une fille valait un garçon.

Quand mon père est mort à quarante-trois ans, emporté par la tuberculose, je ne l'avais pas vu depuis trois ans. Ainsi ma mère avait-elle espéré nous protéger du terrible bacille qui faisait alors des ravages. J'avais huit ans. C'est un fantôme de père qui disparut. Qui nous avait abandonnées, comme disait ma mère.

« Il nous a laissées seules, mes pauvres enfants, seules. »

Mais elle se mit à lui construire une image très forte, celle d'un homme de courage et d'audace,

Copyright by Underwood & Underwoo
SACRIFICED MILLIONS F
IDEALS.—This snapsh
taken on Fifth avenue yest
day, shows Salih Gourdji B
former president of the Ot
man Official News Agen
who scorned German bri
and fled to America, aband
ing property worth 2,000,0
marks. The Germans offer
him 160,000 marks a year
spread their propaganda.

« Mon père dans The Evening Ma *du 21 août 1918.*

riche de tous les dons, journaliste de premier plan... Est-ce qu'elle exagérait ? Je ne sais pas. En tout cas, elle me plaça en situation de vouloir m'identifier à cette image. Je me mis à imiter son écriture, à me livrer aux exercices physiques les plus dangereux [...]. Entre l'absence d'homme dans mon univers familial et ce père imaginé, j'étais en train de devenir une drôle de fille.

Françoise Giroud à 16 ans, alors script girl de Marc Allégret.

Nul doute que cela a commandé mes relations avec les hommes. Je les ai bien aimés, avec leurs grands pieds et leurs petites lâchetés. Cependant, je n'ai jamais attendu d'eux qu'ils me protègent ; seulement qu'ils me donnent leur tendresse quand ils le voulaient bien. J'ai toujours su qu'ils étaient fragiles et que la force était en moi.

Françoise Gourdji, dite Françoise Giroud,
Arthur ou le bonheur de vivre, *1977*

« L'absence est une des rares choses qu'il ne m'ait pas apprise... »

par Sylvie Genevoix

Même en cherchant beaucoup, je n'ai rien à reprocher à mon père, sauf de m'avoir abandonnée. Nous avons eu trente ans de merveilleux compagnonnage, et le peu que je sache sur le court passage que nous faisons sur terre et sur ce qui nous entoure, c'est lui qui me l'a appris. Non pas qu'il m'ait enseigné quoi que ce soit, mais il m'a fait participer à tout ce qu'il aimait : le chant des oiseaux, la fuite de l'écureuil à la cime des arbres, l'éclosion des fleurs du printemps, l'odeur des tilleuls l'été sur la terrasse de notre maison des Vernelles, le miroir changeant de la Loire qui coule, majestueuse, imperturbable sous nos fenêtres, la rosée du petit matin et l'embrasement nacré des couchers de soleils, les bruyères mauves de Sologne et la douceur du Val de Loire. Il a fait taire mes peurs de la nuit en m'expliquant ses bienfaits, en m'apprenant le nom des constellations qui s'allumaient au firmament : le Baudrier d'Orion, Bételgeuse ou Aldebarran. Cigale insouciante que j'étais, je pensais que tout cela ne s'arrêterait jamais.

Il a bien fallu qu'un jour je comprenne qu'il n'était plus là : l'absence est une des rares choses qu'il ne m'ait pas apprise. Sans doute savait-il que ça ne servait à rien d'évoquer ou d'imaginer « l'après » : on a beau se préparer au départ de ceux qu'on aime, on est toujours pris au dépourvu quand l'heure sonne.

Inconscients et heureux, nous vivions dans l'instant, soucieux de ne pas gâcher notre plaisir et de profiter pleinement du temps qui nous était donné. Cette sagesse, mon père l'avait

« C'est dans ce nid des Vernelles que je suis née, que j'ai fait mes premiers pas, la main dans la main de mon père, là qu'il m'a appris à parler, à regarder et à m'émerveiller. Là qu'il m'a donné le plus précieux, le plus merveilleux des enseignements : l'amour de la vie. »

en lui depuis la guerre. À vingt-quatre ans, mutilé, plus encore blessé par la mort de ses amis, le souvenir de l'horreur et de la barbarie des hommes, il avait compris tout ce que la vie peut donner de précieux, même de miraculeux.

Après une longue vie de travail, de découvertes permanentes, de passions, d'honneurs et sans doute de douleurs secrètes, mon père est mort nonagénaire ; à l'exception de quelques images qui m'assaillent parfois et que je m'empresse de chasser, il m'est toujours apparu comme un homme jeune. En tout cas comme un homme sans âge, immuablement le même, que ne

« Longeant la terrasse sur toute sa longueur, un petit muret retient la pente du talus : il n'a guère que cinquante à quatre-vingt centimètres de haut, mais il était pour moi, aussi infranchissable que les murailles de Jéricho. En témoigne cette photo où, hurlant de terreur et de joie, je me cramponne au bras de mon père. C'est lui, certainement, qui m'a juchée sur le muret, s'amusant de mes cris... »

pouvaient atteindre ni les années, ni même les avatars habituellement dévolus au commun des mortels. Son existence avait, maintes fois, prouvé son courage en toutes circonstances, je ne l'ai pratiquement jamais entendu se plaindre, je le croyais donc capable de triompher de tout, même de sa mort. À mes yeux, il n'était certes pas d'une autre race, mais son savoir, sa tendresse indulgente, le simple fait qu'il était mon père et que je l'aimais le mettaient à l'abri de tout, en marge d'un monde dont il était pourtant le centre. Sans doute parce qu'il avait le don, rare et merveilleux, de faire voir l'invisible, de peindre la vie avec toutes les couleurs de l'arc-en-ciel, de la rendre intelligente et aussi belle que possible.

Attentif à tout ce qui pouvait me toucher, il m'a vue grandir, découvrir peu à peu les émerveillements et les rudesses de l'existence, devenir une femme, avoir un premier boulot, un premier mari, un premier puis un second enfant et une première ride (« attention à ton cou, me disait-il, c'est là que, souvent, on voit l'âge d'une femme ») : je voyais les années passer sur moi et laisser leur trace, sans jamais prendre conscience qu'elles passaient aussi sur lui.

« Nous avions l'impression d'être seuls au monde, sur une terre encore inexplorée, à l'abri de tout ce qui pouvait la menacer. Nous étions heureux, et nous le savions. »

« Qu'est l'amour s'il ne partage, s'il n'accepte ce qu'il reçoit du même mouvement qu'il offre et donne ? Et que ne m'ont donné, en ces jours, les trottinements, les rires, les étonnements ravis, les cris heureux de cette petite fille que j'aimais ? »

Maurice Genevoix.

Ce n'est que quelques mois avant sa mort, que je me suis soudain posée la question : « Et si, un jour, il n'était plus là ? » Je n'ai pas trouvé de réponse. Parce qu'il devinait tout, il a répondu à la question que je ne lui avais évidemment pas posée : « Ne t'inquiète pas, je connais le jour et l'heure... et j'ai encore du temps devant moi. » Il n'en avait plus guère, il le savait sans doute, mais comment n'aurait-il pas menti pour protéger ceux qu'il aimait ?

« L'essentiel, c'est l'indicible qui reste au plus profond de mon cœur ; le reste, c'est peut-être cette force de vie et d'enfance, cette vision d'un monde plus vrai, habité de signes et de symboles, que j'ai reçue de lui, et que j'essaie de transmettre à mes enfants. »

On dit que le temps efface les blessures les plus profondes. Pour certaines absences, je dirais au contraire qu'il les rend plus cruelles encore. Mon père est mort il y a plus de vingt ans, laissant, parmi tant d'autres, cette phrase que j'ai faite mienne : « Il n'y a pas de mort. Je peux fermer les yeux, j'aurai mon paradis dans les cœurs de ceux qui se souviendront. »

Je me souviens de lui de mille manières qui vont de l'évidence au plus intime : le timbre rassurant de sa voix, la fermeté et en même temps la douceur de sa main droite avec une étrange bague au majeur que je vois aujourd'hui avec émotion au doigt de ma mère, la crainte que m'inspirait l'autre, la gauche, mutilée par la guerre, sa démarche rapide et assurée de grand marcheur, ses cheveux devenus blancs qui ondulaient un peu sur la nuque, doux au toucher, presque fragiles, qu'il m'est arrivé de caresser avant de raccourcir, l'été, quand il les trouvait trop longs, et aussi le poil dru, piquant, de sa moustache, l'odeur de vétiver de sa veste en cachemire, celle de sa crème à raser, le tapotement du plat de la paume pour faire pénétrer l'après-rasage, le matin dans la salle de bains, sa joue encore humide contre la mienne : « Sens comme c'est doux, maintenant... »

Le reste, ce sont les livres, les films, et surtout la mémoire qui trie, déforme, embellit ou noircit au fil des années, des besoins et des rêves... Mais tout ça ne suffit pas à empêcher que, parfois, le temps soit gris, l'humeur morose, et que les regrets m'envahissent : de m'être parfois affrontée à lui, de

« Aujourd'hui encore, j'entends sa voix qui me dit "donne ta main", je sens la sienne, tiède et ferme : "viens, ma petite belle, viens"... »

l'avoir déçu peut-être, et surtout de ne pas l'avoir assez écouté, interrogé, profité de tout ce qu'il pouvait me donner. Il ne se passe pas un jour sans que j'ai envie de lui poser des questions et de l'entendre me répondre, sans que je me reproche le temps perdu. Pourtant le sillage qu'il a laissé de son passage sur terre est de plus en plus visible. Souvent, on me parle de lui, on évoque un souvenir, un livre, une rencontre, un propos qu'il aurait tenu... Mais l'homme dont on parle, dont on affirme connaître si bien tel ou tel trait de caractère, tel ou tel aspect

MAURICE GENEVOIX
de l'Académie française

LA PERPÉTUITÉ

Pour Sylvie,
notre Sylvie chérie,
et c'est tout dire, —
ou redire.
M.

de son talent, cet homme-là ne ressemble pas toujours au père que je garde au fond de mon cœur. Plus il appartient aux autres, plus on s'approprie son œuvre et son souvenir, plus j'en suis heureuse et agacée, car en même temps, il m'échappe. Alors, je m'évade pour retrouver nos jeux, nos rires, notre complicité, mes enfantillages et les siens.

J'interroge les nuages et je me demande s'il est là, derrière, quelque part, je suis des yeux, sur la Loire, le vol des oiseaux migrateurs qui vont peut-être le rejoindre, je guette les premières étoiles dans le ciel, je cherche Aldebarran que je ne trouve plus... J'essaie de repérer le chant de la fauvette babillarde, que je confonds sans doute avec celui de la mésange... Alors, je m'adresse à mon père, et je lui fais d'amers reproches : « Réponds-moi, ne me laisse pas tomber. J'ai besoin de toi ! » Il m'arrive alors, si je l'appelle très fort, d'entrevoir une silhouette furtive dans le fond du parc, de voir scintiller un astre avec plus d'éclat que les autres, de trouver une solution à un problème que je croyais sans issue.

Les gens qui nous ont aimés, j'en suis persuadée, ne nous abandonnent jamais. Pour en être sûre, il faut seulement savoir qu'il y a des signes partout, et s'appliquer à les reconnaître. Ils sont autant de viatiques qui aident à franchir les gués, à supporter les intempéries, à se diriger dans la nuit noire. C'est l'étoile qui veille sur nous.

Sylvie G.

Sylvie Genevoix, texte inédit

« C'est lui qui se laissait aimer. C'est moi qui aimais. »

par Alphonse de Lamartine

Mon père, qui n'avait alors que soixante-deux ou trois ans, paraissait dans toute la sève et dans toute la majesté de la vie.

...

Je courus à lui et tombai dans ses bras. Il avait bien la voix un peu émue et les yeux un peu humides en m'embrassant, mais il y avait une mâle fermeté jusque dans sa tendresse ; il respectait son ancien uniforme de capitaine de cavalerie ; il aurait cru dévoyer en avouant aux autres ou à lui-même une émotion féminine ; c'était un de ces hommes qui ont le respect humain dans leurs qualités, la pudeur de leur vertu, et qui, en refoulant les signes extérieurs de leur sensibilité dans leur âme, ne font que la conserver plus jeune et plus vierge jusqu'à leurs jours avancés. Cette habitude de sa nature forte et austère jetait entre lui et moi une certaine froideur de démonstration qui pouvait tromper au premier coup d'œil. Nous nous aimions sévèrement, comme il convenait à des hommes, lui avec dignité, moi avec respect ; le père était toujours père, le fils toujours fils. Sa sensibilité se cachait sous l'austérité et derrière la distance jusqu'à ses dernières années où j'étais devenu homme et où il était devenu vieillard. Alors les rôles changèrent : c'est lui qui se laissait aimer. C'est moi qui aimais. Entre nous la sensibilité débordait.

Alphonse de Lamartine, Nouvelles confidences, *1851*

« Je te porterai comme un remords... »

par Xavier Emmanuelli

Qu'un homme de soixante-cinq ans meure d'un cancer est dans l'ordre des choses :

– Donne-moi la grâce, Seigneur, que mes enfants m'enterrent, disait ma mère.

Mon père sera exaucé. Pourtant cette mort dans l'incognito me navre. J'aurais pu lui dire que je l'aime, que je reconnais son itinéraire. Mais il s'en va et je n'ai rien dit.

Médecin comme lui, nos pratiques se sont opposées. Notre seul échange fut une discrète ironie de ma part devant ses approches. Désormais la seule façon que j'aurai de l'aimer sera une perfusion de neuroleptiques. Voilà qui me fait tourner comme une mouche autour de la clinique. Ce fils d'ouvriers journaliers était fier d'avoir fondé une descendance de médecins. Mais si nous avions le même titre, nous ne faisions pas le même métier.

...

Avec d'autres malades, je suis capable d'élaborer le plan de sauvetage ou d'abandon. Avec lui, je ne sais pas. Tant de choses inexprimées partiront avec lui que je ne puis me résoudre à être acteur en ce moment.

...

Xavier Emmanuelli, médecin anesthésiste-réanimateur de formation, Président du SAMU social, cofondateur de Médecins Sans Frontières...

Hier, au pied de son lit, je m'efforçais de fixer ses traits. Je me disais : il faut que je me dépêche de le regarder. Je n'aurais plus beaucoup de temps pour le faire. Les photos ou mes souvenirs ne me donneront pas les détails de la géographie de sa tête, l'implantation des rides et les reliefs qui rendent familière une physionomie. Cette petite tache à l'implantation du nez, la fossette du menton ou la queue du sourcil qui s'en va vers le haut... Je veux sculpter mon souvenir afin que le schéma sur lequel viendra se greffer l'image soit concret et vivant.

Il a changé. Ses mains ne sont plus les mêmes : les tendons n'étaient pas aussi saillants, les veines sont grêles et contractées alors qu'elles étaient larges et sinueuses et traçaient un réseau généreux entre quelques taches brunes... Ses belles mains sont cireuses comme un moulage. Je ne sais pas si c'est le souvenir de cette forme que je vais conserver ou l'autre, quotidienne, que je ne regardais pas. Je suis passé à côté de lui sans le voir alors que j'avais du temps. Maintenant que j'y fais attention, ce n'est plus le même... et sa voix... Là aussi il va falloir censurer. Ce ne sont pas ces mots grelottants et hésitants, mais cette diction chaleureuse aux accents méridionaux dont je veux garder l'empreinte. Je ne puis que le scruter comme s'il avait quelque chose à exprimer, mais je ne vois que l'angoisse d'un corps condamné et non plus l'épanouissement de la vie qui va.

...

Mais j'ai longtemps vécu avec le mythe – que mon père ne refusait d'ailleurs pas – que le médecin est d'une autre essence... une sorte de démiurge ayant pouvoir de création. Au fond, je suis choqué que lui aussi doive mourir. Ah ! si l'on avait un sursis... J'étouffe de ce que je n'ai jamais dit.

...

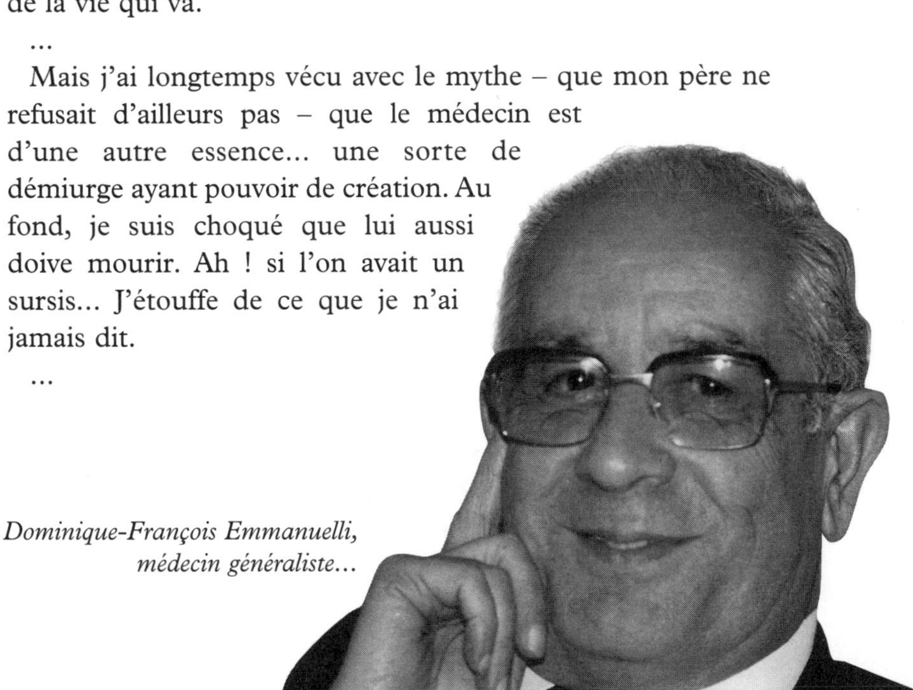

Dominique-François Emmanuelli, médecin généraliste...

Père, mon père, si tu pouvais retenir ta vie, écouter mes vraies paroles, celles que tu as attendues depuis que je pratique... Maintenant je pourrais les prononcer sans rougir.

Père, je suis convaincu comme toi, que la création ne s'est jamais arrêtée. Nous sommes toujours aux temps où le limon de la genèse est mou dans la main du créateur et où l'argile est encore modelable.

Mon père, mon père... Quel est ton péché mortel que nul ne peut exorciser ?

Quelle déviation étrange de l'amour – de croire que quelqu'un d'étranger à soi, non lié par un rapport affectif puisse intervenir dans le discours de son destin... c'est pourtant cela la médecine, et souvent ça marche !

...

Là, il gît dans cette odeur fanée ; une légère trémulation de la langue et des extrémités le font bafouiller des mots et ébaucher des gestes incohérents, mais ses yeux continuent d'examiner les êtres. Il connaît bien entendu son diagnostic et sa sanction, bien qu'aucun d'entre nous n'y ait jamais fait allusion... Mais trop attentif pour ne pas en déduire la vérité en négatif, il a rassemblé l'ensemble des détails de sa maladie pour établir le verdict. Pourtant comme tous les malades, il bénéficie d'une grâce : la mort ne s'affronte pas longtemps à temps complet, et le cours sinueux de ses humeurs le porte parfois à espérer. J'en ai eu la preuve quand il parlait encore.

Ce n'est pas avec ses enfants médecins qu'il discutait de son cas – mais avec celui justement qui ne l'est pas.

Désormais, il est résigné et demeure immobile, muet, ne se plaignant pas. Il attend passivement le dénouement.

La médecine m'a fait prendre un curieux itinéraire. Le médecin est un père. Il fallait que je le devienne... C'est peut-être pour cela qu'il meurt, pour que je pèse plus lourd sur la terre, moi son fils aîné en qui il a tant investi.

Ce ne sont que des images, je ne veux pas jouer avec elles, même si elles reviennent de façon obsédante. Mais c'est seulement quand il se fut remis de son infarctus que j'ai vraiment quitté mon père pour la première fois.

...

Quand j'ai revu mon père, il était à nouveau médecin généraliste. Il n'avait pas supporté le mi-temps et la rencontre des autres lui manquait. Il n'a même pas songé à évoquer une nouvelle installation avec moi. J'avais rapporté de mon itinéraire d'autres approches et d'autres exigences et je n'aurais sûrement pas eu ma place près de lui.

...

Ma nouvelle spécialité m'a porté encore plus loin de mon père que je voyais comme à travers une jumelle à l'envers faire des actes désuets et démodés, dans le silence, user sa vie dans les visites et les étages, au chevet de malades de mieux en mieux documentés, et donc plus exigeants... J'avais de la peine.

Puis il s'est couché pour mourir.

Et me voici près de lui, ce naufragé au-delà de toutes ressources, montant une garde dérisoire, attendant ses derniers instants.

Mon père, au terme d'un périple où nous ne nous sommes pas rencontrés, chacun vivant loyalement sa profession, je voudrais te dire... Mais que puis-je te dire...

Pour prendre mon essor il a fallu te piétiner, toi le meilleur de moi-même car tu me barrais la route d'une certaine façon... et je t'ai déçu. Mais si je t'avais satisfait je ne serais pas un médecin, c'est pourquoi je te porterai comme un remords et t'aimerai toujours.

Père... prends ton départ doucement pour la mort dans l'extrême solitude qui est le fardeau de tous les hommes – et que tes actes t'accompagnent. Si Dieu est – s'il est Justice – il prendra ce que tu tentais de faire pour des manifestations d'amour, mais complètement gauchies par la pesanteur.

Avant que ton sillage ne se referme, je viendrai à mon tour... Mais pour le temps qu'il me reste, je m'efforcerai d'être plus exigeant dans l'accomplissement de ma vie.

Xavier Emmanuelli, Ballade pour un père, *1980*

« Tous les hommes sont des violeurs. »

par Niki de Saint Phalle

Ce même été, mon père - il avait 35 ans, glissa sa main dans ma culotte comme ces hommes infâmes dans les cinémas qui guettent les petites filles.

J'avais onze ans et j'avais l'air d'en avoir treize. Un après-midi mon père voulut chercher sa canne à pêche qui se trouvait dans une petite hutte de bois où l'on gardait les outils du jardin. Je l'accompagnais... Subitement les mains de mon père commencèrent à explorer mon corps d'une manière tout à fait nouvelle pour moi.

PAPA S'ENVOLE

HONTE, PLAISIR,
ANGOISSE, et PEUR,
me serraient la poitrine.
Mon Père me dit : "Ne bouge pas."
J'obéis comme une automate.
Puis avec violence et coups de pied, je me dégageais de lui et courrus j'usqu'à l'épuisement dans le champ d'herbe coupée.

Il y eut plusieurs scènes de ce genre ce même été. Mon père avait sur moi le terrible pouvoir de l'adulte sur l'enfant. J'avais beau me débattre il était plus fort que moi... Mon amour pour lui se tourna en mépris.

Il avait brisé en moi la confiance en l'être humain.

Que cherchait-il ? Là aussi, ce n'est pas simple. Le plaisir, il pouvait le trouver ailleurs.

NON ! C'EST L'INTERDIT et la tentation du pouvoir absolu sur un autre être.

qui exerçait une fascination vertinegeuse sur lui.

Il existe dans le coeur humain un désir de tout détruire. Détruire c'est affirmer qu'on existe envers et contre tout.

Mon père m'aimait, mais ni cet amour, ni la Religion Archi Catholique de son enfance, ni la morale, ni ma mère, rien n'était assez fort pour l'empêcher de briser L'INTERDIT.

En avait-il marre d'être un citoyen respectable ? Voulait-il passer du côté des assassins ?

Tous les hommes sont des VIOLEURS. Regarde l'histoire des guerres. La récompense du soldat c'est toujours le viol. Cela se passe ainsi depuis des temps immémoriaux.

Pour la petite fille le VIOL c'est la MORT.

Il n'y a qu'une solution : la loi. LA LOI pour protéger ceux qui ne peuvent pas se protéger.

La PEUR de la PRISON pour les VIOLEURS de petites filles.

A onze ans je me suis sentie expulsée de la société. Ce PÈRE tant aimé est devenu objet de haine, le monde m'avait montré son hypocrisie, j'avais compris que tout ce qu'on m'enseignait était faux.

PAPA était subversif, provocateur.

Il m'a appris que la vie pouvait être drôle, excitante et dangereuse.

Niki de Saint Phalle

Niki de Saint Phalle, Le secret, *1994*

« La paternité n'existe pas. »

par Jacques Brel

À mon avis, la paternité n'existe pas. C'est une vue de l'esprit. La maternité, elle, existe et la tendresse de la mère est indispensable. Par contre, il est presque impossible pour un père d'établir un dialogue véritable avec ses enfants.

Évidemment, vous pouvez toujours faire guili-guili, mais cela ne va pas très loin. Je ne vois pas bien l'intérêt pour des enfants de voir revenir à la maison, chaque soir, un monsieur qui ne leur dira rien de passionnant parce qu'il est quotidien, qui va s'asseoir, mettre des pantoufles, roter à la fin du repas, s'installer enfin devant la télévision en criant : « Allez, les enfants, au lit, il est l'heure ! »

Pour ma part, je tiens absolument à prendre mes filles avec moi de temps à autre, à l'occasion d'une tournée par exemple. Là, elles peuvent voir un homme exerçant sa fonction d'homme.

Jacques Brel, répondant à Jean Clouzet. Ce dernier lui demandait s'il est aisé d'être père de famille quand on ne voit ses enfants que quelques jours par an, in Brel de A à Z, *Gilles Lhote, 1998*

« Pourquoi votre père reste-t-il jusqu'au bout un étranger ? »

par Alain Rémond

Mon père m'était un étranger. J'aurais aimé l'aimer, mais comment faire si on ne sait presque rien l'un de l'autre, si on ne se connaît pas ? Je le voyais partir le matin avec les cantonniers, pour le chantier du jour. Au fil des années, il rentrait de plus en plus tard, le soir. Parfois très tard, quand nous étions couchés. Pour éviter de rallumer la guerre, sans doute. Je ne crois pas avoir eu avec lui un seul bavardage d'enfant, une seule discussion d'adolescent. En tout cas, je n'en ai gardé aucun souvenir. J'ai cette image, précieuse entre toutes, d'un jeu, un soir, autour de la table et mon père jouait à essayer de m'attraper. Il était assis sur sa chaise, il souriait, je courais et je riais comme un miraculé, comme quelqu'un qui ne croit pas à sa chance : jamais je n'avais ainsi joué avec mon père. J'aurais aimé que ça dure des heures, que ça recommence le lendemain et encore le jour d'après. Et puis, d'un seul coup, le charme s'est brisé : la guerre est repartie entre mon père et ma mère, les cris, les insultes. Le jeu s'est arrêté, comme un fil cassé net, et n'a jamais repris. C'était trop beau, aussi.

...

Un jour, mon père est venu en mobylette. Je devais avoir douze ans. On s'est promenés, Jacques et moi, dans les rues de Dinan, avec lui. C'était la première fois que je me promenais avec mon père, en dehors des rares fois où il se joignait aux balades familiales, à Trans. Il souriait, il avait l'air content de son coup. Il nous a emmenés dans un bistrot, il a pris, je crois, un verre de cidre. Il connaissait le patron, ils plaisantaient ensemble. Je suis incapable de me souvenir de quoi nous avons parlé. Des cours et des profs, je suppose, des matières qu'on préférait, ce genre de choses. Rien de personnel, sûrement. Ni de notre part, ni de la sienne. Une seule et unique occasion de mieux se connaître. Et voilà : rien. Deux heures, peut-être, à marcher dans les rues de Dinan, à boire au bistrot. Et voilà, c'est fini. Pour la vie. Sauf que c'était déjà quelque chose, d'être seuls, Jacques et moi avec lui. C'était comme un rêve étrange, de marcher avec cet homme qui souriait et qui était notre père. Dont nous ne savions rien d'intime, de personnel. Pourquoi les choses se passent-elles ainsi ? Pourquoi votre père reste-t-il, jusqu'au bout, un étranger ? Pourquoi est-il cet homme qui part le matin sur les chantiers avec les cantonniers et qui ne rentre tard le soir que pour rallumer la guerre ? Je n'ai jamais pris de vacances avec lui.

Plus tard, un ou deux ans plus tard, je suis allé voir mon père à l'hôpital de Saint-Malo, avec Jacques.

...

Et là, ce jour-là, à l'hôpital, j'ai vu quelque chose d'étonnant, qui ne s'est jamais effacé de ma mémoire. Dans la chambre, il y avait plusieurs malades, des hommes de l'âge de mon père. Mon père nous les a présentés. Il s'est mis à blaguer, à rire avec eux. Et j'ai vu qu'il les faisait rire, qu'il était très populaire, qu'ils l'aimaient bien. J'ai gardé ça comme un secret en moi : mon père était drôle, il avait de l'humour, les gens l'aimaient bien. Je l'avais déjà entendu dire à Trans par les cantonniers, quelques bribes de confidences, comme quoi ils avaient du plaisir à travailler avec mon père. Ou par ceux du comité des fêtes, que mon père avait créé. Là, je le voyais, je l'entendais : je découvrais quelqu'un d'autre, qui m'était inconnu. À Trans, à la maison, c'était celui par qui la guerre arrivait. C'était les cris, les hurlements. Ici, dans cette chambre d'hôpital, c'était celui qui faisait rire, avec qui on aimait blaguer. Soudain, je voyais tout ce que j'avais manqué, tout ce qui m'avait manqué. Je ne connaissais pas cet homme-là, ce père-là. J'aurais pu rire avec lui, plaisanter, découvrir le monde avec lui. Mais non. Ça ne s'était pas passé comme ça. Et puis c'était trop tard. Les jeux étaient faits. À Trans, quand je revenais en vacances, c'était de pire en pire. On était prisonniers d'une histoire qui nous dépassait. Impossible de remonter le temps, de repartir de zéro, d'essayer autre chose, de casser cette mécanique qui nous entraînait, nous broyait. Je ne connaîtrais jamais mon père.

...

Peu de temps après, un dimanche, le jour de son anniversaire, il a demandé à recevoir l'extrême-onction. Je me souvenais de l'époque où, enfant de chœur, j'accompagnais le recteur dans l'aube froide, sur des routes perdues, pour aller « porter le bon Dieu » dans des fermes déjà habitées par la mort. Cette fois, c'était chez nous. Mais je ne voulais pas y croire, je me disais que ça n'avait rien à voir. Mon père avait envie de voir le prêtre et de communier, voilà tout. Ça ne voulait rien dire de plus, me disait Jacques, pourquoi parler d'extrême-onction, de « sacrement des mourants » ? Je l'écoutais, je pensais comme lui. Après le départ du prêtre, mon père, redressé contre ses oreillers, nous a demandé de venir dans la chambre, de nous regrouper autour de son lit, nous tous les enfants. Et à chacun d'entre nous, il a dit quelques mots d'adieu. C'est moi qui, aujourd'hui, écris « mots d'adieu », parce que, plus tard, c'est ainsi que je les ai compris. Mais, en ce moment précis, puisque c'était son anniversaire, mon père voulait simplement nous réunir autour de lui et dire à chacun d'entre nous comment il nous voyait, ce qu'il aimait en nous, en chacun d'entre nous. Jamais il n'avait employé de tels mots. Nous étions là, autour de son lit, en ce dimanche d'été, à la fois gênés, mal à l'aise et bouleversés. On n'abusait pas, dans la famille, des marques de tendresse. On jouait ensemble, on discutait, on riait, on adorait se retrouver tous ensemble, au moment des vacances. Il y avait entre nous ce lien si fort de la tribu, il y avait ce bonheur de partager les mêmes rites, les mêmes histoires codées, la même mythologie. Mais, à cause de cette souffrance au cœur de la famille, de cette guerre entre nos parents, nous ne savions ni les mots ni les gestes de la tendresse. De l'amour. Et c'est lui, mon père, qui les trouve. Qui brise ce pacte du silence pour nous dire, simplement, ce qu'il a dans le cœur. Ce qu'il voulait dire depuis si longtemps, à chacun d'entre nous. Cette scène, jamais je ne pensais la vivre un jour. J'avais lu des histoires de ce genre dans des livres, des illustrés, le père qui, à l'heure de sa mort, réunit ses enfants autour de lui. C'était du roman, de la fiction, ça ne pouvait pas arriver en vrai. Et voici que mon père, avec son sourire fatigué, sans doute aussi pour faire oublier le père lointain, étranger, qu'il avait été, trouve le courage de nous dire combien il nous aime, beaucoup mieux que dans les livres. C'est nous qui n'avons pas su lui répondre, trop interdits, trop bouleversés. J'en veux à mon père, pour tout ce qu'il ne nous a pas donné, pour cette violence dans la maison, pour tout ce qu'il aura cassé en moi. Mais je lui pardonne tout, pour ces mots qu'il a su trouver, en ce dimanche d'été, je lui pardonne tout.

...

J'ai quinze ans. Mon père est mort. Je marche tout seul, dehors, sur la route de Pleine-Fougères et j'essaie de comprendre ce qui se passe dans ma tête. Je devrais être submergé de tristesse, je devrais pleurer toute ma souffrance, mon désespoir. Ton père est mort. Tu es orphelin. J'ai beau me répéter ces mots, je me sens comme absent à moi-même. Je ne sais pas ce qui m'arrive, je ne sais pas qui je suis, en cet instant précis. Ou alors je découvre en moi quelqu'un qui me fait peur, qui me fait honte : je sais que ce ne sera plus l'enfer, à la maison ; qu'il n'y aura plus de bagarres, plus de violence. Et, monstre d'égoïsme, je respire. Je sais, je ne devrais pas écrire ces mots. Mais pourquoi me mentir ? En même temps, j'ai cette image de mon père dans son lit, son sourire, ses mots d'amour pour chacun d'entre nous. Je repense à cette promenade dans les rues de Dinan, avec Jacques. À cette visite à l'hôpital de Saint-Malo. Je pleure la perte du père que j'aurais pu avoir. Je maudis l'univers entier pour cette injustice : mon père meurt au moment même où je comprends que j'aurais pu vraiment l'aimer, comme un fils. Tout arrive trop tard. Et je vais, maintenant, vivre avec cette blessure. Pire : tenter de faire comme si elle n'existait pas. Faire semblant. Garder le silence.

...

Et puis cette photo de mon père, peu de temps avant sa mort, dans un costume noir, un peu à l'écart du groupe familial. Il sourit, il essaie de sourire, on voit déjà l'ombre de la mort sur son visage, mais il sourit bravement, mon père que je n'ai pas su aimer. Ces derniers temps, j'ai rêvé de lui, souvent. Dans mes rêves, il est à la maison, à Trans, il m'attend, il attend quelque chose de moi. Il a l'âge qu'il avait à sa mort, j'ai l'âge qu'il avait à sa mort, j'ai l'âge que j'ai aujourd'hui. Nous avons donc exactement le même âge : cinquante trois ans. Nous sommes seuls, je suis gêné de le savoir là, je ne sais pas quoi lui dire, j'ai peur que recommencent les scènes que j'ai connues, enfant, quand il se battait avec ma mère. Il attend, compte sur moi, il est confiant. Et moi, je me demande : que dois-je faire de lui ? Que dois-je faire de mon père ? J'ai écrit ce livre pour en finir avec la guerre. La maison de Mortain a été détruite, la maison du Teilleul a été détruite, la maison de Trans a été vendue. Mon père est mort, ma mère est morte, ma sœur est morte. Je veux vivre en paix avec tous, les vivants et les morts.

Alain Rémond, Chaque jour est un adieu, *2000*

« Je lui fais : “Papa ! c’est moi !” et à ce moment-là il sort de l’écran... »

par Serge Gainsbourg

Mes premiers souvenirs, j’étais un gamin de un ou deux ans, furent esthétiques et musicaux : mon père jouait chaque jour, pour son plaisir, Scarlatti, Bach, Vivaldi, Chopin ou Cole Porter. Il pouvait interpréter *La Danse du Feu* de Manuel de Falla ou des airs sud-américains, c’était un pianiste complet. Voilà déjà un prélude à ma formation musicale : le piano de mon père, je l’ai entendu chaque jour de ma vie, de zéro à vingt ans. C’est très important...

...

Mon père était sévère. Il adorait surtout [ma sœur] Jacqueline, du moins je le croyais. Quand j’étais gosse et que j’avais fait une connerie, il me faisait le plan d’ôter sa ceinture et de me donner une correction, sur les fesses nues, à la cosaque. Ma mère attendait quelques instants dans la pièce à côté puis elle venait à mon secours. J’admettais ce côté disciplinaire, mais ce que je trouvais intolérable c’était que le soir, au dîner familial, il s’excusait de sa brutalité. Dans ma petite tête d’oiseau, j’aurais préféré qu’il soit dur et qu’il le reste. Mais comme il avait un cœur en or, il se justifiait vis-à-vis de moi et ça me perturbait.

Lucien Ginsburg, l’enfant sage.

...

C’était hyper-strict chez moi, russkof, judéo-russkof

Joseph Ginsburg, père de Serge, en 1919. « Avec mon père, j'ai peut-être raté un ami... »

strict. Il y a juste un jour, mon père, parce que j'avais pissé sur le coin des goguenots, qui m'a dit : « Tiens ta queue et dirige ton jet. » Enfin, il a pas dit « queue », il a dit « tutu ». C'est ça : « Tiens ton tutu et dirige ton tutu, mais ne pisse pas sur les côtés. » Voilà, c'est toute la misérable approche sexuelle que j'ai faite avec mon père.

...

J'ai eu une phrase terrible quand mon père est mort. Jacqueline m'a téléphoné, j'ai entendu au son de sa voix qu'il s'était passé quelque chose de très grave et j'ai eu ce cri du cœur : « Il est arrivé quelque chose à maman ? » C'était dur pour elle parce que Liliane et elle étaient les chouchoutes de mon père. Il jouait aux cartes, il s'est vidé de son sang... Ma sœur et moi sommes allés à Houlgate en pleurant tous les deux. En m'approchant de son corps j'ai eu un réflexe de petit enfant, je croyais qu'il était fâché, j'avais peur qu'il m'engueule, j'étais prêt à dire : « Papa je le f'rai plus ! » J'ai trouvé ce petit cimetière charmant qui donnait sur la mer... Plus tard, Maman se plaignait de ne pas pouvoir aller se recueillir sur sa tombe, c'était trop loin pour elle. Alors j'ai allongé les bâtons et je lui ai trouvé une place au cimetière Montparnasse à vingt mètres de Baudelaire. Quelques années plus tard Jean-Paul Sartre est devenu son voisin. Puis Maman l'a rejoint et je les y retrouverai un jour...

...

Beaucoup plus tard, j'ai eu un rêve hallucinant. Je sais que mon père a tourné dans un film, vers 1936. Ce film, je ne l'ai jamais vu et d'ailleurs son rôle se limite à une furtive figuration. Mais dans mon rêve je me dis : « Je vais au cinéma voir mon papa... » Je me retrouve dans une salle et sur l'écran en noir et blanc, au milieu de plein de musiciens, en plan large, je l'aperçois. Je lui fais : « Papa ! C'est moi ! » : et à ce moment-là il sort de l'écran, en couleurs... Et alors que dans mon rêve j'avais cinquante ans, lui en avait trente... Comme je suis athée, peut-être pour mon malheur, je n'en tire aucune conclusion...

...

Serge Gainsbourg : autoportrait.
« Mon père a commis cette faute de me voir en peintre... Une fois que j'ai été absolument intoxiqué par la peinture, il m'a dit : "Ben, faut lâcher, parce que maintenant il faut gagner ta vie." »

Avec mon père, j'ai peut-être raté un ami. C'était un garçon timide, et moi aussi. Pourtant, il a été présent à tous les carrefours importants dans ma vie : les Beaux-Arts, le Touquet, le Milord, l'Arsouille, la rue de Verneuil... Il découpait tous les articles qui paraissaient sur moi. Quand on m'attaquait dans la presse, il répondait aux journaux ; je lui disais : « Mais non, Papa, il faut pas, le papier s'en va et moi je reste... » Un jour il s'était plaint : « À quoi nous sert ta célébrité si on ne te voit plus ? » Je ne l'oublierai jamais !

Lucien Ginsburg, dit Serge Gainsbourg,
propos cités par Gilles Verlant in Gainsbourg, 2000

« Un enfant sans père ne devient pas forcément un humoriste... »

par Georges Wolinski

SI JE SUIS CE QUE JE SUIS, C'EST
PARCEQUE J'AI EU LA CHANCE DE
N'AVOIR PAS CONNU MON PÈRE.
IL EST MORT, LORSQUE J'AVAIS DEUX
ANS. PERSONNE N'A CORRIGÉ MA
PARESSE. PERSONNE NE M'A EMPÊCHÉ
D'ÊTRE UN RÊVEUR. "ON NE SAIT PAS
OÙ IL A LA TÊTE ?" DISAIT MA
GRAND-MÈRE. À 20 ANS, J'ÉTAIS UN
BON À RIEN. UN PÈRE M'AURAIT OBLIGÉ
À TRAVAILLER, À APPRENDRE
MES LEÇONS. À EXERCER UN "VRAI" MÉTIER.
COMME LUI, FORMÉ DANS LES ÉCOLES
PROFESSIONNELLES ALLEMANDES. UN
MANUEL, UN ENTREPRENEUR, UN

Les parents de Georges Wolinski : Lola et Siegfried.

« Si je suis ce que je suis, c'est parce que j'ai eu la chance de n'avoir pas connu mon père... »

BÂTISSEUR, UN FERRONNIER D'ART,
UN TRÈS BEL HOMME QUI AVAIT SÉDUIT
LOLA, MA MÈRE, FILLE D'UN PÂTISSIER
DE TUNIS. MON GRAND-PÈRE L'AVAIT
AIDÉ À S'INSTALLER. LE FER FORGÉ
ÉTAIT À LA MODE DANS LES ANNÉES 30.
JE REVOIS LES LOURDES TABLES RECOUVERTES
DE MARBRE, QU'IL AVAIT RÉALISÉES POUR
LA PÂTISSERIE.
EN 1936, LES NOUVELLES LOIS SOCIALES
L'AVAIENT OBLIGÉ À LICENCIER UNE
PARTIE DU PERSONNEL, POUR NE GARDER
QUE LES MEILLEURS. UN JEUNE OUVRIER
ITALIEN, ÉTAIT VENU LE SUPPLIER DE LE
RÉEMBAUCHER. MON PÈRE A REFUSÉ.
PAN! PAN! PAN! MOTTA A TUÉ MON PÈRE
DE TROIS COUPS DE REVOLVER.

UN ENFANT SANS PÈRE NE DEVIENT PAS FORCÉMENT UN HUMORISTE, MAIS ÇA AIDE. REISER NON PLUS N'A PAS EU DE PÈRE. IL A FALLU QU'ON TROUVE TOUT SEULS LES SOLUTIONS À NOS PROBLÈMES. DANS MA TÊTE IL N'Y AVAIT QUE MES IDÉES. J'ADORAIS DESSINER, GRIBOUILLER SUR MES CAHIERS - MON PÈRE AUSSI DESSINAIT. IL RECOPIAIT GRAVEMENT, LE SOIR, LES DESSINS BIBLIQUES DE "LILIEN" ILLUSTRANT LE "LIEDER DES GUETTO". J'AI ACHETÉ LE LIVRE, IL Y A QUELQUES ANNÉES.

VEUVE, MA PETITE MAMAN, EST PARTIE SOIGNER SA TUBERCULOSE EN FRANCE. LA GUERRE A ÉCLATÉ. MA SŒUR ET MOI, NOUS AVONS ÉTÉ ÉLEVÉS PAR NOS GRANDS-PARENTS, NOS ONCLES, ET NOS TANTES. UNE FAMILLE QUI AIMAIT RIRE. ET SURTOUT, IL Y AVAIT PLEIN DE LIVRES DANS LA BIBLIOTHÈQUE. DES LIVRES MERVEILLEUX : MARK TWAIN, JACK LONDON, VICTOR HUGO, JAMES JOYCE, JULES VERNE, EDGAR POE, ALEXANDRE DUMAS DICKENS, ETC... C'EST EUX QUI M'ONT SERVI DE PÈRE, C'EST EUX QUI M'ONT VRAIMENT ÉLEVÉ. J'ÉTAIS LE HÉROS DES LIVRES ET DES FILMS QUI ME DÉVORAIENT L'ÂME. MA JEUNESSE S'EST PASSÉE DANS L'IMAGINAIRE. TOUT CE QUI ÉTAIT RÉEL M'ENNUYAIT. JE SUIS RESTÉ UN PEU COMME ÇA, ET ÇA NE S'ARRANGE PAS EN VIEILLISSANT. JE CROIS QUE JE NE RESSEMBLE PAS BEAUCOUP À SIEGFRIED, MON PÈRE.

WOLINSKI

Georges Wolinski, texte inédit

Dessin réalisé par Siegfried Wolinski, père de Georges, ferronnier d'art.
« Mon père, c'est un mythe... »

« La puissance paternelle, une manière d'esclavage... »

par Giacomo Leopardi

Lorsque, parcourant les vies des hommes illustres, on s'arrête à ceux qui ne doivent ce titre qu'à leurs actes et non à leurs écrits, il est bien difficile de trouver un personnage doté d'une vraie grandeur qui n'ait point été privé dans son enfance de la présence de son père.

Je ne parlerai pas ici du fils de famille, perpétuellement sans ressources tant que son père vit encore, et qui par conséquent ne peut rien faire dans le monde ; à quoi s'ajoute le fait que, se sachant des espérances, il ne se préoccupe nullement de subvenir à ses besoins par son propre travail et renonce ainsi à réaliser quelque œuvre d'envergure. Il s'agit cependant là d'un cas assez rare, car généralement tous ceux qui ont accompli de grandes choses ont été riches ou du moins suffisamment pourvus dès l'origine.

Cela mis à part, chez tous les peuples qui connaissent des lois, la puissance paternelle est par elle-même une manière d'esclavage pour les enfants. Malgré son caractère familial, cet esclavage est plus contraignant et plus pénible que l'esclavage institutionnel ; serait-il adouci par les lois, la morale publique ou le caractère même de celui qui domine, le même effet dévastateur se produit toujours : tant que vit le père, le fils est habité par un sentiment de sujétion et de dépendance, il a l'impression qu'il n'est pas son propre maître, ou plutôt qu'il n'est pas une personne à part entière, mais un simple organe dans un corps plus vaste, et que son nom appartient davantage à un autre qu'à lui-même ; et cette impression lui est toujours confirmée par l'opinion que se fait visiblement de lui la multitude.

Ce sentiment, plus profond chez les plus doués, car l'acuité supérieure de leur esprit leur permet de mieux comprendre la réalité de leur état, est incompatible avec quelque grand projet que ce soit, j'entends avec sa simple conception, toute réalisation étant d'emblée exclue.

Est-il besoin de dire que l'homme qui a connu une telle jeunesse, et qui, à l'âge de quarante ou cinquante ans, se sent pour la première fois en pleine possession de son être, n'éprouve plus aucun enthousiasme ; et, en éprouverait-il, qu'il n'aurait plus la fougue, ni les forces, ni le temps nécessaires à l'accomplissement d'un grand dessein. Ici encore l'on peut vérifier qu'il n'est au monde aucun bien qui ne s'accompagne d'un mal à sa mesure : en effet, l'inestimable avantage pour un enfant d'être guidé par un être plein d'expérience et d'affection, et nul ne peut tenir ce rôle mieux que son propre père, se paye par l'étouffement total de la jeunesse, et généralement de toute la vie.

Giacomo Leopardi (1798-1837), Pensées, *1845*

« À quel âge devient-on son père ? Quand cesse-ton d'être un fils ? »

par Éric Neuhoff

À vingt ans, j'avais encore peur de mon père. C'est dire si j'étais prêt à entrer dans la vie.

...

J'en ai trente-six. À mon tour d'avoir un enfant. Jadis, c'est une chose qui m'aurait semblé impensable. Dans deux mois il sera là. Maintenant, je ne peux plus mourir. Je n'ai plus le droit. La vie, mon père, je les ai apprivoisés. Mon père, j'en suis sûr. La vie, on ne sait jamais.

...

Éric Neuhoff enfant, avec son père. « Il sait que l'essentiel n'est pas dans les mots. »

Mon père est en Algérie. Vingt-huit mois de service militaire. Il n'a pas pu être là à ma naissance. C'est sans doute à cause de cette absence que par la suite il a été là, tout le temps.

Lorsque de nouveau il ne sera plus là, je me cognerai partout. Quand il tombera, cela fera à mes oreilles un vacarme étourdissant. Je n'entendrai plus rien de la même façon.

...

Mon père ne m'a jamais rien dit. Je me suis contenté de l'observer. Ça suffisait. C'est comme ça que j'ai appris tout ce que je sais.

...

Éric, petit garçon intrépide devant son père.
« Les fils, il ne faut pas les rassurer : il s'agit de les inspirer. »

Comme je suis très bête, je me cherche des pères partout, au cinéma, en littérature, alors que j'en ai un tout chaud sous la main. Feuilleton banal.

…

Je regarde les autres pères. Ils perdent leurs cheveux, ont des semelles de crêpe, roulent en Simca 1000, portent des survêtements le dimanche. Ils votent FGDS, marchent à petits pas, rapportent une baguette de pain à la maison. Ils ont des gourmettes. Leurs chemises sont ouvertes jusqu'au nombril. Je vous les laisse.

…

Éric Neuhoff. « Je demeure fidèle non pas à ce que je suis, mais à l'image que je me fais de lui. »

Les Trois Mousquetaires est le premier roman que m'ait offert mon père. J'ai neuf ans. Il rentre du bureau et tire de sa serviette un gros « Livre de Poche » à la couverture grise qui porte les numéros 667-668-669. Je mettrai plus de vingt-cinq ans à me plonger dedans, mais un mois durant je n'en sortirai pas. Je n'ai jamais égaré le volume. J'ai vieilli, j'ai déménagé, j'ai toujours su où il était. Il m'attendait. Je le gardais en réserve, me rappelant le soir où mon père avait ouvert sa sacoche avec des mines gourmandes et mystérieuses.

...

Pardon si je radote : mon père m'a *élevé*. Il m'a hissé au-dessus de moi-même. Je lui trouve quelque chose de médiéval. Sans lui, à l'heure qu'il est, je serais un *viveur*, un pitoyable débauché, une figure vaguement grotesque – mensonges, alcool et maîtresses. Rodomontades et gueules de bois : la vieille liturgie. Un seul regard de lui, et je file doux. Retour dans le droit chemin. Grâce à lui, je me suis toujours arrêté au bord des précipices. C'est tout bête, l'idée de son existence m'aide à vivre.

C'est un hussard qui ne serait pas mort à trente ans. Pour nous, il conjure le sort, corrige le hasard. C'est plus fort que moi. Quand je ne sais pas quelle décision prendre, je me dis : qu'est-ce qu'il ferait à ma place ? Alors, je me reconnais mieux dans les miroirs.

...

Il est au deuxième rang. Le cliché a été pris au collège Albert-de-Mun, dans les années quarante. Mon père, debout, le menton en avant a un gros pullover. Une mèche en tire-bouchon lui strie le front. Ses cheveux sont très noirs. On dirait un voyou.

Mon frère et moi gloussons comme deux idiots. À nous deux, nous n'avons pas l'âge qu'il a sur la photo. Mon père pose l'index sur une silhouette en blazer :

– Celui-là, il s'appelait X. Il est mort dans son bain.

Une autre fois, nous tombons sur un de ses carnets scolaires.

– Dis, Papa, tu ne travaillais pas si bien que ça.

– Donnez-moi ça !

...

Moi aussi j'ai été le fils de mon père. Il n'y a pas de honte à ça. Nous nous sommes heurtés, percutés. Ce furent des guerres inutiles. Histoire française. Les malentendus étaient si nombreux qu'ils se marchaient sur les pieds.

...

Il m'a épargné les conseils. Pour lui, l'avenir n'est pas un sujet de conversation. Il sait que l'essentiel n'est pas dans les mots. Cette idée qu'il se fait de la vie, c'est la mienne désormais. [...] Un père n'est pas là pour fournir des réponses, mais pour montrer l'exemple. Les fils, il ne faut surtout pas les rassurer : il s'agit de les inspirer.

...

Il m'a fabriqué. Je ne peux pas renier ça. Son pessimisme est le mien. Quand je le vois aujourd'hui, j'ai toujours un pincement au creux du ventre – cette impression d'avoir encore fait une connerie et qu'il est là pour la rattraper. Il n'aimait pas son père. Toute sa vie, mon père a voulu être le contraire du sien. Longtemps, j'ai cru être celui qui lui ressemblait le moins.

À quel âge devient-on son père ? Quand cesse-t-on d'être un fils ? Il y a bien un jour où l'on se retrouve en première ligne, où il n'y a plus de comptes à régler.

J'ai été modelé, façonné par lui. Sur ma peau pourrait être tatoué « Made in Neuhoff. »

...

Je n'ai pas besoin qu'il soit mort pour savoir que je l'aime. Je vais tâcher de gagner du temps, mettre les bouchées doubles, l'aimer une fois pour toutes. Nos montres sont réglées sur le même fuseau horaire. Il aura fallu des années.

...

Un jour, ça sera à moi de prendre soin de lui. Quand il ne saura plus se défendre, à coups de poings, de colères et de mots en surmultiplié. Je tâcherai de ne pas le décevoir. Je serai là.

Papa. Il va falloir s'habituer à être désigné ainsi. Deux syllabes bégayantes. Il paraît que les enfants modernes appellent leur père par son prénom. Je les plains.

Éric Neuhoff, Comme hier, *1993*

« Je suis là, petit père, je te porterai dans mes bras... »

par René Fallet

Tout ça, tout ça, la gare et la nuit,
Les sémaphores, les pétards,
Ah ! les pétards voisins de ta lanterne
Sur le paillasson de chez nous,
Ton départ dans les étoiles
Avec ta casquette
D'étoiles P.L.M.,
Tes Odyssées vers Laroche,
Ton tour du monde à Montereau
Via Montargis
Via la chopine,
Via le fourgon,
De tout ça, de tout ça,
Il ne reste
Qu'un bout de marbre
Où je lis ton nom,
Et la casquette, la même,
Qui s'ennuie de toi.

Tu découpais dans du contreplaqué
Des faucilles et des marteaux,
Tu avais appris à broder
Pour broder des drapeaux
Rouges,
Et la mère gueulait,
Et moi, je perdais tes aiguilles
J'emmêlais tes pelotes.

Papa, mon Papa
De tout ça
Il ne reste
Que les miettes du souvenir...

Les ballasts, le service, l'Huma,
Et, sur la côte,
Tes cent mètres carrés
De groupement potager,
Terre sans âme où les salades et les choux
Aiment te laisser croire
Que tu étais toujours un peu le paysan
Que tu fus à vingt ans,
Le bourbonnais ouvert à l'aube
Et fermé dès le soir
Tout ça et puis encore
L'Internationale fredonnée sur un mirliton
Ou mutilée sur l'accordéon de marché aux puces
Dont tu prétendais savoir jouer un jour,
De tout ça,
Tiens,
Il ne reste que moi
Pour le dire de temps en temps
À des gens qui s'en foutent
Puisqu'ils n'ont jamais vu ton sourire.

Le chef de train Fallet Paul
N'aimait pas la pêche,
N'aimait pas les cartes,
L'amour n'a pas été son drame,
Il n'aimait pas le cinéma.
Ce qu'il aimait, c'était le gris,
Les tripes, le Pouilly, la photographie à plaques,
La politique, les meetings, les bras de chemise,
Ça le saoulait, c'était sa poésie.

J'ai cinq ans, tu me mets sur le cadre de ton vélo,
Nous visitons d'étranges paysages
D'hiver et de poussier
De pluie et de banlieue
Qui me sont restés dans la tête...

J'ai dix ans, tu me fais lire Thorez dans le texte
Je suis ta gloire...
Papa, tu ne m'as jamais donné une gifle,
Comment veux-tu que je t'oublie ?
Nous nous reverrons quelque part,
Je te paierai chopine
Sous une tonnelle d'accordéons fleurie,
Je t'embrasse sur les deux joues
En pensant à ton plat à barbe,
À ton rasoir à main
Désormais inutiles, perdus dans un placard,
Là-bas, dans ce qui fut chez nous...

J'étais assis sur les marches de mon enfance,
Tu apparaissais au bout de l'allée,
En uniforme de cheminot,
Uniforme magique
Il te donnait droit à la retraite
Et nous permettait d'aller à Nice
C'était trop cher pour nous,
Et je sautais des marches de mon enfance
Pour fouiller dans ton sac de cuir
Où se trouvaient les illustrés
Que tu récoltais pour moi
Dans les trains de nuit
Dans les trains fantômes
Dans les trains de luxe,
Et de tout ça
Il ne reste
Que tes grosses godasses
Marchant, marchant très loin sur mon passé.

Papa, mon vieux Papa, mon Pote,
C'est toi qui ressemelais toutes les chaussures
De la famille
Tu ramassais les bouts de cuir et de caoutchouc,
Il y avait toujours un vieux talon dans tes poches,
Tu me passais ton blaireau sur la figure,
Tu emportais ton vin
Dans une bouteille de Cointreau

Dont j'ai encore la forme dans les mains,
Et toutes les fois que tu rendais visite
À ton pays natal,
Tu prenais une cuite
Et tu ramenais du soleil,
Du lard, et tu ramenais
Ta jeunesse.

Un jour les flics sont venus,
Ils ont crevé les matelas
Sous mes yeux de gosse,
Ils t'ont traité de tous les noms,
Ils ont pris tous les drapeaux rouges,
Toutes les jolies faucilles,
Tous les petits marteaux de contreplaqué,
Ils t'ont fourré à la Santé.
Quand je vais chez Cendrars,
Qui habite en face,
Je vois les murs derrière lesquels
Tu as pleuré toutes les larmes de ta vie.
Tu ne comprenais pas
Tu n'as jamais compris
Pourquoi le contreplaqué
T'avais conduit, toi, chef de train,
Chez les macs de tout poil et les cambrioleurs.

Et puis et puis toutes les prisons,
Toutes les tôles, toutes les centrales
Alternées de sanas
Où les infirmières avaient des moustaches
Et des matraques.

J'ai de toi des cartes interzones
Où tu nous demandes
Des pommes de terre cuites à l'eau
Parce que tu as faim,
Du courage,
Parce que tu n'en as plus
Devant les gardes mobiles
Qui t'ont poussé à coups de crosse,

Où tu nous demandes
De vivre, nous,
De vivre, toi.
Tout ça, tout ça, vois-tu,
Je ne l'oublie pas,
Il ne faut pas que tu meures tout à fait,
Je suis là petit père,
Je te porterai dans mes bras.

Quand tu es revenu,
Tu avais les cheveux blancs,
Si noirs sur ta photo de mariage
En militaire de 14,
Et la Compagnie des Chemins de Fer Français,
Ton idole,
T'avait rayé du personnel.
Tu n'as jamais compris non plus
Comment vingt ans de travail,
De nuits blanches et de Paris-Laroche
pouvaient avoir été balayés
Dans un bureau,
Avec les bouts de cigare et les cocottes en papier.
De tout ça, de tout ça,
Il ne restait rien
Que la casquette étoilée
Sur un rayon de l'armoire,
Entre deux piles de drap.

Tes dernières années,
Tu les a passées à lire
Ton huma retrouvée,
Tu ne brodais plus de drapeaux
Ça, tu l'avais compris.
Tu faisais des pantoufles,
Tu rêvassais des heures sur un banc,
À côté des vieux de l'asile.
Tu étais vieux toi-même
Car les vingt ans volés
Étaient tombés sur tes épaules
Avec la maladie

Et les gardes mobiles de la veille.
Tu ramassais toujours les petits bouts de cuir,
Tu me mettais toujours ton blaireau sur le nez,
Mais, hélas, moi aussi,
Car j'étais devenu homme,
À ce qu'il paraît.
Tu m'as connu soldat,
Tu as sorti l'accordéon pour mes vingt ans.
Et je t'aimais, faut croire,
Puisque j'en pleure encore,
Ah ! tout ça, tout ça
Ne le fait pas revivre,
L'accordéon tout replié
Sur sa chanson...

C'est moi qui t'ai trouvé
Sur la banquette du bistrot
Où l'on t'avait porté,
Une fois bien renversé par un camion,
Une fois bien fracassé sur les pavés.
Tu grognais, toi, sur cette banquette,
Tu voulais rentrer chez nous
Faire chauffer la soupe
Et finir une paire de pantoufles.
Tu n'es jamais
Jamais
Rentré chez nous,
La soupe est froide,
Il y a de la poussière sur les pantoufles,
De la poussière,
De la poussière,
Comme il y a des tas de neige
Sur ta tombe tous les hivers.

Moi, je n'ai pas pleuré
Derrière le corbillard.
Je pleure trois ans après.
J'aurais plutôt voulu chanter l'Inter
Uniquement pour te faire plaisir,
Quel soleil, ah ! tu aurais vu ce soleil !

Tu avais un beau cercueil en chêne
Et un oreiller sous la tête.
J'ai pris des sous dans ton porte-monnaie,
J'ai bu du blanc avec,
Ils étaient faits pour ça.
Tu sais, je voudrais t'en porter une chopine
Sur ta tombe,
Avec des mégots,
Mais il paraît que tu préfères les fleurs, maintenant...
Blagueur...
Des fleurs, tu en avais dans la tête,
Elles te sortaient par les yeux,
Des tas de fleurs avec des drapeaux rouges,
Des accordéons, des pantoufles, des rêves.

Il n'est pas de Toussaint
Ni de chrysanthèmes qui tiennent,
Tu es toujours mon pote, mon papa,
Tu me feras bien une petite place, dis
Et nous parlerons politique,
Ce sera bon de s'engueuler
Au bord de l'eau du monde.
Tout ça, tout ça,
C'est pour ne rien dire...
Est-ce que là-haut ? Le Paris-Laroche est entré en gare ?
Est-ce que là-haut ? Les tripes sont bonnes
Et le vin au frais ?
Papa, papa,
Tiens, ce soir,
Exceptionnellement,
Laisse-moi toucher
À ta casquette
Pleine d'étoiles,
Si pleine
Que j'en renverse le total
Sur ta mémoire.

René Fallet,
Chromatiques, *1973*

La famille Fallet en 1935.
Debout, au centre, Paul Fallet,
père du petit René, assis à gauche.

« Il y a toujours quelque chose de bon même chez le pire des pères... »

par Alessandro Baricco

Il n'était pas méchant comme les autres pères, je veux dire pas méchant de cette façon-là... il ne frappait personne, il ne buvait pas, il ne baisait pas sa secrétaire, rien de ce genre, ce type-là même une voiture... il ne se l'achetait pas, il faisait attention à ne pas avoir une voiture trop... trop neuve, ou belle, il aurait pu mais il le faisait pas, il faisait attention à ça, c'était naturel chez lui, je ne crois pas qu'il avait un plan précis, il ne faisait pas comme ça c'est tout, il ne faisait rien de tout ça, et c'est justement le problème, tu comprends ? Le problème il venait de là... parce que ces choses-là il ne les faisait pas, pas plus que des centaines d'autres, il travaillait, c'est tout, voilà ce qu'il faisait, comme si la vie l'avait offensé, et qu'il s'était retiré dans un métier qui était comme une défaite, sans aucune envie de se sortir de là, c'était comme un trou noir, un tourbillon de malheur, et la tragédie, la vraie tragédie, le cœur de toute cette tragédie c'est qu'il nous a entraînées tant qu'il a pu dans ce trou, ma mère et moi, il ne faisait que ça, nous attirer là-dedans, avec une constance miraculeuse, chaque moment de sa vie, chaque instant, chacun de ses gestes consacrés à une démonstration obsessionnelle d'un théorème assassin, le théorème que s'il était comme ça c'était pour nous deux, pour ma mère et pour moi, c'était ça le théorème, pour nous deux, parce qu'on était là nous deux, par notre faute à nous deux, pour nous sauver nous deux, pour, pour, pour, toute la sainte journée à nous rappeler son théorème idiot, toute sa vie avec nous ça n'a été que ce long geste ininterrompu et harassant, qu'il accomplissait délibérément de la façon la plus cruelle et la plus insidieuse possible, c'est-à-dire sans jamais prononcer un mot, sans que jamais on en parle, jamais il ne parlait de ça, il aurait pu nous le dire clairement, mais il ne l'a jamais dit, pas un mot, et ça c'était terrible, c'était cruel, ne jamais rien dire, mais te le dire toute la sainte journée, par la façon de se tenir à table, et par tout ce qu'il voyait à la télévision, ou même par sa façon de se faire couper les cheveux, et toutes ces foutues choses qu'il ne faisait pas, et sa tête quand il te regardait... c'était cruel, ce genre de chose tu peux en tourner folle, et je tournais comme ça, folle, j'étais une petite fille, une petite fille ça ne peut pas se défendre, les enfants c'est des carnes mais pour certaines choses ils n'ont pas de défense, c'est comme les frapper, qu'est-ce qu'il peut faire un enfant, il ne peut rien faire, juste sortir de là folle, alors un jour ma mère m'a prise et m'a raconté l'histoire d'Eva Braun. C'était un bel exemple. La fille d'Hitler. Elle m'a dit que je devais penser à Eva Braun. Puisqu'elle, elle y est arrivée, tu peux y arriver toi aussi, elle m'a dit. C'était bizarre comme argument, mais ça se tenait. Elle m'a dit que quand il s'est suicidé, à la fin, avec une capsule de cyanure, elle s'est suicidée avec lui. Parce qu'il y a toujours quelque chose de bon même chez le pire des pères, elle disait. Et il faut apprendre à aimer ce quelque chose-là. Moi je réfléchissais. J'imaginais en quoi Hitler pouvait être bon, et je me racontais des histoires autour de ça, genre lui qui rentre à la maison le soir, fatigué, et il parle d'une voix basse, et il s'assied devant la cheminée, en fixant le feu, fatigué à en mourir, et moi, Eva Braun donc, hein ? une petite fille avec des tresses blondes, et des jambes toutes blanches sous ma jupe, je le regardais sans m'approcher, de la pièce voisine, et il était si splendidement fatigué, avec tout ce sang qui lui coulait de partout, superbe dans son uniforme, il suffisait de rester là à le regarder un peu et le sang disparaissait, et dessous tu voyais seulement la fatigue, une merveilleuse fatigue, que je restais là à adorer, jusqu'au moment où il se tournait vers moi, et me voyait, et me souriait, et se levait, avec sur lui toute cette fatigue éblouissante, et il venait vers moi, jusqu'à moi, et il s'accroupissait à côté de moi : Hitler. Des trucs fous. Il me disait quelque chose à mi-voix, en allemand, puis avec la main, la main droite, lentement, il me caressait les cheveux, et ça peut sembler terrifiant mais cette main était douce, et chaude, et délicate, elle avait comme une sagesse en elle, une main qui peut te sauver, et ça peut sembler dégoûtant mais une main que tu pouvais aimer, que tu finissais par aimer, tu finissais par penser que c'était beau qu'il y ait la main droite de ton père, douce, posée sur toi. C'est ce genre d'histoires-là, que je me faisais passer par la tête. Pour m'entraîner, tu comprends ? Eva Braun c'était ma salle de gym. Avec le temps je suis devenue très forte. Le soir je fixais mon père assis en pyjama devant la télé, jusqu'à ce que je voie Hitler en pyjama devant la télé. Je gardais bien l'image fixe quelques instants, je m'en imprégnais à fond, puis je la brouillais et je revenais à mon père, à son vrai visage : mon Dieu, comme il avait l'air doux, toute cette fatigue et tout ce malheur. Puis je revenais à Hitler, puis de nouveau à mon père, dans ma tête je faisais un pas en avant un pas en arrière et c'était une manière d'échapper à la torture, aux silences, à toute cette merde. Ça marchait. À part de rares fois, ça marchait. Bon enfin. Un bon paquet d'années plus tard j'ai lu dans une revue qu'Eva Braun n'était pas la fille d'Hitler mais sa maîtresse. Sa femme, je sais pas. Bref, ils couchaient ensemble. Ça m'a fait un coup. Ça m'a mis une fichue confusion dans la tête. J'ai essayé de remettre les choses en place, d'une manière ou d'une autre, mais pas moyen. Je n'arrivais pas à m'ôter de la tête l'image d'Hitler qui s'approchait de cette petite fille et commençait à l'embrasser et puis tout le reste, dégueulasse, et la petite fille c'était moi, Eva Braun, et lui il devenait mon père, tout un méli-mélo, un truc affreux. Il était parti en miettes, mon petit jeu, pas moyen de le remettre d'aplomb, ça avait marché mais ça ne marchait plus. C'était fini. Je n'ai plus jamais aimé mon père jusqu'au moment où il a pris un autre train, comme il disait. Drôle d'histoire.

Alessandro Baricco, City, *2000*

« Papa-bobo… Papa-enfant. »

par Annie Ernaux

Le matin, papa-part-à-son-travail, maman-reste-à-la-maison, elle-fait-le-ménage, elle-prépare-un-repas-succulent, j'ânonne, je répète avec les autres sans poser de questions. Je n'ai pas encore honte de ne pas être la fille de gens normaux.

Le mien de père ne s'en va pas le matin, ni l'après-midi, jamais. Il sert au café et à l'alimentation, il fait la vaisselle, la cuisine, les épluchages. Lui et ma mère vivent ensemble dans le même mouvement, ces allées et venues d'hommes d'un côté, de femmes et d'enfants de l'autre, qui constituent pour moi le monde. Les mêmes connaissances, les mêmes soucis, ce tiroir-caisse qu'il vide chaque soir, elle le regarde compter, ils disent, lui ou elle, « c'est pas gras », d'autres fois, « on a bien fait ». Demain, l'un des deux ira porter de l'argent à la poste. Pas tout à fait les mêmes travaux, oui il y a toujours un code, mais celui-là ne devait à la tradition que la lessive et le repassage pour ma mère, le jardinage pour mon père. Quant au reste, il semblait s'être établi suivant les goûts et les capacités de chacun. Ma mère s'occupait plutôt de l'épicerie, mon père du café. D'un côté la bousculade de midi, le temps minuté, les clientes n'aiment pas attendre, c'est un monde debout, aux volontés multiples, une bouteille de bière, un paquet d'épingles neige, méfiant, à rassurer constamment, vous verrez cette marque-là c'est bien meilleur. Du théâtre, du bagout. Ma mère sortait lessivée, rayonnante, de sa boutique. De l'autre côté, les petits verres pépères, la tranquillité assise, le temps sans horloge, des hommes installés là pour des heures. Inutile de se précipiter, pas besoin de faire l'article ni même la conversation, les clients causent pour deux. Ça tombe bien, mon père est lunatique, c'est ma mère qui le dit. Et puis, les

« Un homme doux et rêveur, au ton tranquille, que la moindre contrariété rembrunit pendant des jours mais qui sait des tas d'histoires farces et des devinettes, des chansons qu'il m'apprend en jardinant : mon père. »

gens du café lui laissent du temps pour des quantités d'autres tâches. Musique des assiettes et des casseroles mêlée aux chansons du poste et aux découvertes de Nanette-Vitamine offerte par Banania, je vais finir de me réveiller, descendre à la cuisine et c'est lui que je trouverai, lavant la vaisselle de la veille au soir. Il prépare mon déjeuner. Il me conduira à l'école. Préparera le repas. L'après-midi, il menuisera dans la cour ou il filera au jardin la bêche sur l'épaule. Pour moi il n'y a pas de différence, il est toujours le même homme lent, rêveur, qu'il taille de jolis rubans de pomme de terre qui volutent entre ses doigts, qu'il retourne sur le gril des « gendarmes » qui nous piquent atrocement les yeux, qu'il m'apprenne à siffler en plantant la porette. Une présence sereine et sûre à toute heure du jour. Par comparaison avec les ouvriers autour, les commis voyageurs partis toute la journée de chez eux, il me semblait que mon père était toujours en vacances et moi ça m'arrangeait bien. Quand les copines se fâchaient, que les jeudis étaient trop froids pour jouer à la gate dans la cour, on faisait ensemble des parties de dominos ou de petits chevaux dans le café. Au printemps, je l'accompagne au jardin, sa passion. Il m'apprend les noms amusants des légumes, l'oignon paille de vertus et la salade grosse blonde paresseuse, je tire avec lui le cordeau au-dessus de la terre retournée. Ensemble, on collationne ferme de charcuterie, radis noirs, et on retourne l'assiette pour déguster une pomme cuite. Le samedi, je le regarde assommer les lapins, après, lui faire faire pipi en appuyant sur le ventre encore mou et lui décoller la peau avec un bruit de vieux tissu qu'on déchire. Papa-bobo précipité avec inquiétude sur mon genou saignant, qui va chercher les médicaments et s'installera des heures au chevet de mes varicelle, rougeole et coqueluche pour me lire *Les Quatre filles du Docteur March* ou jouer au pendu. Papa-enfant, « tu es plus bête qu'elle », dit-elle. Toujours prêt à m'emmener à la foire, aux films de Fernandel, à me fabriquer une paire d'échasses et à m'initier à l'argot d'avant la guerre, pépéristal et autres cezigue pâteux qui me ravissent. Papa indispensable pour me conduire à l'école et m'attendre midi et soir, le vélo à la main, un peu à l'écart de la cohue des mères, les jambes de son pantalon resserrées en bas par des pinces en fer. Affolé par le moindre retard. Après, quand je serai assez grande pour aller toute seule dans les rues, il guettera mon retour. Un père déjà vieux émerveillé d'avoir une fille. Lumière jaune fixe des souvenirs, il traverse la cour, tête baissée à cause du soleil, une corbeille sous le bras. J'ai quatre ans, il m'apprend à enfiler mon manteau en retenant les manches de mon pull-over entre mes poings pour qu'elles ne boulichonnent pas en haut des bras. Rien que des images de douceur et de sollicitude.

Chefs de famille sans réplique, grandes gueules domestiques, héros de la guerre ou du travail, je vous ignore, j'ai été la fille de cet homme-là.

Annie Ernaux, née Annie Duchesne, La Femme gelée, *1981*

« Tu ne tomberas pas amoureuse de ton papa ! »

par Anne Goscinny

Au-delà d'un ego vraisemblablement flatté par la présence d'un héros à la maison (indifféremment papa ou Astérix !), je n'avais pas réellement conscience du succès de mon père. Pour être honnête, ses bandes dessinées n'avaient de réalité que parce qu'elles monopolisaient son attention et son énergie.

Petite fille, j'ai dû en vouloir à Astérix. Mon père, en effet, dans la façon dont il répartissait son temps entre ses enfants de papier et moi, n'était pas forcément équitable. Ils étaient nombreux, et chacun avait son caractère, ses exigences, ses missions à accomplir. L'un devait débarrasser le Far West de dangereux bandits et les ramener au pénitencier, il s'appelait Lucky Luke. Iznogoud, lui, devait à n'importe quel prix se défaire de la tutelle encombrante d'un calife parfaitement niais et sympathique. Et le troisième avait pour tâche, à longueur d'épisodes, de faire reculer les légions de César afin de préserver la tranquillité de son petit village d'Armorique. Et moi, plus proche sans doute du Petit Nicolas, j'avais une enfance à faire tourner : l'alphabet à apprendre, la loi à assimiler (tu ne tomberas pas amoureuse de ton papa !) et des souvenirs à emmagasiner.

René Goscinny à droite, et Albert Uderzo, les deux pères d'Asterix…
« Les personnages de papier sont immortels. Mon père a sa place parmi eux… »

Parfois, mon père était là lorsque je rentrais de l'école. J'allais l'embrasser sur la pointe des pieds. Persuadée que le professionnalisme de ma discrétion jouait un rôle essentiel dans l'élaboration de ce qui deviendrait un livre.

« Mon père répartissait son temps entre ses enfants de papier et moi... »

J'associe Astérix au crépitement de la machine à écrire de mon père. Cet engin me fascinait. La maîtrise qu'il en avait abondait dans le sens de toute la puissance que je lui prêtais. Malheureusement, j'ai découvert Astérix après la mort de mon père. S'il m'a entendue rire alors que je lisais, c'était plutôt des bêtises de Sophie. La comtesse de Ségur avait à l'époque toutes mes faveurs !

Ce n'est pas la célébrité de mon père ni son succès qu'aujourd'hui je considère comme une chance, c'est la faculté qu'il a de me faire éclater de rire alors qu'il est mort il y a vingt-deux ans. Il me manque, c'est vrai, mais je dissocie sans peine son absence et son esprit. Je ne suis pas triste en pensant à lui, au contraire. J'imagine ses fossettes se creuser de plaisir alors qu'un jeu de mots lui venait à l'esprit. On ne pleure pas sur la tombe d'un humoriste. S'il m'arrive d'essuyer une larme, c'est parce qu'elle s'est échappée d'un sourire.

Les personnages de papier sont immortels. Mon père a sa place parmi eux.

Anne Goscinny, 11 novembre 1999

« Un père a deux vies, la sienne, et celle de son fils. »

par Jules Renard

Nous parlons de nos pères, qui se ressemblent, de cette pudeur qui nous séparent d'eux.

...

– Moi, dis-je, je vois le mien à peu près une fois par an. Quand je le revois, je ne l'embrasse pas, je ne lui donne qu'une poignée de main. Nous resterons ensemble quelques jours. Je l'aurai pour ainsi dire sous la main ; il est donc inutile que je fasse des frais de tendresse qui nous gêneraient, mais, quand nous nous quittons, je l'embrasse : je ne le reverrai peut-être pas. Plus tard, il me serait désagréable de me rappeler que je pouvais l'embrasser encore une fois avant sa mort, et que je ne l'ai pas fait.

Autrefois, nous le faisions lui et moi. Il y eut un temps où, par esprit d'homme fort, je m'en abstins, à l'arrivée comme au départ. Si mon attitude l'a étonné, il ne s'est pas trahi. Plus tard, j'ai recommencé, mais seulement au départ ; pour lui, il en avait bien perdu l'habitude. Il ne me rendra jamais mon baiser. Il lui faudrait une grosse émotion, que je ne prévois pas. Quand c'est l'heure de nous quitter, il y a déjà longtemps qu'il se tait, et que je ne dis rien. Tout à coup, « Allons ! » dit-il. Et il me tend la main. Je m'approche de lui. Il a toujours un léger mouvement de recul ; vite, il comprend : « Eh ! oui, se dit-il sans doute, il veut m'embrasser. » Et, comme je l'attire à moi, il ne résiste pas. Quel singulier baiser, appuyé et pourtant froid, inutile et nécessaire ! Baiser de lèvres absentes sur une joue qui n'a aucune saveur, ni celle de la chair ni celle du bois. Il ne sent rien à sa joue, moi, rien à mes lèvres ! Le frisson reste au cœur.

Nos pères ne se jettent pas à notre cou. Ils ne nous étouffent pas dans leurs bras. Ils tiennent à nous par d'invisibles attaches, par de souterraines racines. On les aime bien, et, après leur mort, on les aimera bien. On pensera souvent à eux. On ne se lassera pas d'en parler.

– Oui, dis-je, nos pères sont très intelligents. Moi, j'admire le mien, mais il est évident qu'il souffre parce que je ne m'intéresse pas aux choses qu'il aime. Nous vivons en ennemis qui ne se font jamais de mal, qui ne luttent que pour de toutes petites causes, et qui, s'il le fallait, se jetteraient au feu l'un pour l'autre. Sur ma table, à la Gloriette, il a vu longtemps les *Histoires naturelles* et *La Maîtresse*. Il ne me les a pas demandés ; je ne les lui ai pas offerts. Il n'avait qu'à les prendre : il ne les a pas pris. Longtemps après il écrit à ma femme : « Si j'étais à Paris, j'achèterais peut-être les deux derniers livres de Jules. » Je les lui envoie ; il ne m'en accuse même pas réception. Bien plus tard, il écrit encore à ma femme : « Je voulais vous faire quelques observations sur les livres de Jules ; mais après réflexions, je trouve que c'est inutile. »

...

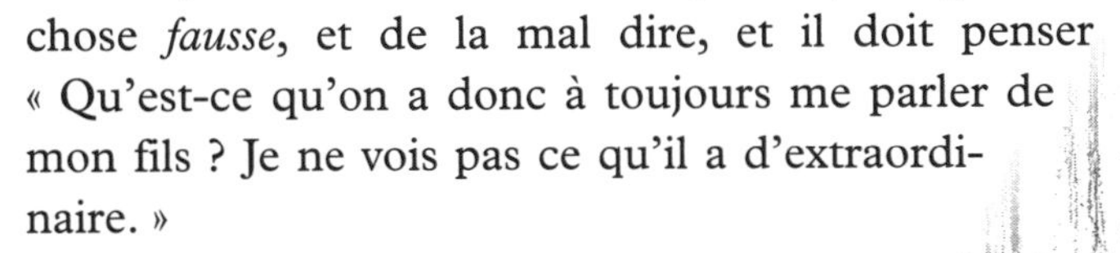

Papa a toujours une intelligence claire et lente. Près de lui, je ne sens plus la mienne très nette. J'ai toujours peur de dire une chose *fausse*, et de la mal dire, et il doit penser : « Qu'est-ce qu'on a donc à toujours me parler de mon fils ? Je ne vois pas ce qu'il a d'extraordinaire. »

...

La mort de mon père, c'est pour moi comme si j'avais fait un beau livre.

...

Quelle belle mort ! Je crois que, s'il s'était tué devant moi, je l'aurais laissé faire. Il ne faut pas diminuer son mérite. Il s'est tué, non parce qu'il souffrait trop, mais parce qu'il ne voulait vivre qu'en bonne santé.

Il aurait dû me le dire.

Nous nous serions entretenus de sa mort comme faisaient Socrate et ses amis. Peut-être en a-t-il eu l'idée. Mais je sais bien que j'aurais été stupide. Je lui aurais dit : « Tu es fou ! Laisse-moi tranquille, et parlons d'autre chose. »

...

Magnifique exemple ! Et plus de duel : je me tuerai moi-même quand je voudrai. Il y a du plomb dans ma vie : les chevrotines de sa mort.

...

Hier, pas pensé à mon père. Je ne le fais aujourd'hui que pour me reprocher de n'y avoir pas pensé hier.

...

Avec la peur d'être vu et de me voir, j'ai embrassé très vite une photographie de mon père.

...

Mon père avait du cœur, mais son cœur n'était pas un foyer.

...

Un rocher a de la mousse. Mon père n'avait pas de tendresse visible, et il ne disait jamais merci.

...

N'ayant plus d'avenir, mon père n'était pas curieux de deviner ce qui serait le mien.

...

Mon père. J'ai des remords de ne l'avoir pas aimé comme je devais, parce que je souffre des mêmes choses dont il a dû souffrir.

...

Quand je voyais mon père se promener d'une fenêtre à l'autre, voûté, les mains derrière le dos, silencieux, le regard profond, je me demandais : « À quoi pense-t-il ? » Aujourd'hui, je le sais par moi-même qui me promène comme lui, avec son air, et je peux répondre en toute certitude : « À rien. »

...

Un père a deux vies, la sienne, et celle de son fils.

Jules Renard, Journal, *1964*

« Mon père m'a demandé en riant si je saignais du nez... »

par Catherine Millet

L'expression est tombée en désuétude, mais on disait auparavant d'un jeune garçon ou d'une jeune fille, dont on pensait qu'il ou elle ignorait le processus selon lequel se continue l'espèce humaine, et par conséquent comment s'emmêlent l'amour et la satisfaction des sens, qu'il ou elle était « innocent », « innocente ». Je suis restée quasiment « innocente » jusqu'à faire l'expérience directe du premier acte de ce processus.

J'avais douze ans lorsque mes premières règles sont venues. Ma mère et ma grand-mère se sont agitées, ont convoqué le médecin, mon père a passé la tête par la porte et m'a demandé en riant si je saignais du nez.

Voilà pour l'éducation sexuelle.

Catherine Millet, La vie sexuelle de Catherine M.*, 2001*

« Dans une prochaine vie, papa, j'aimerais te reprendre comme père. »

par Bernard Werber

Un père, un ami.

Tiens, papa, je profite qu'on me propose de rédiger un texte sur toi pour t'envoyer une lettre.

Ça fait longtemps que je ne t'en ai pas adressée. Tu sais bien qu'en dehors de mon travail, je déteste écrire. Plus j'écris de romans, de pièces et de scénarios, moins je griffonne de courrier. Sans compter qu'avec le temps je deviens de plus en plus paresseux. À quand remonte la dernière carte postale que je t'ai expédiée ? Hum... probablement à plus de vingt ans...

Comment ça va, à Toulouse ?

Maman prépare-t-elle encore ses délicieux gâteaux au fromage blanc et aux raisins de Corinthe ? Muriel est-elle toujours la meilleure dermato de la ville ?

Il paraît que vous avez lancé des travaux pour réorganiser la maison. Ça doit être un drôle de chantier. Mais comme je sais que tes rhumatismes ne supportent plus les marches, il fallait bien réagir.

Pour ce qui est de ma chambre, vous pouvez tout bouleverser : depuis que j'ai utilisé cette pièce comme atelier d'imprimerie ou laboratoire de parfumerie, entre l'encre offset et les essences, ça doit sentir encore fort.

Donc, on me demande d'écrire un texte sur toi.

J'ai pensé que je pourrais raconter ta vie.

J'aimerais raconter « ta » deuxième guerre mondiale.

Le père de Bernard Werber, en janvier 1944.
« Tu es plus qu'un père, tu es un ami.
Tu ne m'a jamais déçu, jamais trahi. »

C'est quand même un sacré moment que tu as vécu là ! À l'époque, fallait vraiment avoir du courage.

Oui, je raconterais comment tu as fui à seize ans avec Papi et Mamie en Espagne quand les Allemands ont passé la ligne de démarcation.

Comment vous avez traversé les Pyrénées à pied.

Comment vous avez été arrêtés par la police espagnole de Franco, jetés en prison à Barcelone, et comment tu t'es enfui en bateau jusqu'aux États-Unis. Là-bas, tu as été à l'université, tu t'es engagé dans l'armée américaine et tu as combattu dans un régiment blindé.

Pendant que d'autres vivaient planqués, collabos ou indifférents, toi tu as assumé tes choix. Et t'es allé au bout. Bravo ! Ça, c'est ton côté « mon père ce héros méconnu ».

J'ai pensé que je pourrais aussi raconter comment, enfant, tu m'inventais des histoires fantastiques avant d'aller me coucher. Après, j'en rêvais.

On me demande toujours d'où me vient ce besoin d'écrire des trucs délirants, je le tiens probablement de ces petits instants magiques.

Et puis tu m'as fait comprendre Jean de La Fontaine dans ce qu'il avait non pas d'animalier mais au contraire de complètement iconoclaste, politique et révolutionnaire. La Fontaine, Rabelais et Edgar Poe, c'est toi qui me les as fait découvrir et comprendre.

Que pourrais-je mettre dans ce texte sur toi ? Que tu m'as appris à jouer aux échecs (tu tenais ça de papi Isidore, qui lui-même l'avait appris avec un échiquier de carton dont les pièces étaient en mie de pain, dans la prison de Barcelone) : ce sont d'ailleurs les échecs qui m'ont aidé plus tard à agencer les mises en scènes de mes bouquins comme autant de stratégies. Les blancs, les noirs. L'unité de lieu. La dramaturgie guerrière ou amoureuse. Le suspense. Tout cela aussi vient de toi.

Quand j'étais mioche, tu m'impressionnais par ta capacité à marcher vite. Je m'échinais à poser trois pas quand tu n'en accomplissais qu'un. J'ai toujours voulu marcher aussi vite que toi. Et puis être aussi grand que toi. Aussi discret et simple. Tu m'as appris que la vraie force ne se montre pas : dès qu'on est obligé de la montrer, on a déjà perdu.

Tu m'as appris à être libre. Ce n'est pas le chemin le plus facile mais c'est assurément le plus intéressant. La liberté de penser sans influence, la liberté de vivre sans rendre de comptes aux chefs, la liberté de me forger une opinion personnelle fondée sur l'expérience vécue et les voyages au bout du monde.

Être libre, ça se paye, mais tu m'as appris que cela en valait la peine.

Maintenant je peux dire que tu es plus qu'un père, tu es un ami. Nous restons régulièrement de longues heures au téléphone comme des amis de longue date. Tu es d'ailleurs, de fait, mon plus ancien ami. Tu ne m'a jamais déçu, jamais trahi. Nous parlons librement, sans la moindre attitude condescendante de ta part. Tu n'es pas le genre à moraliser ni à me dire : « Du haut de mon grand âge, je peux t'assurer, mon fils... » Non, tu me dis : « Je te fais confiance, tu trouveras. »

Et s'il n'y avait pas les liens de sang, tu serais de toute façon le genre de type que j'aimerais fréquenter. D'ailleurs, si on me donne à choisir dans une prochaine vie, si tu le veux bien, papa, j'aimerais te reprendre comme père.

Bernard Werber, texte inédit

« Je le retrouverai mort, à Nantes, vingt ans plus tard... »

par Barbara

Septembre 1939 : nous sommes au Vésinet. « Mes enfants, disent les parents accablés, la guerre vient d'éclater, il faut partir. »

Mon père est mobilisé.

La famille se divise : ma mère d'un côté, avec ma petite sœur Régine ; mon frère et moi, avec la tante Jeanne.

...

Du Vésinet, la tante Jeanne nous conduit à Poitiers où nous allons être hébergés par des médecins de sa connaissance. Nous fréquentons une école où j'ai un jour la surprise de voir, à la sortie, mon père qui m'attend. Il est en militaire ; il n'est là que pour deux heures qu'il va passer avec mon frère et moi. Puis il me raccompagne, sanglotante. Je le supplie de rester, en vain. Je le vois encore s'éloigner, se retourner, revenir me prendre dans ses bras. Pour me calmer, il sort alors de sa poche quatorze sous avec lesquels, le cœur lourd, j'achèterai du zan.

Le zan, sous toutes ses formes ne me quittera plus : bâtons de réglisse, rubans en rouleaux, petits grains, réglisse à la violette... J'en aurai partout et toujours sur moi. Plus tard, sans en connaître l'effet nocif sur la tension artérielle, j'en distribuerai à tous mes amis. Lily-Passion aura un sac en mica rempli de zan bleu.

Sans en avoir conscience, je chercherai toujours cet instant heureux, mais cette relation de père à enfant, je ne la connaîtrai jamais plus.

En revanche, je garderai longtemps le souvenir du mélange de fascination, de peur, de mépris, de haine et d'immense espoir que je ressentirai lorsque je le retrouverai mort, à Nantes, vingt ans plus tard...

...

– Mais qu'est-ce que tu as dans la tête, ma pauvre enfant ?

– De la musique !

– Au fond, suggère la tante, on pourrait peut-être lui faire prendre des cours de piano ?

– À quoi cela lui servirait-il plus tard ? objecte mon père. Et puis nous n'en avons pas les moyens !

...

J'ai de plus en plus peur de mon père. Il le sent. Il le sait.

J'ai tellement besoin de ma mère, mais comment faire pour lui parler ? Et que lui dire ? Que je trouve le comportement de mon père bizarre ? Je me tais.

Un soir, à Tarbes, mon univers bascule dans l'horreur. J'ai dix ans et demi.

Les enfants se taisent parce qu'on refuse de les croire.

Parce qu'on les soupçonne d'affabuler.

Parce qu'ils ont honte et qu'ils se sentent coupables.

Parce qu'ils ont peur.

Parce qu'ils croient qu'ils sont les seuls au monde avec leur terrible secret.

De ces humiliations infligées à l'enfance, de ces hautes turbulences, de ces descentes au fond du fond, j'ai toujours resurgi. Sûr, il m'a fallu un sacré goût de vivre, une sacrée envie d'être heureuse, une sacrée volonté d'atteindre le plaisir dans les bras d'un homme, pour me sentir un jour purifiée de tout, longtemps après.

J'écris cela avec des larmes qui me viennent.

C'est quoi, ces larmes ?

Qu'importe, on continue !

...

Cet été-là, nous allons partir en vacances, nos premières vacances en famille ! À la mer ! En Bretagne, à Trégastel !

...

Il se passe à Trégastel des choses peu anodines.

Un après-midi, je fugue pour fuir mon père. Je n'en peux plus. Je marche, je marche, je marche. Je décide d'aller à la gendarmerie. Le gendarme m'écoute attentivement, j'ai même l'impression qu'il me croit. Mais il m'explique que je ne suis pas majeure et que je dois retourner chez mes parents !

C'est mon père qui vient me chercher. Il laisse entendre que je suis une malade, une « affabulatrice ». Il me ramène à la maison, je le hais. Je suis punie pendant plusieurs jours, mais je sens que ma démarche l'a frappé.

...

Mon père s'absente souvent et de plus en plus longuement.

...

Mon père a finalement quitté Vitruve pour ne plus jamais y revenir. La vie est devenue moins étouffante.

...

Ce lundi 21 septembre 1959, je suis seule dans l'appartement. Le jour glisse. Je vais bien. Soudain, la sonnerie du téléphone vibre et déchire le silence.

La voix est inconnue, mal assurée :

– Votre père... Il a eu un accident... Il se trouve à l'hôpital Saint-Jacques, à Nantes, et vous réclame.

Je reste silencieuse.

La voix s'est tue.

Je reste avec le téléphone dans la main, stupide ; je raccroche...

Mon père, parti voici dix ans, jamais réapparu, jamais de nouvelles... qui m'appelle ?

Comme une somnambule, je demande l'hôpital, à Nantes. Les urgences, la chirurgie, les accidentés...

– Qui, quoi ? quel nom ? Je vais voir. Non... à quel date ?

– Je n'en sais rien.

– Non, personne. Je regrette.

Un déclic, on a raccroché.

Je reste là sans voir, sans penser. Puis, brusquement, je redécroche, redemande l'hôpital.

La même voix :

– Je vous passe la morgue.

Un siècle encore... Une douleur brûlante glisse dans mes reins.

– Oui, dit une autre voix, vous êtes sa fille ? Nous avons recherché la famille, sans résultat. Votre père est mort il y a quarante-huit heures. Je vous passe la réception.

Je ne saurai jamais comment j'ai obtenu que son corps ne parte pas à la dissection.

Quand je reprends conscience, tout est sombre ; le téléphone pend, inerte. Je vais jusqu'à la lumière. Mes gestes sont lents, précis, lents. J'enfile un manteau, prends mon sac, griffonne un mot à l'intention de ma mère :

Mon père est mort à Nantes, je pars.

...

Nantes, il pleut, un taxi me conduit à l'hôpital. Devant ses portes, la même douleur me cloue sur place.

Je reste longtemps appuyée là, avant qu'on ne me demande si j'ai besoin de quelque chose.

À la réception, j'entends ma propre voix, grise et coupante comme un fil d'acier. La réponse est douce, presque suave :

– On va vous conduire chambre C.

Une musique dont la mélodie ne me reviendra en mémoire que beaucoup plus tard m'accompagne.

Une petite musique triste, jusqu'à la porte C.

La porte C grandit, se déforme. Le « C » danse, se balance, gigantesque.

Je frappe. C'est une religieuse qui m'ouvre :

– Vous venez bien tard.

– Je ne savais pas.

– Jusqu'à la dernière minute, il est resté lucide, il a voulu qu'on ne prévienne personne, nous n'avons rien pu lui faire dire. Voyez sœur Jeanne, c'est elle qui l'a assisté dans ses derniers moments... C'est ici.

La porte s'ouvre sur une pièce minuscule. Il est allongé sur le lit, le visage découvert, comme s'il dormait.

Je regarde mon père que je n'ai pas revu depuis dix ans.

Son visage est amaigri, vieilli, son teint cireux.

Je me tourne vers la sœur qui hoche la tête. Je m'avance et pose ma main sur cette peau sans vie. Je prononce des mots hachés, sans suite. Je sens qu'on me tire, qu'on m'arrache, qu'on me parle. Je me retrouve assise ; je tiens une tasse brûlante, je bois.

– Ça va mieux ? s'enquiert la sœur. Ce qu'il y a de plus dur, c'est la séparation.

– Personne ne venait le voir ?

– Si, sœur Jeanne vous dira.

Sœur Jeanne ne dit rien ; elle a promis de garder le secret de cet homme dont elle parle avec respect.

Je me souviens brusquement que mon père aimait beaucoup les petites sœurs des pauvres et qu'il se montrait jadis très généreux envers elles.

Je souris à sœur Jeanne :

– Je comprends, ma sœur, je vous remercie.

– Je vais vous donner l'adresse de monsieur Paul qui était son ami et qui fut présent jusqu'à la fin.

– Avant, je voudrais savoir, pour l'enterrement...

À nouveau le couloir, l'escalier, un tout petit bureau. Une vieille dame à lunettes.

Je me nomme. La vieille dame à lunettes me sort un catalogue rempli de cercueils joliment présentés. Un pointillé conduit au prix.

– Vous avez choisi ? demande la vieille dame à lunettes.

– Le moins cher...

...

Un taxi m'a conduite à l'adresse donnée par sœur Jeanne. C'est un café, au coin d'une rue.

J'entre ; quatre hommes jouent aux cartes ; l'un deux s'avance vers moi, me prend doucement la main :

– Vous êtes la fille de Monseigneur.

...

– Nous aimions beaucoup votre père.

Un homme à lunettes, monsieur Paul, s'approche à son tour, un peu agressif.

Longtemps ils me parlent d'un homme extraordinaire dont ils ne savent rien, sinon qu'il avait été rejeté par sa famille, qu'il avait eu quatre enfants qu'il aimait, une fille, surtout, qui chantait.

De quoi vivait-il ? Où habitait-il ?

Parfois il dormait dehors, mais il réapparaissait au matin, impeccable, pour entamer d'interminables parties de poker.

Gai, généreux, gueulard, il ne croyait en rien, n'espérait plus rien.

– Jamais une plainte, confirme monsieur Paul.

Pourtant, une fois qu'il avait un peu trop bu : « Je suis allé trop loin, c'est fini pour moi », aurait-il dit à monsieur Paul qui proposait de l'aider.

Monsieur Paul raconte ; j'écoute, bouleversée, la vie de cet homme que je n'ai pas connu et dont je retrouve pourtant des traits de caractère.

Je m'en veux d'être arrivée trop tard. J'oublie tout le mal qu'il m'a fait, et mon plus grand désespoir sera de ne pas avoir pu dire à ce père que j'ai tant détesté : « Je te pardonne, tu peux dormir tranquille. Je m'en suis sortie, puisque je chante ! »

Peut-être a-t-il longtemps et partout traîné le souvenir et le remords de son crime ?

J'apprends que les appels mystérieux reçus à la maison, quand on raccrochait chaque fois sans rien dire, c'était lui.

La musique revient dans ma tête.

Monsieur Paul dépose devant moi un vieux portefeuille, une paire de lunettes dont les verres sont rayés.

Si j'avais su... dit-il, oui, si j'avais su que vous étiez comme ça, je vous aurais quand même appelée, mon petit.

Je l'insulte, lui crie que c'est nous qui avons été abandonnés, que ma mère a vécu un calvaire, que moi-même...

– Je comprends..., dit monsieur Paul qui ne peut pas comprendre mais qui a été si formidable.

– Pardonnez-moi. Vous avez bien fait de respecter ses volontés. Je vous remercie. De quoi est-il mort ?

– Un soir que la partie s'était prolongée tard, il a été pris, au moment de partir, d'une très violente douleur dans les reins.

J'apprends que, ne sachant pas où il allait dormir, il coucha, ce soir-là, chez monsieur Paul. Au matin, il refusa de voir un médecin, mais, la douleur persistant, il finit par accepter d'être transporté à l'hôpital. Comme on lui demandait où il fallait quérir ses affaires, il répondit en rigolant qu'il ne possédait que ce qu'il avait sur lui. Il mourut trois semaines plus tard, d'une tumeur cérébro-spinale, refusant même la morphine qui aurait adouci sa fin.

...

À Nantes, il pleut tout le ciel.

…

Dans la boue du cimetière, je perds mes souliers, je ne sais trop comment. On enterre mon père à la fosse commune. Il n'y a pas de fleurs.

– Voilà, tu connais l'histoire
de l'homme qui venait de nuit
et qui revint comme une épave
du bout de son dernier voyage,
du vagabond, du mal aimé
qui se rappelant le passé,
voulut avant de s'endormir
se réchauffer à mon sourire

Au chemin qui longe la mer
couché dans un jardin de pierres
je veux que tranquille il repose
à l'ombre d'une rose rose
mon père, mon père

Il pleut sur Nantes
donne moi ta main
le ciel de Nantes
rend mon coeur chagrin.

SOCIÉTÉ DES AUTEURS
COMPOSITEURS & ÉDITEURS DE MUSIQUE
10 JAN 1964 – 797,668

Nous sommes le 28 septembre 1959. De la chanson *Nantes* je n'ai encore écrit et composé la mélodie que des quatre premières phrases.

Il s'écoulera plusieurs années avant que je ne retouche et reprenne cette chanson, en 1963, la veille de mon passage aux *Mardis de la chanson*, au Théâtre des Capucines.

…

Mes frères, ma sœur et ma mère ont accepté de venir pour la première fois ensemble, ce premier mardi de novembre, et j'en suis à la fois heureuse et très impressionnée.

La veille, à la répétition, je couvre de mots tout un cahier de feuilles qui finissent froissées, jetées, déchirées, mais je sens, à la difficulté que j'ai à écrire, que la chanson *Nantes* est sur le point d'être achevée.

Un enregistrement clandestin de cette soirée sera vendu sous le manteau, où figure une version de *Nantes* qui n'aura existé que ce soir-là. Ce disque, je ne l'ai pas.

Le lendemain, on me parlera beaucoup de cette chanson .

Elle sera longtemps source de confusion. On m'a souvent crue nantaise ! Non, je ne suis pas du tout nantaise !

J'ignore pourquoi mon père avait choisi cette belle ville pour y terminer sa vie.

Plus tard, lorsque je partirai en tournée et que j'arriverai à une centaine de kilomètres de l'estuaire de la Loire, je serai prise d'une sorte d'étouffement. Il me faudra longtemps avant de pouvoir entrer calmement dans Nantes. Chaque fois, je vais au cimetière en cachette pour y déposer des fleurs.

Barbara

Monique Serf, dite Barbara,
Il était un piano noir..., mémoires interrompus, *1998*

Christine Orban, enfant, debout devant son père, armateur, à bord d'un paquebot à Casablanca.

« Je ne sais plus pourquoi j'ai l'air triste sur cette photo... »

par Christine Orban

Il est douloureux de penser à un homme, un père que l'on a aimé et qui n'est plus. C'est le voyage que les psychanalystes nous incitent à parcourir pour comprendre ce qui fait mal.

Longtemps, j'ai préféré la douleur au voyage, l'inconnu au chemin des souvenirs oubliés.

Je ne sais plus pourquoi j'ai l'air triste sur cette photo, et pourquoi j'ai accompagné mon père qui était armateur, sur ce paquebot arrimé dans le port de Casablanca. Autant de photos que de mystères, de moments envolés. Les photos attisent la mélancolie, la notion du temps qui passe, des personnes successives que l'on a été, comme cette petite fille qui tient la main de son papa, et qu'au fond de moi, je suis restée.

Je me souviens de la sensation de chaleur et de puissance qui se dégageait de la main de mon père quand il la posait sur moi. Rien de méchant ne pouvait arriver.

Trop vite, le sentiment rassurant a fait place au vide.

J'avais vingt ans quand nos mains se sont quittées, quand le silence est devenu notre lieu de rencontre. Depuis, le silence n'est jamais plus silencieux, il est abstrait, ce qui est différent. Le silence est un désert et un champ de liberté à la fois. C'est le pays que mon père a envahi. Je me réveille et il est là, je m'endors et il me berce. Son silence et ses mots nous ont soudés. Le silence, c'est la maison qu'il m'a offerte, je l'ai meublé.

Christine Orban, texte inédit

« Il appartenait désormais à l'Histoire, après avoir si longtemps fait partie de ma seule mythologie...»

par Pierre Assouline

Il aurait pu être mon père. Il en avait l'âge, mais c'est tout. Un père, j'en avais déjà un qui m'allait très bien. Il me comblait en toutes choses, à sa manière, pudique et discrète. Son itinéraire était autre.

Il avait triché sur son âge pour devancer l'appel et être incorporé au Corps expéditionnaire français. Il se retrouva vite brigadier au sein de l'armée d'Afrique engagée dans la campagne d'Italie et le débarquement en Provence, puis en Alsace et en Allemagne. Il vénérait en souriant la mémoire de son chef le général Goislard de Monsabert. Ses hommes l'appelaient affectueusement Monsabre, ce fieffé antisémite dont la 3ème division d'infanterie algérienne comptait nombre de Juifs devenus français par décret. Vichy s'était chargé de ramener ces pieds-noirs de souche récente à leur séculaire statut d'indigènes. Une telle humiliation ne pouvait que grossir les rangs de la France libre.

Mon père ne racontait que sous la pression. Moins le corps à corps avec les Allemands que le coude à coude fraternel avec goumiers et tirailleurs, tabors et spahis. Autant d'appellations dont la sonorité, à elle seule, évoquait déjà un monde englouti. Le cadre embellissait le mythe. Nous vivions alors au Maroc.

Quand j'étais petit, je réclamais le récit de la bataille de Monte Cassino avant de me coucher. C'est l'un des rares épisodes de l'histoire de ce siècle que je connaisse dans le détail sans en avoir lu une ligne. À la cave, je découvris un vieux portefeuille, ses papiers militaires, quelques insignes. Et une guirlande de fanions noir, rouge et blanc qui ne laissaient pas de m'intriguer. Ils étaient frappés du sceau de la croix gammée. C'était une prise de guerre en souvenir d'une escale à Berchtesgaden, le nid d'aigle de Hitler.

Mon père fut le héros de mon enfance. J'ai vieilli mais il l'est resté. Il n'avait fait rien de spécial, sinon la guerre, comme tant d'autres. Je l'avais identifié dans un manuel scolaire sur une image de commandos jetés au bord d'une plage par une péniche. Je n'en démordais pas. L'homme au fusil, grimpant sur une dune à la tête d'une unité, c'était lui. De guerre lasse, il en était convenu : c'est moi... Il me fallut grandir un peu pour admettre l'inanité de mon propos. L'image en question n'était qu'un dessin particulièrement réaliste.

Un quart de siècle plus tard, alors que je traînais sur un stand de la foire du livre à Francfort, je feuilletai machinalement des albums d'une précision militaire consacrés à la guerre, m'attardant sur l'*Armée de la Victoire* publié par Lavauzelle. Je fus stupéfait en découvrant en pleine page, sur une véritable photographie, une jeep transportée par une péniche. Et là, sur la jeep, mon père, fixant l'objectif, soucieux, les traits tirés, la tête encore pleine de cheveux, flottant dans un treillis trop large, la main posée sur le pare-brise criblé de balles. En second plan, on distinguait clairement la plage de La Foux, près de Cogolin, où il m'avait si souvent amené. Rituellement, le 15 août, nous avions l'habitude de rendre un hommage balnéaire à ce sable consacré.

Je vérifiai la légende. Elle correspondait parfaitement. Tout y était sauf son nom bien sûr. Il n'était qu'un anonyme de la Libération, un parmi d'autres, un garçon de vingt et un ans pour qui il eût été indigne de rester chez ses parents à Oran quand tout le monde se battait ailleurs. De cette attitude, je n'ai jamais cessé de tirer une fierté peut-être disproportionnée. Avec le temps, rien n'a pu l'entamer. D'autant que la mentalité anciens-combattants lui était étrangère.

Je regardai encore la photo, n'arrivais pas y croire, me frottais les yeux. Mais c'était pour ne pas pleurer.

Je ramenai le livre à Paris et le lui offris sans le prévenir de ma découverte. Les commentaires nostalgiques allaient bon train. Quand il tomba sur la page 105, il resta coi, ému, souriant, abasourdi. Deux jours durant, il ne put en parler. Il appartenait désormais à l'Histoire, après avoir si longtemps fait partie de ma seule mythologie.

Je ne lui dois pas seulement une profonde dilection pour le passé. C'est de lui que me vient cette obsession de la guerre. J'ai connu le bonheur de grandir dans une maison pleine de livres. Par chance, ils étaient rangés dans des bibliothèques qui ne dépassaient pas deux rayons, afin de laisser s'épanouir les tapisseries de Lurçat.

Tout petit, j'avais donc les livres à ma hauteur. Je ne les lisais pas mais j'en caressais la tranche et la couverture du regard et de la main. Les grands classiques de la littérature française étaient trop bien reliés, le papier était trop précieux, tout cela m'impressionnait tant que je n'osais pas y toucher. Ce n'était pas le cas des livres d'histoire. *Ils arrivent !... Mila 18... La Campagne d'Italie* par le maréchal Juin de l'Académie française avec cartes et photos... Les *Mémoires* de De Lattre de Tassigny... Et *Les Carnets secrets* du vicomte Montgomery of Alamein... Leur vue, à défaut de leur lecture, me faisait plus rêver que *Cinq Semaines en ballon.*

Quand je fus en âge, j'y pris *Treblinka* de Jean-François Steiner. Ce que j'y appris m'empêcha de dormir pendant une semaine. Puis j'empruntai un des forts volumes jaunes de Fayard. C'était l'*Histoire de Vichy* de Robert Aron. La densité et l'intensité des années d'Occupation me frappèrent plus que tout. Puis l'idée selon laquelle c'était une des rares périodes qui permettaient à chacun de transformer sa vie en destin. À croire qu'il ne s'était passé grand-chose dans le siècle avant et après, comme pour mieux permettre à l'histoire de se concentrer de manière inédite en un instant fulgurant, sombre et énigmatique.

Je le lus de la première à la dernière ligne avant d'en commenter les passages les plus ambigus avec mon père. À la suite de quoi je lui annonçai mon intention d'entreprendre non des études de droit comme prévu, mais des études d'histoire. Depuis, j'ai la curieuse sensation d'être né en 1940 et mort en 1945.

Pierre Assouline, Le Fleuve Combelle, *1997*

« Nous nous ressemblons suffisamment pour être interchangeables... »

par Didier van Cauwelaert

Je me suis absenté quelques minutes, pour aller téléphoner d'une cabine publique entre le pont et l'écluse. Offrir à mon père l'élan de ce moment, par superstition. Saura-t-il un jour les rapports mystérieux que tu entretiens avec son état de santé ? Il avait réappris à marcher après notre rencontre, et on venait de réparer son autre jambe lorsque je t'ai retrouvée gare du Nord. Aujourd'hui, chaloupant à peine, sorte de héros bionique suscitant l'admiration des ingambes ordinaires sur les courts de tennis et les pistes de ski de fond, il va me lancer de sa voix claironnante : « Quoi de neuf ? » [...] Le téléphone sonne dans le vide.

J'ai cherché ce qui s'était passé pour lui en 81, l'année du concert. Pas d'opération, non. Pire. La retraite. [...] Sous l'air bravache, sous la fierté de l'homme actif qui se réjouit d'avoir enfin le temps de faire autre chose, et se refuse à comprendre les gens qui s'ennuient, la déprime était grande. Se sentir poussé vers la touche tandis que j'entrais

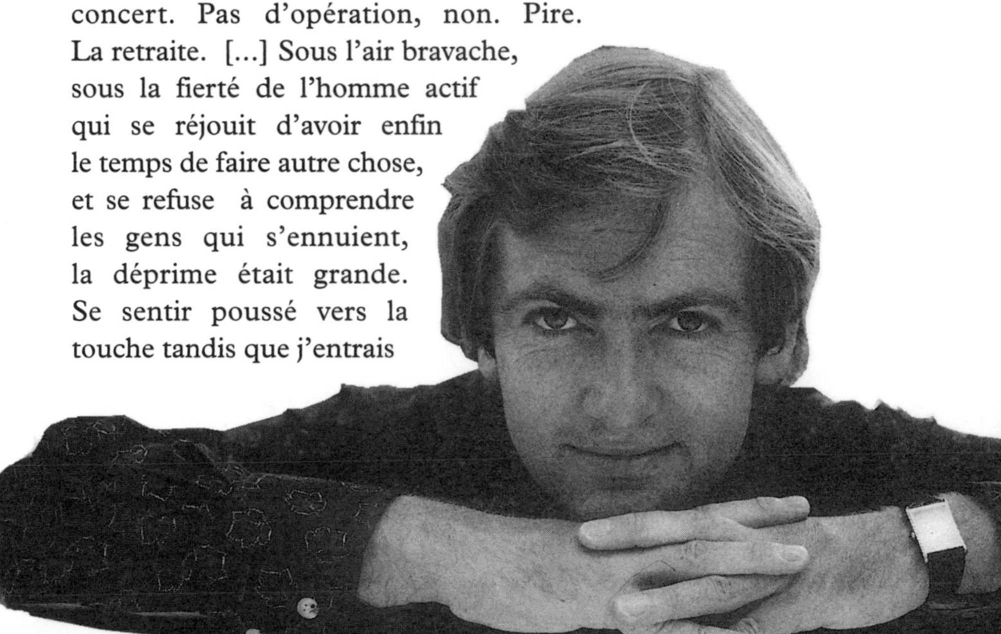

sur le terrain, publié, étalant notre nom dans le journal, était une blessure dont il n'avait pas conscience, trop content de ce qui m'arrivait, mais qui ranimait, je le sais, tous les rêves qu'il avait abandonnés à mon âge. Sans la guerre ni sa mère à nourrir, il aurait eu le temps de devenir écrivain et moi, pour me démarquer de son image, j'aurais alors décidé d'être avocat – au fond, ça n'aurait pas changé grand-chose ; nous nous ressemblons suffisamment dans le traitement de nos vies pour être interchangeables. Et peut-être que la scène aurait eu lieu, avec d'autres genres de papiers, ce jour de printemps où nous avions brûlé dans la campagne ses cent kilos d'archives. Amoncellements de conclusions, de divorces, de baux ruraux, de têtes sauvées, d'abus de confiance, qui basculaient sous nos râteaux, poussés vers le feu de détresse qui consumait une vie. Il riait, comme toujours, pour ne rien laisser voir. Mais je sentais brûler entre nous ses rêves de marine de guerre, de théâtre, de fictions, ses concessions successives qui avaient alimenté paradoxalement son rayonnement de joyeux drille, parce que la vie lui avait suffisamment pris pour qu'il décidât de garder quelque chose à donner.

Les piles de dossiers ficelés diminuaient dans une fumée noire. J'aurais voulu lui dire combien son talent qu'il estimait avorté m'avait nourri, provoqué, fouetté le sang, jusque dans les salles de tribunal où je me faufilais en cachette pour l'entendre faire son numéro de Spencer Tracy avec le regard en dessous de Lino Ventura, brûlant les planches avec autant d'ardeur pour un crime passionnel que pour une erreur de cadastre. Ses planches brûlaient, aujourd'hui, pour rien. J'aurais voulu trouver les mots pour qu'il arrête de se sentir carbonisé parmi cinquante années au service des autres. Quand il n'est plus resté que des cendres, nous sommes allés boire une bière dans un bar en silence.

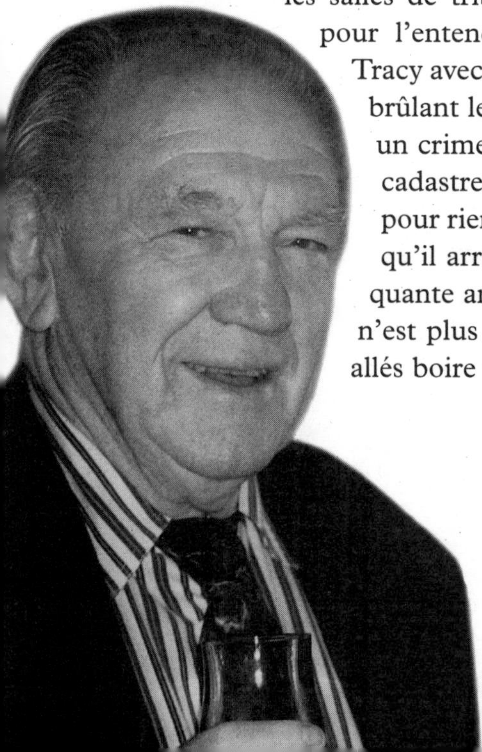

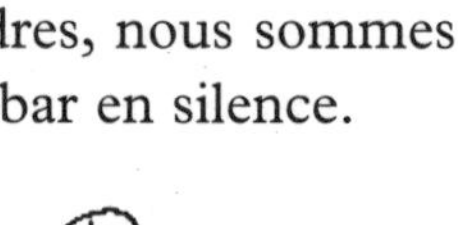

Didier.

Didier van Cauwelaert, Cheyenne, *1991*

J'ai écrit voici onze ans ces lignes
où je racontais une scène vieille ~~de~~ d'onze ans.
Je les relis, cette nuit, et ce passé n'a pas
changé de présence. Quelques morts et quelques
résurrections plus tard, mon père est toujours
le même, aujourd'hui, à quatre-vingt-neuf ans.
Moi aussi. Avec les ~~[illegible]~~ prolongations,
les vies supplémentaires, les changements de
destin que j'ai voulu lui donner à visage
couvert au fil de mes romans.

Didier van Cauwelaert
Texte inédit
juillet 2002

Didier van Cauwelaert, texte manuscrit inédit.

« Cette porte qui ne s'est jamais réellement ouverte... »

par Yves Duteil

Lettre à mon père...
Je te cherchais depuis longtemps
Tu m'as laissé en t'en allant
Mon grand paquet de mots d'amour
Et ce silence encore si lourd

Le souvenir de ces chimères
Que tu fuyais pendant la guerre
Les bateaux les trains les camions
Les quais de gare et les wagons

La frayeur de ces années noires
Je la lisais dans ton regard
Avec l'horreur le désespoir
Et le Travail Obligatoire

Peut-être un jour si tu m'attends
On parlera de tout ce temps
Qu'on a perdu sans rien se dire
À ne pas savoir se sourire

Quand je sentais venir la fin
Je me revois tenir ta main
Et te parler pendant des heures
En regardant battre ton cœur

À ta façon tu nous aimais
Mais tous les mots qu'on attendait
Restaient enfouis bien trop profond
En souffrance dans leur prison

« Mon père pose au parc Monceau, en 1962. »

De là-haut si tu nous entends
Reviens vers nous de temps en temps
As-tu enfin trouvé la paix
Et le repos là où tu es ?

J'avais tout juste cinquante ans
Tu m'as légué en t'en allant
Ce regard triste et douloureux
Un portrait d'enfant malheureux

Qui n'a pas pu trouver sa place
Enfermé dans sa carapace
Et sur qui les fées ni les Dieux
N'ont jamais dû poser les yeux

Après avoir tant bien que mal
Grandi à l'ombre d'une étoile
Sans pour autant trouver le Nord
Il t'a fallu partir encore

Marcher de nuit à travers champs
Mais dans tes lettres avec le temps
De ces souffrances et de ces peurs
Il ne reste que le meilleur

À ta façon tu nous aimais
Mais tous les mots qu'on attendait
Restaient enfouis bien trop profond
En souffrance dans leur prison

De là-haut si tu nous entends
Reviens vers nous de temps en temps
As-tu enfin trouvé la paix
Et le repos là où tu es ?

Toi mon père que j'aimais tant
Je te cherchais depuis longtemps
Mais tu voyages désormais
Près de moi, bien plus que jamais

Repose en paix dans nos mémoires
Le plus tendre de notre histoire
Ce sont les mots qu'on n'a pas dits,
C'est à toi que je les dédie.

Paroles et musique d'Yves Duteil,

Petit papa,

C'est toujours ainsi que je commençais les lettres que je t'adressais, comme pour imprimer au papier la tendresse qui manquait à tes mains, comme pour adoucir la peur dans tes yeux, comme pour ouvrir une porte qui ne s'est finalement jamais réellement ouverte...

J'ai toujours avec toi fait les gestes de la douceur, en espérant qu'un jour, tu me regardes avec le même regard et le même sourire. Il y a eu par instants, pourtant, des « défauts » dans la cuirasse. Ta fierté devant ma jeune carrière, chacune des distinctions attribuées à mes chansons, tes petits mots : « Ta chanson est passée ce matin sur RTL à neuf heures douze... »

Je savais que tu m'aimais. Et c'est par l'estime que j'ai trouvé le chemin de ton amour. Toi qui avais si peur de me voir devenir artiste plutôt que notaire ou commerçant, « enfin un métier où on ne passe pas ses nuits dans des sous-sols enfumés, toi qui es si fragile des bronches... » C'est au Théâtre de la Ville que tu as embarqué dans l'aventure de ma vocation. Il te manquait cette fibre de sensibilité qui débordait de mon piano, de ma plume et de ma guitare, mais aussi de mon cœur. Enfant, je me cachais dans ma chambre quand tu rentrais, de crainte de ce contact sans chaleur, et je répondais juste à ton « bonsoir » en sachant qu'il n'y aurait rien de plus entre nous.

Adolescent, je t'en voulais de ne pas comprendre, de ne pas entendre. Pourtant je ne manquais de rien. Nous avions tout et au-delà, et je sais aujourd'hui que ce tout était ta seule façon possible de nous exprimer ton amour. Je sais. Il y a eu ce frère brillantissime, mort très jeune et idéalisé par tes parents à ton détriment, l'Affaire Dreyfus qui avait laissé chez vous son empreinte de plomb, la guerre de 14 dont ton père est rentré ruiné, abusé par un administrateur malhonnête, la vie active dès quatorze ans, puis la guerre de 40 avec le STO, la milice, les bombardements, l'exode. Tu n'étais pas expansif. Ça se comprend, à la lumière de tant d'obscurité...

Je ne t'ai jamais tant aimé que depuis que tu es parti. Je retrouve ta souffrance en écho dans mes gènes, dans le miroir du quotidien, à l'envers. Je redoute de te ressembler et pourtant je suis un peu toi. Je croyais être en manque de modèle. Je t'avais sous les yeux, dans ta droiture, ton honnêteté scru-

Yves Duteil avec son père, à l'Hôtel Matignon en 1976, lors de la remise du Prix Jeune Chanson, décerné par le Haut Comité de la Langue Française.

puleuse, presque excessive. Tu cachais ta faiblesse sous une carapace, j'ai appris à conserver cette fragilité sans verrouiller toutes les issues.

J'ignore encore qui tu étais, mais aujourd'hui cela ne me tourmente plus. Je te parle librement, puisque tu ne peux plus ne pas m'entendre. Tu n'es plus quelque part, tu es partout. Plus de distance entre nous. Cette chanson est un hommage d'adulte. Le plus triste, c'était de ne pouvoir enfin te dire tout ça que devant ton cercueil.

J'ignorais que cette nuit passée auprès de toi serait la dernière, mais je t'ai dit que tu avais bien travaillé, et combien je t'étais reconnaissant. Tu es parti au matin, pudique jusqu'à l'extrême, seul.

Heureusement il y a un après. Je suis en paix avec toi. J'espère que toi aussi tu vas bien. Ne t'en fais pas, je continue la route.

Ton Yves.

Yves

Yves Duteil, texte inédit

« Oui, la peau a une mémoire... »

par Christophe Malavoy

J'ai hâte de te retrouver. Je sais que tu m'attends. Je sais aussi que tu souffres mais que tu ne diras rien. Comme toujours, tes yeux ne laisseront rien paraître. Ne rien montrer fut ta règle. Je n'ai jamais rien su de ta douleur. Je veux parler de cette douleur que chaque homme possède dans l'abîme de son cœur ; de cette douleur qui dirige notre vie et à laquelle toutes nos actions se ramènent en définitive.

Je sais peu de choses de toi, de ta vie, de ton enfance, de tes rêves. Et que sais-tu de moi ? Je me le demande. Nous nous reconnaîtrions entre mille et cependant il me semble que nous sommes restés des étrangers l'un pour l'autre. Je me souviens de cette réflexion que tu me faisais toujours à propos de ma jeune vie de comédien : « Mais qu'est-ce que tu fais de tes journées ? »

...

Nous aurions pu nous écrire, à défaut de nous parler. Mais l'écriture n'a jamais été ton domaine.

En général tes lettres se résumaient à une liste de recommandations écrites sur le mode télégraphique avec premièrement, deuxièmement, troisièmement. Le plus souvent, tu y joignais un article découpé dans le journal, sur lequel tu soulignais certaines phrases à l'encre rouge à notre attention. Il t'arrivait même de glisser simplement l'article en question dans une enveloppe.

...

Et cependant tu as écrit.

Tu as écrit tout d'abord un journal de marche, rédigé durant la guerre, et qui retrace la vie et les combats de l'escadron de reconnaissance du 8ème régiment de Chasseurs d'Afrique.

...

L' épopée du 8ème Chasseurs d'Afrique fut cette lueur, cette flamme qui ne s'éteint jamais et qui a sans doute dirigé ta vie.

...

Cette guerre, tu ne l'as pas faite seul. Tu as marché sur les traces de ton père, mort au champ d'honneur, un jour de mars 1915, après avoir lancé vaillamment une attaque contre la tranchée ennemie, la précédant le sabre à la main. L'honneur et le courage ont toujours façonné ta conduite.

...

« Mais que fais-tu de toutes tes journées ? »

La question est admirable et, avec le temps, je vois combien nous étions éloignés l'un de l'autre. Il est vrai aussi que parfois je paressais, n'écrivais pas une ligne et qu'il me semblait être propre à rien. Tu me l'avais d'ailleurs si souvent dit durant mon adolescence (« Ce drôle est bon à rien. ») qu'il m'arrivait parfois de le penser.

Aujourd'hui, en entrant dans ta chambre, j'ai le sentiment que je vais te connaître enfin, découvrir le père que je risque de perdre. Tu ne me demanderas pas ce que je fais de toutes mes journées. Tu ne me diras pas que je suis un bon à rien. Tu auras ton fils devant toi, avec un plat de champignons qu'il t'a soigneusement préparé. Tu auras près de toi ce fils qui t'a donné tant de soucis et qui est devenu un homme que l'on reconnaît à présent dans la rue. C'était d'ailleurs devenu ta fierté de marcher à mes côtés et d'observer ainsi ma popularité. Tu ne disais pas un mot, comme toujours, mais tu étais alors le plus heureux des pères.

...

Nous sommes sortis de la chambre d'hôpital pour faire une promenade dans le parc et profiter du soleil. Je t'ai aidé à mettre ta robe de chambre en grosse laine marron sur ton pyjama bleu ciel. Tu as remis ton assistance respiratoire tandis que je portais la réserve d'oxygène et nous avons quitté la chambre à petits pas.

Ta façon de me tenir le bras me procura une vive émotion. C'était toute une vie qui s'accrochait à moi. Je me suis senti soudain responsable comme jamais je ne l'avais été. Je n'étais qu'un enfant, il y a encore un instant, et cette main agrippée à mon bras, crispée sur mon vêtement, cette main sur laquelle je posais la mienne, comme je l'aurais posée sur l'un de mes enfants, me transmettait la vie, la conscience écorchée de la vie, de la vie qui s'éloigne et qui meurt, de cette réalité à laquelle nous sommes étrangers tant que nos parents sont encore là, bien vivants sous nos yeux innocents.

Je devenais un homme en acceptant soudain la réalité de ma propre mort.

Et en te soutenant c'est le poids de ma vie que je sentais vibrer et mes muscles se raidirent avec, un instant, la peur de défaillir.

Puis c'est un bonheur profond qui m'a envahi. Il y avait un homme à mes côtés, mon père, que je soutenais, et je n'étais plus seulement un fils mais quelque chose de plus fort. Cette main accrochée à mon bras me donnait subitement la vue. Je voyais ma vie, celle que j'avais vécue jusqu'à présent, enveloppée comme dans un rêve. Je voyais autre chose que je ne pouvais encore nommer. Un éclat de lumière, la réalité surexposée, l'évidence qu'il n'y avait rien de plus vrai, de plus fort, que ce lien avec l'être cher, cet attachement à jamais recherché et qui est le sens, peut-être même le seul, de cette vie que nous cherchons désespérément dans l'agitation, le pouvoir ou la gloire.

Tandis que nous avancions à pas lents sous la verdure des arbres dont l'ombre nous enveloppait, je me disais que nous avions manqué bien des occasions de nous parler et d'être ainsi, proches l'un de l'autre.

Est-ce par pudeur que tu ne t'es jamais confié ? Je me le demande aujourd'hui. Il n'était pas dans la tradition d'un officier de cavalerie de faire étalage de ses sentiments ni de confier ses doutes, encore moins ses faiblesses. La perte de ton père dès ton plus jeune âge, puisque tu n'avais pas un an lorsqu'il partit au front, n'a fait que renforcer cette rigidité qui masquait une totale maladresse.

Je ne t'ai jamais entendu dire « je t'aime » à l'un de tes enfants. Je n'en ai en tous cas pas le souvenir. Cela ne veut pas dire que tu ne les aimais pas. Tu les aimais, mais tu ne le disais pas.

Cette image reviendra sous forme de destin…

« Dans l'album de famille, il y a une photo de toi qui m'a toujours profondément ému. Tu as deux ans et tu te tiens à gauche de ta mère, visiblement vêtue de noir malgré le monochrome du cliché. Il y a une rangée de femmes à vos côtés, elles aussi portant le deuil, et quelques soldats en uniformes. Il y a un officier à cheval, puis un autre en train d'épingler une décoration à l'un de ces soldats ou à l'une de ces femmes.
Mandette et toi, vous attendez votre tour. Nous sommes en 1915 dans la cour carrée des Invalides et l'on remet à ta mère la Légion d'honneur de son mari, mort à la guerre.
Que savais-tu des médailles et de l'honneur à ton âge ? Tout cela te paraît très cérémonieux, sans doute ennuyeux. Pouvais-tu comprendre la portée de ces gestes ?
Ton esprit est ailleurs, la gravité des regards et des attitudes contraste avec ton innocence. Et cependant tout est là. Tout est dit. L'émotion est passée sous ta peau. Tu n'en es pas encore conscient, mais c'est ta vie qui se joue devant toi. Cette image reviendra plus tard sous forme de destin.
Les voix, les pas, le son clair des sabots sur le pavé ont marqué ta mémoire à jamais. On te donnait une médaille à la place de ton père. Comment un enfant pouvait-il accepter cela ? »

Tu n'as pas eu non plus cette relation charnelle, je veux parler de cette fibre animale, cette nécessité même de sentir, de respirer sa progéniture, de la prendre contre soi comme pour mémoriser son corps, sensation qui ne passe pas par la conscience mais par l'épiderme. Je me souviens des bras de maman, je ne me souviens pas des tiens.

...

La peau, elle aussi, a une mémoire. Comment oublierait-elle ces coups de cravache qui ont plus d'une fois meurtri nos fesses et notre dos ? Nous connaissions la sanction à nos bêtises ou insolences, et nous filions dans notre chambre, recroquevillés sur notre lit, la tête dans les épaules, les bras repliés pour seule protection, et nous entendions tes pas qui se rapprochaient sans aucune indulgence. La porte de la chambre, que nous avions fermée aussitôt derrière nous, pensant innocemment qu'elle pût être un obstacle à ta colère, s'ouvrait alors brutalement et nous avions à peine le temps d'apercevoir la cravache au bout de ton bras que nos mollets ou nos reins étaient déjà atteints par les coups.

« Bourrique ! Bourrique ! », répétais-tu à chaque volée qui nous cinglait la peau. Cette mémoire-là est toujours bien vivante ; elle a scellé nos vies entre frères et sœur, car aucun de nous n'a été épargné par ce fouet de cavalier que tu avais conservé depuis l'école militaire de Saumur.

Mars 1939 : Jacques Malavoy, officier de cavalerie, sur Indigo à Saumur. « Tu as tout fait pour retrouver ton père. Pour honorer sa mémoire. N'y avait-il pas à Saumur une cour carrée, des pavés et des sabots ? »

...

Les enfants ont des yeux mais surtout des oreilles. Ils observent et écoutent bien plus qu'on ne le croit. Tes gestes, tes mots, tes regards, je les ai photographiés dans ma mémoire.

...

Il y avait entre nous comme un verre dépoli. Nous avancions dans la semi-obscurité de nos vies sans nous entendre. La compagnie de l'autre était une sorte de paysage familier auquel on ne prête plus attention.

Dans cette chambre d'hôpital, le paysage avait soudain changé. Il avait même été bouleversé. Il y avait le rôle du père et celui de fils dans ce qu'ils avaient de plus simple, de plus élémentaire et je crois bien de plus beau. Tu me demandas de t'aider pour uriner. J'en fus plus bouleversé que surpris. Tu ne pouvais pas m'aimer davantage. J'étais à tes côtés, et la complicité qui nous réunissait à cet instant me procura une émotion qu'il est difficile d'exprimer. Ta nudité, je ne la connaissais pas. Je la découvrais pour la première fois. Il n'était pas nécessaire de faire des phrases, de faire preuve d'autorité ou de donner je ne sais quel sens à la vie. La vie, elle était là dans toute sa simplicité, un père soutenu par son fils qui l'aidait à pisser. L'intimité supprimait toute barrière en même temps qu'elle forçait le respect. Je ne t'ai jamais autant aimé qu'à ce moment-là.

...

Te souviens-tu de ce que tu m'as dit lorsque tu as appris ma décision de devenir acteur ?

– Mon pauvre garçon , tu crèveras de faim toute ta vie.

Tu as toujours eu le mot pour encourager les vocations. La vie d'artiste, tu appelais ça « faire le saltimbanque », et un saltimbanque finissait un jour ou l'autre par crever de faim.

– Ne compte pas sur moi pour te nourrir toute ta vie ! Tu m'as déjà coûté assez cher comme ça !

...

Ce n'était pas dans tes habitudes d'être ému, encore moins de le montrer.

Tu as cependant versé une larme, un jour. Rassure-toi, je ne l'ai pas vue. C'est maman qui me l'a racontée.

C'était en 1989, vous étiez venus me voir jouer *D'Artagnan* au théâtre national de Chaillot. La pièce connaissait un vif succès.

Jérôme Savary, le metteur en scène, avait réglé un salut particulier pour la vedette du spectacle. Ce soir-là, je m'avançai seul et tu étais là, devant moi, à une dizaine de rangs. J'ai pensé à toi. J'ai senti que ton cœur devait se serrer. Plus de mille personnes applaudissaient ton bon à rien, celui qui ne savait jamais s'il fallait additionner, soustraire ou diviser, celui qui aurait dû crever de faim toute sa vie, celui dont on ne savait jamais ce qu'il faisait de ses journées, celui qui ne parlait jamais, celui qui nous avait coûté si cher, celui dont on ne savait pas ce qu'il deviendrait. Mille personnes autour, cela faisait du bruit. Tu n'en revenais pas.

Vous êtes venus me voir ensuite dans la loge. Avec quelques pas d'avance sur toi, maman s'est penchée vers moi et m'a dit tout bas avant que tu nous rejoignes :

– Quand tu es venu saluer seul avec ton chapeau, tu as fait pleurer ton père... C'est bien la première fois.

...

Des pleurs, je ne pense pas que tu en aies versés beaucoup durant ta vie. De douleur ou de joie, ils furent rares.

...

Tu as toujours retenu ton émotion. C'est sans doute la marque d'une grande force. Tu m'as paru fort tout au long de ta vie, très fort. Je me demande si j'aurais la force que tu as eue.

Cependant, vois-tu, je pense que pleurer devant ses enfants n'est pas un signe de faiblesse. Bien au contraire.

Je ne te reproche rien. Je suis père aujourd'hui et je sais que c'est le rôle le plus difficile à tenir. C'est un rôle qui dure toute une vie, on ne peut s'en échapper. Tu as vécu ce rôle et ta vie avec une fidélité absolue. Tu n'auras pas dévié de ta route et cette droiture qui était la tienne a donné à chacune de nos vies un cap à respecter.

Tu vois, tu nous gouvernes encore.

Christophe Malavoy, À hauteur d'homme, *2001*

Finalement on parle de tout sauf de l'essentiel. Il faut que les gens disparaissent pour se rendre compte qu'ils existent. Il faut que le père meure pour aller vers lui et parler d'amour ; découvrir qu'il était fait d'argile mais aussi de sentiments et même de mélancolie, de tendresse et de larmes.

L'émotion fut de voir mon père pleurer.

Lui que les guerres avaient endurci, qui avait poussé la vie sous les balles et les obus meurtriers durant les campagnes d'Italie, de France, d'Allemagne de la Seconde Guerre, jusqu'à celle d'Indochine et du Maroc quelques années plus tard, lui dont son frère nous disait, « si l'on considère le courage comme la première des qualités, alors il faut placer votre père très haut dans l'échelle humaine », et ceci encore, « mon frère, je ne l'ai jamais entendu réclamer ses droits, mais je l'ai toujours connu fidèle à ses devoirs », lui que je craignais, peut-être pour ne l'avoir justement jamais vu pleurer, je le voyais à la fin de sa vie, luttant depuis des semaines contre un cancer bientôt généralisé, s'asseoir d'épuisement dans un fauteuil, les yeux comme une mare de pluie, et lâcher du bout des lèvres sur le ton de la confidence : « Je suis foutu ! »

Que répondre à ces quelques mots sinon de prendre son père dans ses bras comme on ne l'a jamais fait.

On attend toujours que la vie nous entraîne, la mort nous emporte, on attend toujours l'automne puis l'hiver, le printemps, l'été enfin, mais l'on n'ose toujours pas, on regarde les lendemains et l'on baisse le regard, l'automne est déjà là, on se laisse porter par la douce rengaine des saisons, une valse à quatre temps qui use les semelles et nos cœurs...

Dans ce tourbillon sans fin, les yeux ne voient plus que des semblants de vie, des lambeaux d'amour et nous voilà déjà au bout du sillon.

Comment oublier l'amour dans les yeux de mon père lorsqu'il m'a regardé pour la dernière fois.

Peut-on imaginer cet instant, cette poignée de secondes où les regards s'embrassent puis se quittent ? Non, ces choses-là sont au-delà des mots.

Oui, on passe notre temps à fuir l'essentiel et comme le dit si justement Fernando Pessoa : « Les hommes passent leur temps à vouloir des choses qu'ils ne désirent même pas. »

Comme toutes les grandes œuvres, la vie repose sur une ambiguïté.

Christophe Malavoy, texte inédit

finalement, on garde de tout sauf de l'essentiel
Il faut que les gens disparaissent pour se rendre
compte qu'ils existent. Il faut que le père
meure pour aller vers lui et parler d'amour.
découvrir qu'il était fait d'argile mais aussi
de sentiments et même de mélancolie, de tendresse
et de larmes.

l'émotion fut de voir mon père pleurer —
lui que les guerres avaient endurci lui qui
avait passé sa vie sous les balles
et les obus meurtriers durant la
campagne d'Italie de France d'Allemagne de la seconde guerre jusqu'à celle d'Indochine et de l'Algérie tant son frère disait « texte — »
lui que je craignais, pathétique, pour ne l'avoir
jamais vu pleurer. Je le voyais
luttant assis dans un fauteuil épuisement
contre 1 cancer bientôt généralisé
[illegible]
[illegible]
[illegible] les yeux, comme une masse
de pluie et lâcher du bout
des lèvres sur le ton de la confidence : « Je suis
foutu ! » car
que répondre à ces quelques mots sinon de
prendre son père dans les bras comme on ne
l'a jamais fait et tout en le serrant
d'amour se demander pourquoi on ne
l'a jamais fait —

on attend toujours que la vie nous
entraîne, la mort nous emporte,
on attend toujours l'automne, puis
l'hiver, le printemps, l'été enfin mais
on n'ose dire pas. On regarde les lendemains et l'on laisse le regard filer, l'automne
est déjà là, on se laisse porter par la
danse rengaine des saisons, une
valse à quatre temps qui
use nos
semelles et nos cœurs sans fin. Puis le temps, les yeux ne voient plus
que des semblants de vie, les lambeaux
d'amour et nous voilà déjà au
bout du sillon.
Comment oublier l'amour dans les
yeux de mon père lorsqu'il m'a
regardé pour la dernière fois.
Peut-on
imaginer cet instant, cette poignée de secondes
où les regards s'embrassaient puis
se quittent ? Non, les choses existent là
delà des mots
Oui, on passe notre temps à fuir l'essentiel
et comme le dit si justement Fernando
Pessoa « les hommes passent leur temps
à vouloir des choses qu'ils ne désirent pas ».

Comme toutes les grandes œuvres
la vie repose sur une ambiguïté

Texte manuscrit inédit de Christophe Malavoy.

« Et c'est ce héros de l'énergie et du travail, qui serait le crime et la honte de son fils ! »

par Émile Zola

Mon père...

Il s'est trouvé des âmes basses, d'immondes insulteurs, dans la guerre effroyable de guet-apens qui m'est faite, parce que j'ai simplement voulu la vérité et la justice, il s'est trouvé des violateurs de sépulture pour aller arracher mon père à la tombe honorée où il dormait depuis plus de cinquante ans. On me hurle, parmi un flot de boue : « Votre père était un voleur. »

...

Émile Zola, à l'âge de six ans.

Je veux répondre tout de suite, dire ce que je sais, mettre debout sous la pleine lumière le François Zola, le père adoré, noble et grand, tel que les miens et moi l'avons connu.

C'est en 1839 seulement que mon père épousa ma mère, à Paris : un mariage d'amour, une rencontre à la sortie d'une église, une jeune fille pauvre épousée pour sa beauté et pour son charme. Je naissais l'année suivante ; et, à peine âgé de sept ans, je me revois derrière le corps de mon père, l'accompagnant au cimetière, au milieu du deuil respectueux de toute une ville. C'est à peine si j'ai d'autres souvenirs de lui ; mon père passe comme une ombre dans les

Deuxième Année. — Numéro 222 — Cinq Centimes — SAMEDI 28 MAI 1898

L'AURORE

Littéraire, Artistique, Sociale

Directeur ERNEST VAUGHAN

Mon Père

Par EMILE ZOLA

Une du journal L'Aurore, le 28 mai 1808 : « Mon père » par Émile Zola.

« Je n'ai eu pour le respecter, pour l'aimer, que le culte que lui avait gardé ma mère... »

lointains souvenirs de ma petite enfance. Et je n'ai eu pour le respecter, pour l'aimer, que le culte que lui avait gardé ma mère qui continuait à l'adorer comme un dieu de bonté et de délicatesse.

Aujourd'hui donc, on m'apprend ceci : « Votre père était un voleur. » Ma mère ne me l'a jamais dit, et il est heureux qu'elle soit morte pour qu'on ne lui donne pas cette nouvelle, à elle aussi. Elle ne connaissait du passé de l'homme qu'elle adorait que des choses belles et dignes. Elle lisait les lettres qu'il recevait de sa nombreuse parenté en Italie, lettres que je dois avoir encore, et elle y trouvait seulement l'admiration et la tendresse que les siens gardaient pour lui. Elle savait la vraie histoire de sa vie, elle assistait à son effort de travail, à l'énergie qu'il déployait pour le bien de sa patrie d'adoption. Et jamais, je le répète, je n'ai entendu sortir de sa bouche que des paroles de fierté et d'amour.

C'est dans cette religion que j'ai été élevé. Et au François

Zola de 1830, le prétendu coupable que personne des nôtres n'a connu, qu'on s'efforce de salir d'une façon infâme, uniquement pour me salir moi-même, je ne puis aujourd'hui qu'opposer le François Zola tel que notre famille, tel que toute la Provence l'a connu, dès 1833, époque à laquelle il est venu se fixer à Marseille.

François Zola, dont le père et le grand-père avaient servi la république de Venise comme capitaines, fut lui-même lieutenant, à l'âge de vingt-trois ans. Il était né en 1795, et j'ai sous les yeux un volume italien, portant la date de 1818, un *Traité de nivellement topographique*, qu'il publia à Padoue et qui est signé « Dottore in matematica Francesco Zola, luogotenente. » Il servit, je crois, sous les ordres du prince Eugène. Le malheur est que, dans l'affreuse bousculade où je suis, je cherche avec angoisse depuis deux jours, parmi mes papiers de famille, des documents, des journaux de l'époque, que je ne puis retrouver. Mais, je les retrouverai, et les dates précises, et les faits précis, seront donnés. En attendant, ce n'est ici que ce que je sais de mémoire : l'obligation où fut mon père de quitter l'Italie, au milieu des bouleversements politiques ; son séjour en Autriche, où il travailla à la première ligne ferrée qui fut construite en Europe ; les quelques années qu'il passa en Algérie, capitaine d'habillement dans la Légion étrangère, à la solde de la France, enfin son installation à Marseille, comme ingénieur civil, en 1833.

C'est ici que je le reprends hanté d'un grand projet. À cette époque, la ville de Marseille, dont le vieux port était insuffisant, songeait un nouveau port, ce port vaste qui fut plus tard établi à la Joliette. Mon père avait proposé un autre projet, dont j'ai encore les plans, un atlas énorme ; et il soutenait avec raison que son port intérieur, qu'il installait aux Catalans, offrait une sécurité beaucoup plus grande que celui de la Joliette, où les bateaux sont peu protégés, par les jours de mistral. Pendant

Maison du père d'Émile Zola. Ce dernier y passa une grande partie de son enfance.

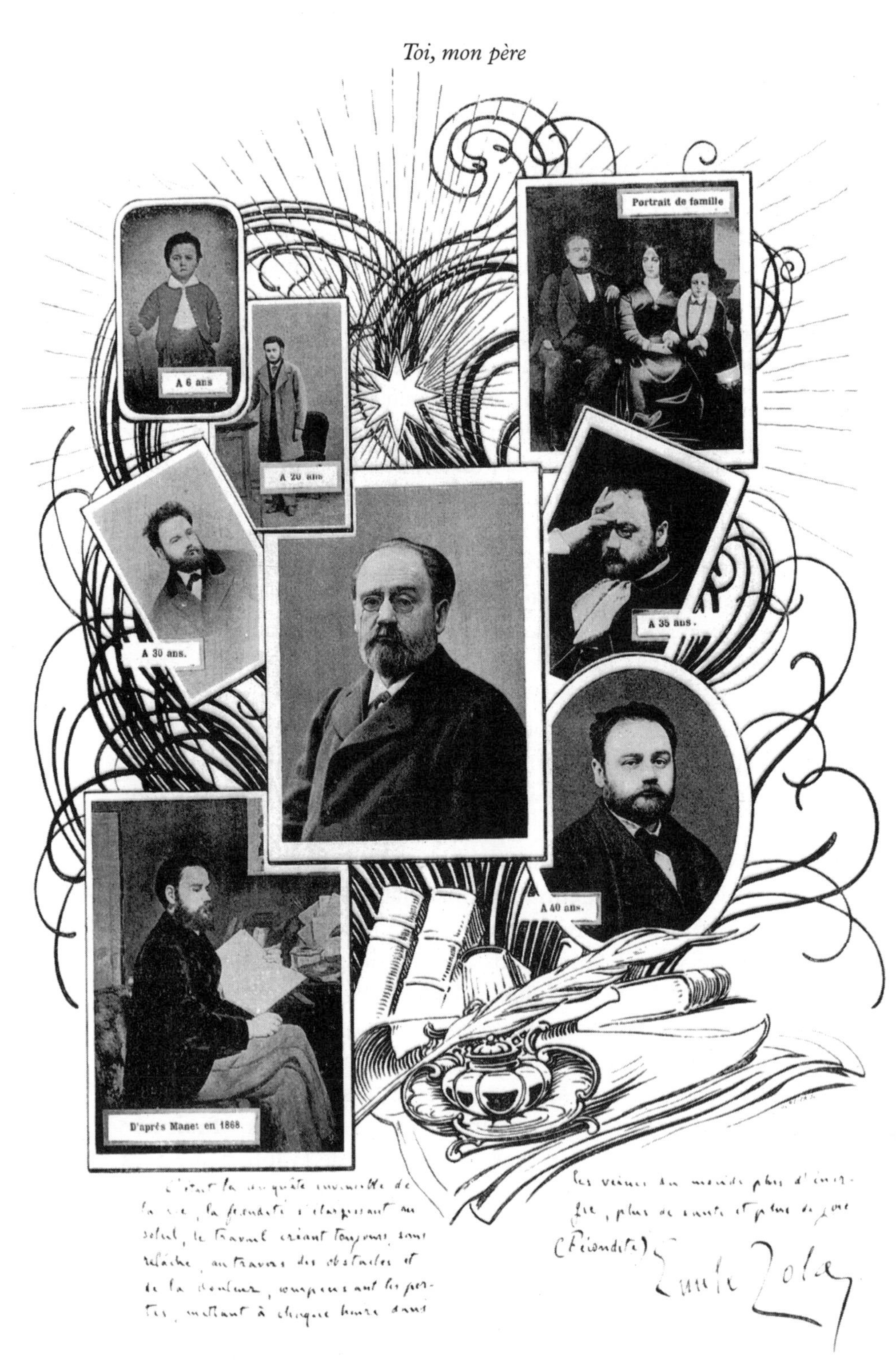

Émile Zola, portraits d'une vie.

cinq années, il lutta, et l'on trouverait l'histoire de toute cette lutte dans les journaux du temps. Enfin, il fut battu, le port de la Joliette l'emporta, et il s'en consola dans une autre entreprise, qui celle-ci, devait réussir.

Sans doute, pendant qu'il se débattait à Marseille, des affaires avaient dû l'appeler à Aix, la ville voisine. Et j'imagine que la vue de cette ville mourant de soif, au milieu de sa plaine desséchée, lui donna alors l'idée du canal qui devait porter son nom. Il voulait appliquer là un système de barrages qu'il avait remarqué en Autriche, des gorges de montagne fermées par de vastes murailles, qui retenaient les torrents, emprisonnaient les eaux de pluie. Dès 1838, il fait des voyages, il étudie les environs de la ville, il dresse des plans. Bientôt, il donne sa vie à cette idée unique, trouve des partisans, combat des adversaires, lutte près de huit années avant de pouvoir mettre debout son entreprise, au milieu des obstacles de toutes sortes.

Il fut forcé plusieurs fois de se rendre à Paris, et ce fut pendant ces voyages qu'il épousa ma mère. De forts appuis lui étaient venus, M. Thiers et M. Mignet avaient bien voulu s'intéresser à son projet et lui servir de parrains. D'autre part, il avait trouvé un avocat au Conseil d'État, M. Labot, qui se dévouait passionnément à sa cause. Enfin, le Conseil d'État, accueillit la déclaration d'utilité publique, le roi Louis-Philippe accorda l'ordonnance nécessaire. Et les travaux commencèrent, les premiers coups de mine faisaient sauter les grands rocs du vallon des Infernets, lorsque mon père mourut brusquement à Marseille, le 27 mars 1847.

On ramena le corps à Aix sur un char drapé de noir. Le clergé sortit de la ville, alla recevoir le corps hors des murs, jusqu'à la place de la Rotonde. Et ce furent des obsèques glorieuses, auxquelles toute une population participa. [...] C'était un vaillant qui s'en allait, un travailleur que toute une cité remerciait de l'acharnement qu'il avait mis à vouloir lui être utile.

Je l'ai dit, je cherche depuis deux jours avec une fièvre douloureuse les preuves de ces choses. J'aurais surtout voulu retrouver le numéro du *Mémorial d'Aix,* où est le compte-rendu des obsèques de mon père. Il m'aurait suffi de le reproduire, de donner surtout le texte des discours pour que le véritable François Zola fût connu. Le malheur est qu'il n'est pas commode de remettre la main sur des journaux de plus de cinquante ans. [...] Mais, si je n'ai point retrouvé dans mes papiers le numéro en question, en voici pourtant quelques autres, qui seront des preuves suffisantes.

...

C'est dans un numéro de *La Provence*, en date du 29 juillet 1847, quatre mois après la mort de mon père, dans lequel est racontée une visite que M. Thiers, alors en voyage, fit aux chantiers du canal Zola : « Hier, 28 juillet, M. Thiers, ainsi que MM. Aude, maire d'Aix ; Borely, procureur général ; Goyrand, adjoint ; Leydet, juge de paix, et plusieurs autres notabilités de la ville, sont allés inopinément visiter les travaux du canal Zola, à la colline des Infernets. [...] M. Pérémé, le gérant, a profité de la circonstance pour présenter à M. Thiers le jeune fils de feu M. Zola. L'illustre orateur a fait le plus gracieux accueil à l'enfant ainsi qu'à la veuve d'un homme dont le nom vivra parmi ceux des bienfaiteurs du pays. » Enfin, comme je ne veux pas emplir ce journal, je me contenterai de donner encore la lettre suivante, qui était adressée à M. Émile Zola, homme de lettres, 23, rue Truffaut, Batignolles-Paris :

« Aix, le 25 janvier 1869.

Monsieur,

J'ai l'honneur de vous adresser une ampliation de la délibération du Conseil municipal d'Aix, du 6 novembre 1868, et du décret du 19 décembre suivant, qui décident de donner au boulevard du Chemin-Neuf la dénomination de *boulevard François Zola*, en reconnaissance des services rendus à la cité par M. Zola, votre père.

J'ai donné des ordres pour que la délibération du Conseil municipal, sanctionnée par l'empereur, reçoive immédiatement son exécution.

Agréez, monsieur, l'assurance de ma considération très distinguée.

Le maire d'Aix,

P. Roux. »

Et c'est cet ingénieur dont le projet de nouveau port a occupé Marseille pendant des années, qui serait un individu, un parasite vivant de la desserte d'une famille ! Et c'est cet homme énergique, dont la lutte au grand jour pour doter la ville d'Aix d'un canal est restée légendaire, qui serait un simple aventurier qu'on aurait chassé de partout ! Et c'est ce bon citoyen, bienfaiteur d'un pays, ami de Thiers et de Mignet, auquel le roi Louis-Philippe accorde des ordonnances royales, qui serait un voleur, sorti honteusement de l'armée italienne et de l'armée française ! Et c'est ce héros de l'énergie et du travail, dont le nom est donné à un boulevard par une ville reconnaissante, qui serait un homme abominable, le crime et la honte de son fils ! Allons donc ! à quels sots, à quels sectaires même, espérez-vous faire croire cela ? Expliquez donc comment Louis-Philippe, s'il avait eu affaire à un soldat déshonoré, aurait signé l'ordonnance d'utilité publique ? comment le Conseil

d'État aurait accueilli le projet avec une faveur marquée ? comment d'illustres amitiés seraient venues à mon père, comment il n'y aurait plus eu autour de lui qu'un concert d'admiration et de gratitude ?

…

Et alors me voilà à la merci de l'outrage, sans autre défense possible que de crier tout ce que je sais de bon et de grand sur mon père, toute la Provence qui l'a connu et aimé, le canal Zola qui clame son nom et le mien, son nom encore qui est sur la plaque d'un boulevard et dans tous les cœurs des vieillards qui se souviennent.

Mais les misérables insulteurs ne sentent donc pas une chose, c'est que, même s'ils disaient vrai, si mon père jadis

avait commis une faute – ce que je nierai de toute la force de mon âme, tant que je n'aurai pas moi-même fait l'enquête – oui ! si même les insulteurs disaient la vérité, ils commettraient là une action plus odieuse et plus répugnante encore ! Aller salir la mémoire d'un homme qui s'est illustré par son travail et son intelligence, et cela pour frapper son fils, par simple passion politique, je ne sais rien de plus vil, de plus bas, de plus flétrissant pour une époque et pour une nation !

Car nous en sommes arrivés là, à des monstruosités qui semblent ne plus soulever le cœur de personne. Notre grande France en est là, dans cette ignominie, depuis qu'on nourrit le peuple de calomnies et de mensonges. Notre âme est si profondément empoisonnée, si honteusement écrasée sous la peur, que même les honnêtes gens n'osent plus crier leur révolte. C'est de cette maladie immonde que nous allons bientôt mourir, si ceux qui nous gouvernent, ceux qui savent, ne finissent pas par nous prendre en pitié, en rendant à la nation la vérité et la justice, qui sont la santé nécessaire des peuples. Un peuple n'est sain et vigoureux que lorsqu'il est juste. Par grâce, hommes qui gouvernez, vous qui êtes les maîtres, agissez, agissez vite ! ne nous laissez pas tomber plus bas dans le dégoût universel !

Moi, je me charge de ma querelle, et je compte y suffire.

Puisque j'ai la plume, puisque quarante années de travail m'ont donné le pouvoir de parler au monde et d'en être entendu, puisque l'avenir est à moi, va ! père, dors en paix dans la tombe où ma mère est allée te rejoindre. Dormez en paix côte à côte. Votre fils veille, et il se charge de vos mémoires. Vous serez honorés, parce qu'il aura dit vos actes et vos cœurs.

Lorsque la vérité et la justice auront triomphé, lorsque les tortures morales sous lesquelles on s'efforce de me broyer l'âme seront finies, c'est ta noble histoire, père, que je veux conter. Depuis longtemps j'en avais le projet, les injures me décident. Et sois tranquille, tu sortiras rayonnant de cette boue dont on cherche à te salir, uniquement parce que ton fils s'est levé au nom de l'humanité outragée. Ils t'ont mis de mon calvaire, ils t'ont grandi. Et, si même je découvrais une faute dans ta jeunesse aventureuse, sois tranquille encore, je t'en laverai, en disant combien ta vie fut bonne, généreuse et grande.

Emile Zola

Émile Zola, L'Aurore, *28 mai 1898*

« Adieu, mon petit, je vais me fiche à l'eau... »

par Jacques Prévert

Enfance...

Il était de taille moyenne mon père, c'est-à-dire presque petit, avec une barbe brune, les yeux très bleus lui aussi, comme nous tous, et un nez plutôt grand.

Il portait presque toujours un veston à « doubles rangées de boutons », un chapeau melon l'hiver, un canotier quelquefois noir l'été, et souvent une petite casquette à carreaux, c'était la mode, comme les champions de vélo.

Il travaillait à *La Providence*, une grande Compagnie d'Assurances de Paris, rue de Gramont, près de l'Opéra-Comique. Mais les accidents, les incendies, ça ne l'intéressait que médiocrement.

« Je fais ça en attendant », disait-il, mais il ne donnait jamais aucune précision sur ce qu'il attendait. Comme son travail l'« ennuyait souverainement », il s'occupait d'un tas de choses à côté, la politique, le sport, et surtout le théâtre.

Il avait rêvé d'être acteur, comme son frère Dominique.

...

Il tenait ses assises au café de l'Hôtel-de-Ville et c'est en rêvant devant le sucre qui fondait sur le grillage de la cuiller à absinthe qu'il nous citait la dernière phrase du Comte de Monté-Christo : « Attendre et espérer ! » Et, quand il était d'humeur morose, celle d'Émile Zola, avant le point final du Ventre de Paris : « Quelles fripouilles que les honnêtes gens ! »

Il aimait beaucoup les livres. Il écrivait un peu dans les journaux. Il faisait la critique dramatique, c'est-à-dire qu'il écrivait son avis sur les pièces, même quand elles étaient comiques.

Autoportrait de Jacques Prévert.

« Pères
regardez-vous à gauche regardez-vous à droite
Pères
regardez-vous dans la glace et regardez-nous en face. »

(Les enfants exigeants)

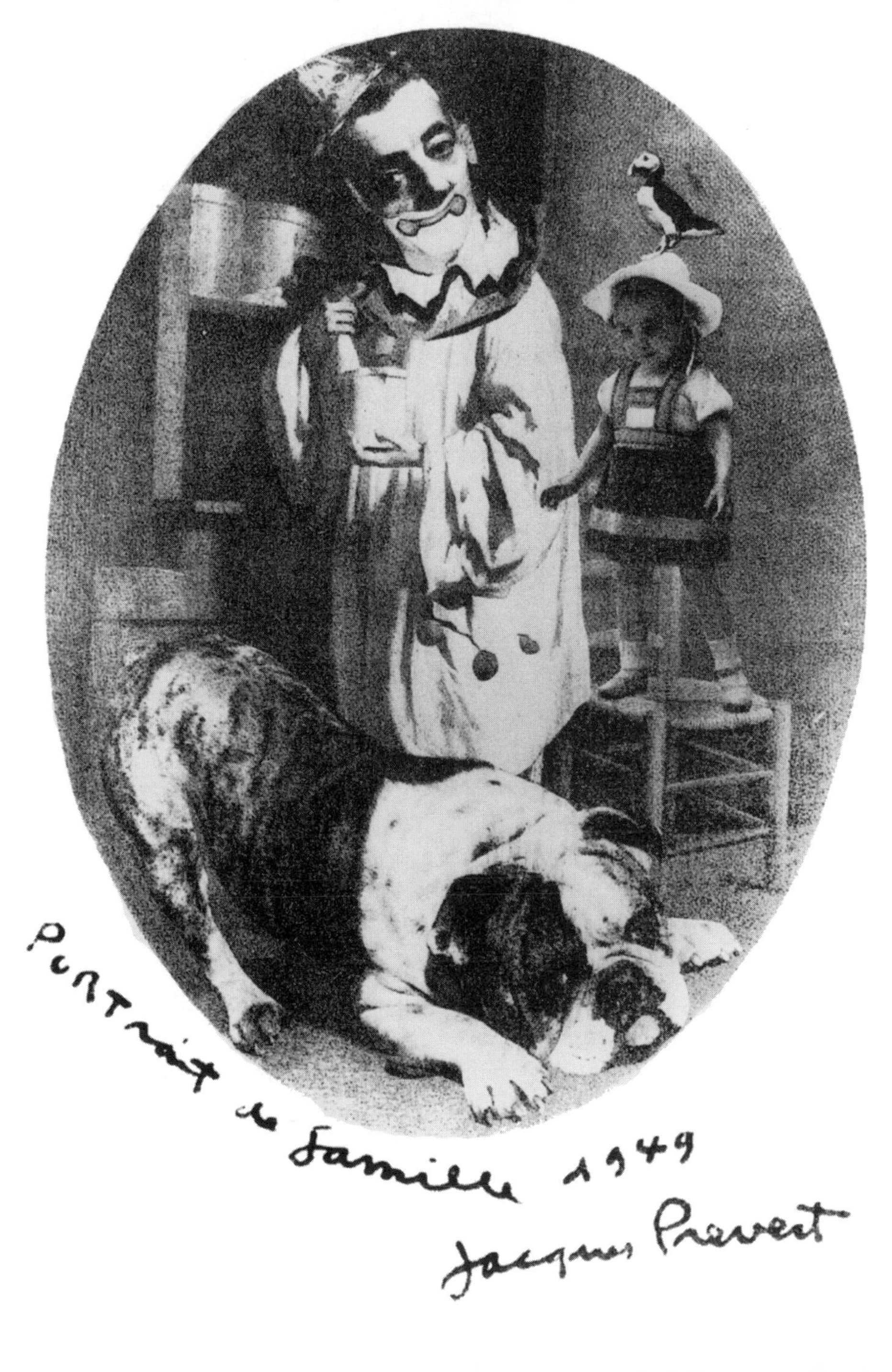

André Prévert, père de Jacques, écrivant
Diane de Malestrec, *feuilleton pour* Le Plébiscite.

Il avait écrit aussi un roman-feuilleton qui se passait en Bretagne et sous l'Empire. Cela s'appelait Diane de Malestrec, et c'était très difficile à suivre, il était d'ailleurs le premier à en convenir.

Il avait toujours des rendez-vous très importants, au Ratodrome, au Fronton de Pelote basque, avec des lutteurs japonais ou à la Permanence de la Patrie française.

...

Papa jouit d'une très délirante santé : l'entérite, les courbatures, la dépression nerveuse, la mélancolie.

« Freinez un peu le vélo », dit le docteur, « et les apéritifs aussi ; un jour ou l'autre, il faudra bien vous y décider. »

« Un jour ou l'autre, pourquoi pas ? » dit mon père.

Et le docteur s'en va. Mon père hausse les épaules :

« Il est bien gentil, avec sa mélancolie, sa neurasthénie. J'ai tout simplement le mal du pays, et pas du mien », ajoute-t-il en allumant sa pipe. « Il m'a fait trop de mal quand j'étais petit : j'ai le mal du pays, le mal de la Provence ! »

Peu de temps après il demande un congé à *La Providence* « pour affaire de famille » et prend le train pour le pont du Gard où un de ses amis habite une ruine de toute beauté.

« Vous verrez ça un jour », dit-il en nous embrassant.

« Un jour ou l'autre ! » dit ma mère.

Mais nous recevons des cartes postales du pont du Gard, des Alyscamps d'Arles, des Saintes-Marie-de-la-Mer, du château des Papes d'Avignon et aussi une boîte de calissons d'Aix.

Nous savons bien que, comme d'habitude, il ne restera pas longtemps et quand il revient, nous sommes tous très heureux de le revoir, d'autant plus qu'il nous dit, très ému, combien nous lui avons manqué.

...

Les nuits passaient très vite, sauf quand mon père, qui avait ses « cauchemars », me réveillait :

« Ne m'arrachez pas mes chaussettes, j'ai des engelures, ça m'écorche les pieds... Non, je ne veux pas qu'on m'enferme dans le cabinet noir ! » Je me levais, le secouais un peu ; il se réveillait, m'embrassait, ou alors c'était lui qui sautait du lit et venait me raconter ses mauvais rêves pour s'en débarrasser.

Des fois, je n'avais pas envie de dormir mais je voyais sur les murs des choses comme celles des livres et qui bougeaient ou qui restaient immobiles et figées. [...] Était-ce sur le mur, dans mon rêve ou n'importe où ailleurs, mais je hurlais parce que j'avais peur.

Mon père se levait, venait me rassurer. Et, à voix basse, me disait :

« C'est dommage qu'on ne puisse chasser les cauchemars à coups de pied. »

Comme j'étais triste, il me caressait les cheveux, il me citait une phrase d'un écrivain qu'il connaissait et qui s'appelait Jean Lorrain :

« J'ai beau savoir que ce n'est pas grand-chose, ça me fait mal et ça me fait pleurer. »

...

Nous avons beaucoup d'ennuis, paraît-il, et naturellement comme toujours, des ennuis d'argent. Mais cette fois, il paraît que « ça dépasse les limites ».

« Plein la malle jusqu'au cadenas ! » dit papa.

Il a perdu sa situation. Il ne tenait pas tellement à elle et elle, sans doute, pas davantage à lui.

« Nous nous séparons à l'amiable », dit-il, « mais hélas l'amabilité, pécuniairement parlant, n'arrange les choses que très provisoirement. »

Nous habitons maintenant rue Jacques-Dulud, un petit rez-de-chaussée assez sombre mais beaucoup plus près du bois, « ce qui est tout de même une petite compensation », dit mon père.

Compensation ou pas, nous ne vivons plus pareil. Au café de l'Hôtel-de-Ville, mon père y va moins souvent et quand il y va, boit beaucoup plus modestement..., ou désignant d'un doigt désinvolte mais un peu tremblant ses soucoupes à un ami, il lui dit :

« Excusez-moi, je vous laisse ça, je suis sorti sans rien sur moi. » Un peu plus tard, rendant la politesse, c'est au garçon qu'il s'adresse avec une hésitante autorité :

« Pour moi tout ça. Mettez-le sur mon compte. »

Et il donne un pourboire royal.

Puis, sautant sur son vélo, fait plusieurs fois le tour de la place, à toute vitesse, « en haute voltige », revient me chercher, m'assoit sur son guidon, salue tout le monde et prend congé.

...

Lui se couchait très vite et avec les journaux, sans même attendre la fin du jour.

« Les Romains mangeaient couchés, grâce à ça, ils firent de grandes choses et demain, j'ai une dure journée. »

Chaque jour il partait à Paris pour des rendez-vous-très-importants et, le soir, il rentrait et parfois avec un peu d'argent et même des bonbons et des livres quand ce n'était pas un billet de loterie.

...

Ce que mon père écrit, et sans arrêt, c'est seulement des enveloppes et des formules d'imprimés.

« Je suis », dit-il, « un type du genre de Madame Sévigné mais s'il fallait que je paye les timbres, ce serait la ruine pour de bon. » Les enveloppes et un tas de petits travaux dans le même genre, c'est toujours en attendant. Mon père affirme que très vite il va dominer la situation.

...

Un soir mon père m'emmena sur le quai Cronstadt et, ce soir-là, le quai était désert et froid et mon père était si désemparé que le petit clapotis de la mer, on aurait dit qu'il fredonnait une chanson triste, un mauvais air.

« Mon petit, à force de tirer sur la corde, elle finit par casser, au bout du fossé la culbute, et j'en passe. Enfin, tu comprendras cela quand tu seras plus grand. Je vous aimais trop et pas assez. Moi parti, on s'occupera de vous et ça leur servira de leçon. »

« T'es pas fou, papa ? »

« Ton père, c'est comme un chien abandonné, adieu mon petit. Je vais me fiche à l'eau. Surtout n'oublie pas de dire à ta mère que je l'ai beaucoup aimée. »

Il m'embrasse, mais je l'entraîne :

« Allons papa, fais pas de bêtise. »

« Je n'ai pourtant rien bu », dit papa.

« J'ai pas dit ça, allez, rentrons. »

Et j'emmène mon père par la main comme un père emmène son petit garçon.

Jacques Prévert

Jacques Prévert, Choses et autres, *1972*

« Le père est le seul visage d'homme qui soit donné à une femme. »

par Camille Laurens

On serait bien en peine de trouver une photographie du père portant dans ses bras un enfant. Ça sent la merde et le vomi, ça bave, ça dort tout le temps. Le père n'aime pas trop les tubes digestifs – disons qu'il a du mal à s'y attacher.

L'amour vient plus tard, quand l'enfant, renonçant à sa nature étymologique, se met à parler. Cela devient intéressant.

Le corps ne suffit donc pas pour être aimé du père – il ne suffit pas d'avoir des bras, des jambes, des yeux, un ventre rond qui réclame des chatouilles et du lait.

Vers trois ans, elle entend le père lui parler, se pencher vers elle en souriant, tiens tiens elle parle, elle répond, elle articule, elle parle très bien, pour son âge.

Il ne faut pas faire l'enfant avec le père.

Le plus curieux, c'est qu'il ne dit pas grand-chose, il est taiseux, dans l'ensemble. Mais elle, elle babille, elle raconte, elle invente le monde. Du moment qu'il écoute, qu'importe s'il se tait ?

Elle parle pour lui.

...

Le père a beaucoup souffert, c'est sûr. C'est un pauvre papa sans maman.

Elle fait des petits dessins pour lui, de couleurs vives. Elle écrit des poèmes, des comptines qu'elle ne peut laisser le soir sur son oreiller, à cause d'André, mais qu'elle glisse dans la

« Il manque aux hommes ce fils, ce double d'eux-mêmes, cet avenir d'eux-mêmes – le sang, le visage, le nom –, tout leur manque, même à ceux qui s'en gardent, qui se retirent à temps, qui sortent couverts, qui s'en foutent, qui ont trop de travail, qui disent non, qui détestent les cris, les pleurs, les liens, les attaches, qui ne supportent pas les enfants – il manque à tous les hommes, même à ceux qui les tuent. Tous les hommes sont pères. »

poche de son pyjama accroché à la patère de la salle de bain. Tous les jours après ses devoirs, elle invente un refrain nouveau, une poésie tendre dédiée à Pounet, Papounet. Dès qu'elle rentre du collège, elle enfile les babouches en cuir qu'elle lui a offertes pour son anniversaire, elle nage dedans mais ça lui plaît, elle a l'impression d'être avec lui, dans une espèce de tête-à-tête ; elle se plaît à entretenir cette intimité pantouflarde.

Elle est en 6ème, elle a un an d'avance. À l'école, elle était toujours première ou deuxième, il s'agit maintenant d'obtenir à chaque trimestre les félicitations, d'être la meilleure. Elle est jolie, gaie, douce, polie, tendre, facile, bien élevée, attentionnée, sensible, aimante. Aussi le père sera-t-il fier, et lorsqu'elle grimpera sur ses genoux, après manger, midi et soir, il lui sourira.

Ainsi se forge, au fil des mois de sa dernière enfance, son idéal d'homme, sa définition de l'homme idéal : c'est quelqu'un qui a souffert, mais qu'on peut rendre heureux. La petite fille devenue femme n'a rien d'un bourreau des cœurs ; son ambition la plus noble, au contraire, son projet le plus fier, dès qu'un homme lui plaît, surtout s'il est triste et sombre, c'est de le rendre heureux.

...

J'ai fait une expérience, hier ; je me suis inspirée d'un test scolaire sur la mémorisation : j'ai couché sur le papier toutes les phrases que j'ai retenues de mes proches, tout ce qu'ils ont dit assez souvent ou assez solennellement pour que je m'en souvienne. Vous voyez ? J'ai commencé par mon père, c'est venu tout seul, sans presque chercher, en dix minutes j'en avais deux pages pleines : des expressions à lui, des citations, des blagues qu'il faisait souvent, dans mon enfance.

Et puis j'ai relu. Je crois que j'espérais trouver là une sorte de secret, une formule magique où se condenserait tout le père, son essence. Mais quelle expérience atroce ! À quoi se réduit notre être, soudain ! Si je vous lisais, vous comprendriez.

Ensuite, je n'arriverais pas à ajouter quoi que ce soit à ce portrait parlant – parlant oui, tellement parlant que j'en étais muette, saisie d'effroi comme devant l'abîme. Il m'avait semblé que c'était beaucoup, deux pages, pour un homme qui se tait, que ça allait donner chair et corps au mystère, que j'allais entrer dans le secret. Et ce qui m'est apparu soudain, et j'ai eu comme un trou dans l'âme, devant mon petit ramassis de miettes, c'est qu'il n'y avait pas de secret, justement, pas l'ombre d'un secret. Le père n'est pas ce héros, voilà, vous êtes content, je suppose – « il faut tuer le père » et tout le saint-frusquin, je sais. Mais je ne vais pas en rester là, comme vous dites, je vais continuer, vous allez voir.

...

Elle relit et, si, tout de même, il y a un secret. Mais lequel ?

Puis elle comprend : le secret du père, c'est sa langue – une langue crue, des plaisanteries de carabin, des mots de corps de garde, des calembours de potache sur le sexe et les femmes, bref une langue d'homme. Le père lui parle ainsi, dans l'enfance, afin qu'elle l'apprenne, qu'elle s'en imprègne. Il n'a eu que des filles, mais il leur parle comme à des garçons, d'homme à homme, avec ce rien d'enfance, aussi, d'humour naïf qui séduit même les quilles à la vanille, peut-être.

Est-ce ainsi que les hommes parlent ? Certainement, puisque c'est la langue du père.

Les hommes ne parlent pas d'amour – ni « ma chérie », ni « mon amour ».

Les hommes ne s'apitoient pas, ils s'amusent : « Vas-y, pleure, tu pisseras moins. »

Les hommes ne fleurissent pas la langue de métaphores efféminées, de figures romantiques : le long fruit d'or n'est qu'une poire, la femme un trou avec du poil autour. Foin de savante poésie : j'appelle un chas un con, et les mots pour le dire arrivent aisément.

C'est une langue verte, une langue qui en a.

...

Elle se relit – elle relit ce qu'elle a écrit, ses trois romans. Le père lui a transmis sa langue, indéniablement, sa voix virile, elle hante le texte et le tatoue d'une empreinte mâle, il en est l'auteur comme on dit « l'auteur de ses jours ». Le père n'est pas un héros ? Mais il est le héros de l'histoire : quand elle écrit dans sa langue, sa langue paternelle.

...

C'est particulier, le père – c'est un homme à part, la part d'homme en elle. Quand elle sort du bain, les cheveux plaqués en arrière, la peau nue, sans maquillage, les traits un peu durcis par la lumière des néons, les sourcils broussailleux, l'air sombre, soudain elle l'aperçoit dans le miroir : c'est lui.

Le père est le seul visage d'homme qui soit donné à une femme ; le père est le seul homme qu'il lui soit jamais donné d'être.

Camille Laurens, Dans ces bras-là, *2000*

« On les repère à cent mètres ces papas amputés de leur bébé... »

par Patrick Poivre d'Arvor

Papa et maman était séparés depuis quelques temps. Ils se disputaient ma garde comme des chiffonniers bien avant ma naissance. Papa ne possédait pas les meilleurs atouts dans son jeu : il avait été marié puis divorcé...

...

Pour la douzième fois de la journée, Papa m'a demandé si je l'aimais. Ce qu'il m'agace. [...] Invariablement, il éprouve le besoin d'ajouter : « Et Maman, tu l'aimes ? »

...

Papa a vu que j'avais un peu pleuré. Il a cru que c'était à cause de Maman. Je l'ai senti désemparé. Il ne savait plus quoi faire de moi et de notre solitude. Il manquait quelqu'un. Comme c'est un bon papa, il décida de ne pas me coucher dans le petit lit à barreaux prévu à mon intention. Il me prit dans le sien. Le bonheur d'être protégé dans ma nuit par un corps aussi fort. Un corps de père pour moi tout seul. Toute la nuit, il me regarda. En rêve je l'ai vu se pencher sur moi. Mon papa, c'est un arbre, j'aime bien ses branches qui me portent quand je suis fatigué. Et ses racines qui s'enfoncent si profond dans le sol de ses souvenirs.

...

Papa a une voiture décapotable qui me plaît beaucoup. Il me semble que c'est le premier mot que j'ai su articuler. Papa, décapotable, j'en étais saoulant à force de répéter ça à tout le monde. [...] Je m'assois comme un pacha sur l'accoudoir qui sépare en deux le siège arrière. De temps à autre, dès qu'il freine, Papa tend le bras entre son siège et celui du « mort », pour m'empêcher de basculer vers l'avant. [...] Pour moi, c'est ça un papa, c'est un bras plein de muscles pour vous protéger de tout. Avec mon père, j'irai jusqu'au bout du monde.

...

Papa m'emmena à la cathédrale. J'étais interloqué. Je ne comprenais pas que ce Dieu que chacun vénérait ici, et qui se disait Papa du Christ, ait toléré pareil scandale. « Et si j'ai mal, lui dis-je, si on me met des clous dans les pieds et les mains, tu viendras me les retirer ?

– Bien sûr, mon bébé, et jamais personne ne te fera de mal en ma présence, je préférerais qu'on me découpe en petits morceaux. »

J'imaginais, un instant, mon père réduit à l'état de petits cubes de jambon et je me dis que, décidément, Dieu était nul. Avoir permis que son garçon – même à trente-trois ans, ça doit faire jeune – soit crucifié sous son nez, mais où avait-il donc la tête ? Au moins, mon père à moi, on pouvait compter sur lui.

...

Papa m'emmena là où il était né. [...] Je n'ai pas osé le lui dire, mais qu'est-ce que c'était moche ! [...] Il le comprit à ma moue et m'entraîna bien vite vers sa première école. Du haut de son grenier, me dit-il, sa maman le surveillait pendant les récréations. Il paraît qu'il était très sauvage, ne parlait à personne et faisait rouler sa petite voiture sur la rainure du mur de la cour.

Moi aussi j'aime beaucoup les petites voitures et j'avais du mal à imaginer mon père en culotte courte, poussant son jouet comme je le faisais à l'école ou à la maison. Quelle mine faisait-il quand il était tout petit ? Portait-il déjà ses rides qui le rendent de temps à autre si malheureux ? Possédait-il alors le sourire magique qui me laissait croire qu'avec lui rien n'est impossible ? Les femmes qui le regardaient devaient avoir parfois la même impression que moi, je m'en rendais compte et, en cet instant, je les aurai griffées.

Et moi, donc, quelle tête aurais-je à cinquante ans ? Celle d'un vieux bébé bouclé ? Papa m'avait montré des photos de lui à mon âge, la ressemblance était troublante. J'aimerais bien devenir aussi grand que lui, avec un peu plus de cheveux et un peu moins voûté tout de même. Il me donne le sentiment de porter tout le malheur du monde sur ses épaules et, quand il n'y a pas de malheur à l'horizon pour lui, de se charger de celui d'autrui. C'est peut-être une ruse. Il paraît si souvent triste qu'on a envie de le consoler. Je crois que c'est pour cela qu'il fait fondre tout le monde, et moi le premier. J'aime le protéger.

...

Il était obsédé par l'idée que je tiendrais un jour un journal et par ce que je pourrais bien raconter de lui dans vingt ou trente ans. Ne te fais pas de bile, petit Papa, pour le moment, c'est mon disque qui enregistre, qui mémorise et qui restituera tout cela quand il le faudra. Arrête de vivre à travers le regard des autres, surtout d'un petit mioche comme moi. Agis à ta guise, personne ne te juge, surtout pas moi. Je me contente de t'aimer comme tu m'aimes. Et c'est déjà beaucoup. Mais je ne te le dirai jamais. T'aime Papa. Plus tard, c'est promis, je te l'écrirai. Tu seras peut-être déjà mort, comme Maman. À quoi ça sert d'attendre si longtemps pour lire au Paradis ce que je pense de toi ? Vis, Papa, profite de moi, ça peut s'arrêter si vite.

...

Il est si indulgent avec moi. Il ne faut pas trop que j'en profite, j'ai entendu dire que les divorcés ont tendance à s'excuser d'avoir laissé leur progéniture au bas d'un contrat déchiré. On les repère à cent mètres tous ces papas amputés de leur bébé, qui se les louent le week-end comme on le ferait d'un smoking et qui les rendent le dimanche soir la mort dans l'âme.

...

Ce que je sais, c'est que mon père est un type formidable.

Patrick Poivre d'Arvor, Petit homme, *1998*

« Un homme qui m'a appris l'homme et rien que l'homme. »

par Katherine Pancol

Mon papa.

Quand il est mort, j'ai pas été surprise. Je pensais qu'il irait voir là-bas comment ça se présentait et qu'il reviendrait pour me raconter. [...] Le temps de monter là-haut, de tout bien inspecter et de redescendre prévenir sa famille. C'est bon. Vous pouvez me suivre. L'Au-delà et le Paradis, c'est kif-kif. Des roses et du miel. D'oblongs chérubins qui soufflent un vrai zéphyr. Un verger riant et doux où on se les roule, peinards. Y a pas de raison d'avoir la trouille. C'est du gâteau.

Lui, c'est pas sûr qu'il soit monté direct au Paradis. Il a dû s'arrêter en route. Histoire de se réparer l'âme.

Mais enfin... J'attendais tout de même.

Il était grand. Grand nez, grande bouche. Grandes jambes, grands bras. Grande gueule. Infidèle. À toutes. Souvent absent. Mais, quand il était là, il prenait toute la place. Les hommes palpaient les billets dans leurs poches, les femmes dénudaient leur épaule. Il choisissait. Le copain pour faire la bringue ou la femme d'une nuit. Séduire était la grande affaire de sa vie. Il se penchait sur chaque regard comme sur un miroir. Veloutait son oeil bleu, balançait un sourire, enfonçait les mains dans ses poches, lissait sa mèche épaisse, enlevait, embrassait puis repartait. Ailleurs.

Certaines personnes, en vieillissant, parlent du bilan de leur vie, de l'aménagement de leur âme. Lui, non. Il n'était pas fier de sa vie en général mais se vantait facilement. Pour des détails. C'était son gros défaut. Il jouait au chef, se prenait la grosse tête et se mettait à faire la circulation. À gauche, à droite, fais comme ci, pas comme ça. Mais on le rappelait à l'ordre facilement. « Arrête, on lui disait, arrête. T'es pas crédible en premier de la classe. » Il souriait et s'arrêtait net. Mais, sinon...

Il voulait pas compter. Pas penser. Il voulait pas devenir raisonnable. Il s'est battu pour rester vivant le plus longtemps possible, mais quand il a compris que c'était fini il n'en a pas fait un drame. Comme si ça lui était un peu égal. Qu'il avait eu son compte, que c'était normal. Il n'était pas jaloux, ni aigri. Il n'en voulait à personne. Il n'a pas fait l'intéressant non plus. Avec ses tuyaux dans les bras et dans le nez.

Il savait.

Moi aussi je savais.

Depuis le jour où un chirurgien sûr de sa science et muni de radios irréfutables, avait prononcé d'un ton clinique la condamnation à mort de mon père : « Trop de cigarettes, trop d'alcool, trop... »

Je pouvais continuer sans rougir la liste des trop. Trop de petites femmes ramassées au hasard. Trop de nuits blanches dans les bars. Trop de colères avinées contre le monde, les crétins, les imposteurs, les trouillards, les cire-pompes, les apparences bien lisses et bien menteuses, les certitudes pantouflardes, arrogantes. Trop d'impuissance à se ranger selon la norme. Trop d'échecs rentrés comme des boules puantes qui lui rongeaient les tripes. « Cancer du poumon, avec métastases généralisées. Il en a pour deux mois au plus. Passera pas Noël. »

...

Mon papa...

Mon papa... Passera pas Noël.

...

« Avec ta façon de m'aimer tout de travers,
tu m'as quand même filé un bon bout de
territoire où j'ai appris à me tenir debout.
À résister à tout. À tes colères,
à tes tempêtes et à celles de la vie. »

Katherine et Jean-Marie Pancol

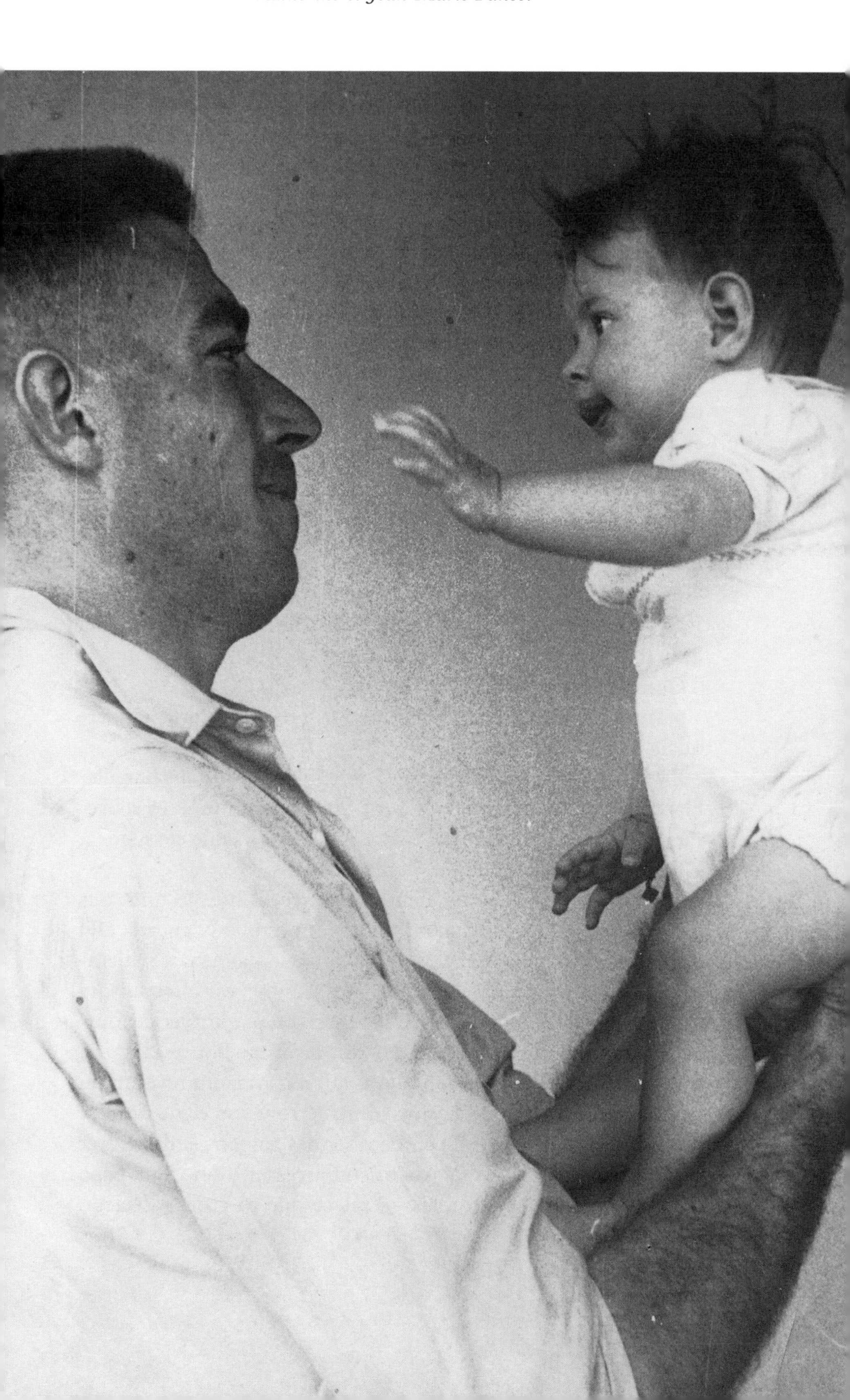

Je reste seule avec lui. Et je suis bien contente.

De temps en temps, il lance très fort, et sa voix raisonne à cet étage de malades prostrés qui avancent en faisant chuchoter leurs pantoufles, il crie comme s'il voulait se prouver qu'il est bien vivant :

– MA FILLE !

Et je lui réponds sur le même ton avec la même force :

– MON PAPA !

On écoute les mots qui vibrent. Nous rassurent. Ces mots qui me donnaient tous les courages quand j'étais petite. Je ne veux pas que MA FILLE lave la vaisselle ni qu'elle passe la serpillière ! MA FILLE est une reine. MA FILLE est première en classe. MA FILLE les rendra tous fous. Vous avez vu MA FILLE... Des fois, il dit qu'il en a marre. Qu'il veut aller voir dehors ce qui se passe. Il rabat les couvertures et essaie de se lever. Mais il tombe. Et on doit s'y mettre à deux ou trois pour ramasser ce grand corps d'un mètre quatre-vingt-dix qui n'a plus que des os mais veut encore en profiter. On le recouche. Il fait la grimace. Il dit alors que c'est fini. C'est vraiment la fin s'il ne peut plus aller voir dehors.

Comme avant.

– Tu te rappelles, ma fille, les petites serveuses que j'embarquais à la fin des dîners...

Il se rappelle et il fanfaronne. Son œil bleu brille sur l'oreiller blanc, sa grande bouche sourit et il tend la main vers ses souvenirs. Vers un mât de cocagne à souvenirs qu'il secoue et secoue...

Et moi, assise près de lui, j'oublie tout.

Les colères qui me rejetaient, paralysée, contre le mur. Ses mots d'amour qui fauchaient ma rage. J'oublie la guerre. Œil pour œil, dent pour dent. Le couteau que j'aiguisais patiemment pour le lui planter dans le dos, le jour où c'est lui qui aurait besoin de moi. Parce qu'il a bien fini par arriver ce jour-là. Pouce ! qu'il a dit en me tendant les bras. Pouce avec toi. S'il te plaît... Ce jour-là, je lui ai ri au nez. Mais tu rêves, mon vieux ! Tu rêves ! C'est à mon tour d'être jeune et de bouffer la vie par tous les bouts. D'embarquer des garçons et de rentrer au petit matin ! Et je vais pas m'embarrasser d'un vieux papa alcoolo et volage. Non, mais qu'est-ce que tu crois ? Chacun pour soi.

Je l'ai planté. Et il est allé vieillir tout seul, dans un pauvre deux-pièces, à fumer des Gitanes à la chaîne et à boire du Vieux Papes. En tête à tête avec la télé et son cendrier qui débordait. Personne ne savait que je l'aimais tant.

Même pas moi.

...

– Je suis un zéro, ma fille. J'ai toujours été un zéro sur ces coups-là et sur beaucoup d'autres, tu sais...

Ah, non ! Elle se rebiffait. C'est pas possible : il ne pouvait pas être un zéro, c'était son papa. Le plus beau papa du monde. Le plus élégant. Le plus grand. Le plus charmant, le plus...

– Tss ! Tss ! J'étais rien de tout ça. Je faisais semblant d'avoir les bonnes apparences... C'est tout. Pour épater la galerie. Pour t'épater, toi. Tu étais ma petite fille, tu comprends ? Avec toi, je me sentais grand et fort. Les autres, ils m'intimidaient. Mais c'est bien plus simple que ça, la vérité. C'est toujours plus simple, d'ailleurs. J'étais un zéro. Je peux te le dire maintenant... maintenant que t'es grande...

Elle tenait sa main molle entre ses doigts, elle le regardait et soudain tout s'éclairait : elle avait aimé à la folie un homme comme les autres. Rien de plus, rien de moins. Elle l'avait tellement pris au sérieux qu'elle n'avait pas pu croire un seul instant qu'il pouvait être nul, parfois...

Tout ce qui venait de lui était parfait. Devait être parfait.

Elle lui avait demandé l'impossible.

Elle avait demandé à tous les autres hommes l'impossible.

À cause d'un héros qui n'existait pas.

Mon papa...

Mon papa nul...

Ça lui était complètement égal...

Quelle importance ?

Pourquoi attendre de l'autre qu'il soit parfait, toujours ?

Qu'il soit à la hauteur.

À la hauteur de quoi ?

C'est pas une compétition, l'amour.

L'important, c'est qu'il l'ait aimée.

Et il l'avait aimée.

À sa manière.

...

Elle était prête maintenant.

C'était elle la grande, lui le petit. Elle allait s'occuper de tout. Elle lui avait fait cette promesse ce jour-là.

Et elle l'avait tenue.

...

Allongé sur son lit d'hôpital, je l'ai vu. Et c'était comme si, tout à coup, il rattrapait son destin et se le taillait à sa mesure. Lui qui, toute sa vie, lui avait couru après...

Il me donnait des instructions pour son enterrement. Le bois du cercueil, clair et bon marché, sans ferrures ni fioritures. L'inscription sur la dalle funéraire : « Que Votre Volonté soit faite. » « En vouvoyant Dieu, ma fille, j'y tiens... On a pas bu des coups ensemble, Lui et moi. » Sa place au cimetière de Saint-Crépin, le village de son enfance, au pied des montagnes. Le montant de l'assurance vie qu'il avait prise pour ses enfants. Un dernier pied de nez à ceux qui le disaient irresponsable : il nous laissait du pognon ! Ha ! Ha ! Ha ! Et un paquet, en plus, qu'il disait en se gondolant de rire. Et en se gourant parce qu'il avait foiré ses calculs. Il ne me laissait pas grand chose peut-être, mais il m'avait légué un truc qui n'a pas de prix et qui s'appelle l'appétit.

L'appétit de vivre, de manger, de baiser sans être rongée par la culpabilité et le regard noir des autres.

Katherine Pancol, Les Hommes cruels ne courent pas les rues, *1990*

« Comment bousiller sa petite fille pour
que plus jamais elle ne puisse aimer
un autre homme que son petit papa ?
Comment bien utiliser son pouvoir de
papa tout puissant pour qu'elle ait
envie d'aimer de toutes ses forces,
de tout son ventre, mais que toujours,
toujours ce soit le fiasco et qu'elle
revienne vers son petit papa chéri ?
Qui l'attendait... »

On a chacune, sans le savoir vraiment, l'idée du corps contre son corps.
Du corps qu'on veut attirer contre son corps pour s'y laisser tomber, s'y abîmer.
Et les souvenirs qui reviennent tels des perles acides ou sucrées qu'on roule sous nos doigts, qui grincent sous nos dents. Qui nous couronnent reine ou nous laissent un goût amer mais on en demande encore...
On ne renonce jamais à être reine.
Ou alors on joue la reine morte.
Elle me vient d'un homme, cette idée... D'un homme qui m'a appris l'homme et rien que l'homme. Je me souviens, je reniflais son odeur, le soir, quand il venait m'embrasser dans mon lit de petite fille qui attendait.
J'attendais toujours.
J'attendais.
Le désir fou pour l'homme est né de cette attente-là.
Il avait de grands bras, un grand nez, une grande bouche pleine de grandes dents, un grand sourire et une grande chaleur qui partait de ce sourire. Il se penchait vers moi, il me disait « ma fille » et je me dépliais, je devenais géante. Je touchais le Ciel, je flottais dans les nuages, je m'évaporais en mille gouttelettes... Mais il fallait toujours redescendre.
Redescendre.
L'homme, je l'ai imaginé à partir de lui. Il m'a promenée en maintes errances. J'ai été furieuse, enchantée, blessée, mais il m'a laissée son goût, l'empreinte de ses grands bras qui, souvent, ne se refermaient pas. Et j'y reviens toujours.
Je ne comprends pas toujours.
Il me tombe de drôles de corps entre les bras. Des corps inconnus, des corps dont je n'aime pas la tête, des corps que je ne comprends pas. Mais j'y vais toujours, les yeux fermés comme guidée...
Plus fort que moi.
Plus envie de penser, de juger, d'évaluer. Le désir est là. Un désir furieux qui fait taire la tête, la raison, les arguments, tout ce que j'ai pu inventer pour nier le désir et chasser le fantôme.
J'ai accepté.
Il était là, le premier.

Avec ces qualités de « grand » qui m'emportaient et ces manques que je comblais, indulgente, d'une caresse, d'une phrase, d'un sourire.
Presque maternelle.
Je le laissais parfois, j'essayais d'autres corps, d'autres modèles de corps mais...
J'y revenais toujours.
Il peut être digne ou indigne, il lui suffit à cet homme-là d'avoir de grands bras, de grandes dents, un grand nez, un grand sourire, un tout petit goût de perle ancienne... et je le glisse sous mes dents.
Je le goûte. Il m'agace, il me plaît.
La perle fond parfois.
Ou ne fond pas.
Ou met du temps à fondre et me laisse un goût que je ne connaissais pas.
Ou m'empoisonne.
Mais c'est toujours l'homme...
Ce mystère que je poursuis comme je l'ai poursuivi, lui, avant.
Poursuivi si longtemps que j'ai cru que jamais je ne l'attraperais.
Alors le soulagement quand un homme que j'attends, que j'attends me tombe sous la dent... Je reprends ma poursuite.
Toujours la même.
Avec la peur au ventre de ne pas l'attraper.
La peur de ne pas le garder.
La peur de ne pas être à la hauteur.
Toujours la peur.
Parce qu'il partait toujours.
Et moi, je lui cours toujours après.
L'homme.

Katherine Pancol, texte inédit

« Splendeurs et misères du père Dard. »

par San-Antonio

L'image de mon père, c'est celle d'un homme que je vois peu. Un type qu'est tout le temps parti, qui rentre rarement. Jamais de repas fixe avec lui. Souvent, il est de mauvais poil et pas franchement gentil avec ma mère. Comme il est énervé, il la houspille un peu trop.

C'est un excessif. Avec lui, ça se termine toujours par la picole. Dans les sorties, les banquets, les réunions de famille, toujours la picole en fin de compte ! Ma mère l'adore mais elle manque de diplomatie, alors elle lui fait tout de suite des reproches. Elle attend pas qu'il soit dessoûlé, non, elle lui reproche de boire pendant qu'il boit, et ça c'est la dernière chose à faire !

Un souvenir : on rentre à la maison en bagnole, mon père, beurré, au volant, avec ma mère qui l'engueule pendant qu'il roule à tombeau ouvert – vraiment à tombeau ouvert ! Tout le monde le supplie d'arrêter, mais il continue de foncer. Et c'est là que j'entends ma tante qui se met à réciter l'acte de contrition à haute voix. Oui, l'acte de contrition, j'le jure : « Pardonnez-moi, mon père, parce que j'ai péché... »

J'en ai plein des souvenirs de mon père rentrant en lambeaux – il lui manque une manche, sa chemise n'a plus de boutons, il a les poings écorchés – parce qu'il s'est battu.

Je me souviens aussi que c'était un homme qui cavalait – mais ça je ne le saurais que plus tard. Il avait des maîtresses dans tout le canton, il limait à tout va. Ce qui n'a pas franchement aidé ses affaires...

Je me souviens de mon père à qui j'écris un mot pour son anniversaire et qui me reproche les fautes d'orthographe.

L'image de mon père, c'est celle d'un homme qui m'effraie mais que j'admire totalement. Je l'admire. Il avait vécu des choses. Il était brancardier sur le Front pendant la guerre. La vraie, la Grande, celle de 14. Ça a été un type avec des couilles monumentales, plein de citations : « Est allé chercher un soldat blessé sous les feux de l'ennemi... A fait preuve d'un courage exemplaire... » Tous ses pauvres papiers de la guerre, j'en ai fait un bouquin que j'ai fait relier somptueusement.

Mais c'était un monsieur qui m'impressionnait. Il me donnait une impression de force. Pour moi, c'était l'intrépide. Les gosses sont fascinés par les héros mais aussi par les cogneurs.

Cela dit, il ne nous touchait pas. J'ai reçu que trois roustes dans ma vie. Pas quatre, trois. La première, c'est quand il m'avait envoyé chercher des cigarettes. J'y ai été et puis je ne sais pas pourquoi, j'ai pas eu envie de rentrer. Pas tout de suite. Je me souviens, c'était un soir d'été et Bourgoin était silencieux. J'ai musardé dans les rues, longtemps. Quand je me suis pointé à la maison, ma mère pleurait et tous les voisins étaient partis à ma recherche. J'ai dit : « Le bureau de tabac était fermé, j'ai dû aller à l'autre bout de la ville... » Le père Dard m'a filé deux tartes dans la gueule. C'étaient les premières qu'il me mettait. Vlaf, vlaf, couché ! La deuxième, j'avais dix ans et demi et j'avais mal répondu à ma mère. J'avais pas dit « merde », non, mais l'antichambre, j'avais dit « oh, m... ». Et il m'a volé dans les plumes, il m'a mis une avoinée, j'avais la tronche enflée, les oreilles toutes bleues. Quand il cognait, le Dard, il cognait. Il y allait à la châtaigne. Il m'a pris par la peau du cul et m'a bouclé dans ma chambre. Interdiction de sortir et rien à bouffer jusqu'au lendemain. La troisième – la dernière – c'était à Lyon. Ma mère tenait un magasin de farces et attrapes. Moi j'avais besoin de fraîche, alors j'ai fait piquer dans la caisse par ma frangine. Ma sœur, c'était ma gagneuse, c'était mon faucon, mon gantelet. Je lui disais « vas faire ça » et elle y allait. C'était un amour de fille, alors elle piquousait pour moi. Comment ils l'ont su, je sais pas, mais un soir mon père est rentré et il m'a décollé de la table et il s'est mis à me balancer une ribambelle de coups et à me traiter de tous les noms : « T'es qu'un petit dégueulasse, faire voler ta sœur c'est l'abjection, tu me fais honte, t'es misérable, t'es rien du tout, t'es une merde, tu me déçois. » Ah ! dis donc, j'étais vachement endolori ! Pas seulement de la gueule, mais de l'âme...

Ces scènes, je les vis encore. Je les ai à tout jamais dans le cul, dans la peau, dans la tronche, dans le cœur.

C'était aussi un artiste, mon père, mais un artiste sans art. Toute sa vie, il a été en recherche. Il a travaillé le cuir... Il faisait de la dinanderie... Quand j'avais deux-trois ans, il m'a fait une tirelire qui est très belle et qui me sert toujours de porte-bonheur ou de presse papier, une tirelire en forme de bouteille. Miraculeusement, elle m'a toujours suivie, contre vents et marées, elle est encore dans mon bureau. Il avait toujours quelque chose en gésine, le Dard. Malheureusement, c'était un velléitaire. C'était Bouvard et Pécuchet à lui tout seul ! Comme quand il a voulu construire un avion – un Pucibel, je me souviens –, il a commencé à acheté le matériel mais bien sûr ça n'a jamais abouti... C'était peut-être de l'art, tout ça, mais mon père c'est un artiste qu'est passé à côté de la gagne.

C'est pourquoi, quand je me suis mis à écrire, à « faire carrière », sans le savoir je lui ai fait comprendre qu'il existait quelque chose de mieux que sa démarche à lui. À partir du moment où il a vu que je pouvais devenir un artiste, un créateur – un écrivain ! –, il s'est mis à avoir pour moi une espèce de dévotion. Je n'ai eu aucune peine à le convaincre de quitter l'école. Il était d'accord sur tout. Il avait compris que je le prolongeais, que j'étais ce qu'il aurait voulu être. Il était... je ne sais... *embaumé*. Je l'embaumais, quoi...

Tout à coup, mon père avait une aventure, et cette aventure c'était moi.

Un jour – bien plus tard, mon père avait quatre-vingt-cinq ans – j'étais en Finlande. Je revenais du Cap Nord en voiture avec ma femme, Françoise. Je roulais peinard sur fond de forêt infinie quand soudain, dans mon pare-brise, j'ai vu en filigrane la gueule d'un type que j'aimais bien. Un hurluberlu que j'aimais d'autant plus qu'il s'était tiré une balle dans la tête, à la fin, et faut pas être n'importe qui pour faire ça... C'était comme s'il essayait d'attirer mon attention à travers la vitre, et il me faisait signe de téléphoner. J'ai dit à ma femme : « C'est marrant, j'ai une illusion, je suis obsédé par Jean-Jacques qui me fait signe de téléphoner. » Nous rentrons à Helsinki et j'étais tellement marqué par cette vision que j'ai appelé ma sœur : mon père allait très mal.

Le lendemain soir, je suis à Paris et je retrouve mon père : un homme qui meurt. Je parle au médecin qui me dit cancer du foie... qui me dit hospitalisation... Mais Françoise, elle, elle me dit : « Tu sais très bien que ton père ne veut pas entendre parler d'hôpital ! Alors on va le mettre dans la voiture, on va rentrer en Suisse et tu vas le garder près de toi. S'il doit mourir, il mourra chez son fils et pas à l'hôpital. »

Et on a emmené cet homme expirant, voyage d'enfer, on l'a installé dans la salle à manger parce qu'il était incapable de monter à l'étage, on l'a couché. Les médecins, ils disaient que c'était une question d'heures, qu'il fallait se préparer à une issue fatale... Alors j'ai appelé son médecin de Paris, un homme merveilleux, je lui ai dit : « Docteur, je vous paye n'importe quoi, mais venez voir mon père, il n'a confiance qu'en vous. » Et le médecin est venu, et il a filé je ne sais quoi à mon père, des médicaments, plein, à haute dose, et voilà mon père Dard qui se requinque un petit peu, pas beaucoup mais plus tout à fait mourant, et un matin il me dit : « Je voudrais ma trompette ! » Elle était restée en France, la trompette, à La Varenne, mais on a été la lui chercher. Qand il l'a eue entre les mains, il l'a regardée avec une espèce de contentement. Alors on a laissé mon père seul. Seul avec sa trompette.

Et je jure qu'au bout d'un moment on a entendu *Poum, poum, poum, poum, poum*... Et le père Dard, assis en limace au bord de son lit, les jambes amaigries, jouait de la trompette ! Il jouait *La Strada* ! Il jouait sa mort, tu comprends ? C'est beau, ça, hein, c'est grand !

De ce jour, il est allé de mieux en mieux. Le mois d'après, il était capable de marcher. Il a même voulu qu'on l'emmène dans une de ces boîtes que là-bas on appelle « un orchestre pain et fromage », où tu bouffes de la raclette et de la fondue, au choix, et où il y a un orchestre champêtre, un accordéon, un violoncelle, un piano, trois ou quatre musiciens qui te jouent des *Talalalatsointsointalala*, des petis machins suisses rances, des trucs à ne plus en pouvoir... Mais mon père adorait cet endroit et, crois-le ou non, il a fait danser la patronne, qu'était pourtant une solide !

Après, il en a repris pour trois ans.

Sa mort, ça a été le plus grand cadeau qu'un type puisse faire à son enfant. Mon père, il est mort somptueusement. Il avait quatre-vingt-huit piges et tout son chou. Jamais il a perdu les pédales une seconde, le Dard. Quand je suis arrivé près de lui – c'était un dimanche – il m'a juste dit : « Ah, mon grand, t'es gentil d'être venu si vite. » Et puis il a ajouté : « C'est foutu. »

On pratiquait pas dans la famille, l'Église c'était pas notre tasse de thé, mais il y avait sûrement un fond de quelque chose, un truc qui nous dépasse, alors je me suis baissé et... et il m'a béni. Oui, il m'a béni... Puis il m'a pris la main et il m'a dit : « Tu auras été l'honneur de ma vie. » Tout ça sans trémolos. Juste un mec qui a compris que c'était râpé. Qui le sait et qui le dit. Je sais, c'est une image d'Épinal que je raconte là, un vrai chromo, mais les images d'Épinal, quand ce sont les tiennes à toi, elles sont chouettes...

Elle a duré six heures, sa mort. Les six plus grandes heures de ma vie. Il souffrait beaucoup, mais sans peur, tu vois, il prenait juste congé. Il étouffait, il répétait tout le temps : « Ouvre la fenêtre. » Six heures ! Et puis il a poussé un cri, comme un cri de stupeur, et il m'a dit : « Comme le Christ. » Un grand cri et boum !

Il est mort vers sept heures du soir.

Frédéric Dard, dit San-Antonio, texte inédit,
entretiens avec Jean Durieux, 1997

« Ne me volez pas mon père une seconde fois... »

par Patrice Dard

Chère Anne-Laure,

Vous voudriez que je parle de mon père ?
Sur le papier, on ne parle pas, on écrit, et la démarche est bien différente.
Venez vous blottir au creux de mon épaule, ou offrez-moi le verre de trop, alors je vous raconterai des heures l'homme qu'il était pour ses lecteurs, pour lui et pour moi.
Mais voyez-vous, les sentiments sont fugaces quand ils se rapportent au mort : ils appartiennent au vent, cet élément qui anime l'instrument de la voix.
L'écriture, elle, quel que soit son mode de transcription, manuelle ou computueuse, reste l'acquis des graveurs de hiéroglyphes.
La volatilité des mots s'accommode de l'évanescence du souvenir. L'écrit le fige dans le marbre telle une épitaphe.
Pour rester vive, la mémoire se nourrit d'incertitude. La rédaction la pérennise sans doute, mais lui ôte toute capacité d'évolution.
Sans un soupçon de tricherie, les souvenirs ne sont que des faits. De grâce, laissez les miens relever du rêve ! Ne me volez pas mon père une seconde fois.
Non, je n'écrirai pas sur lui.
Je fais pire : j'écris à sa place.

Bien affectueusement.

Patrice Dard, texte inédit

« Mystérieux clonage... »

par Françoise Dorin

Les carnets noirs de mon père...

Ça se passait en février 1970. Mon père nous avait quittés depuis dix-huit mois. On venait de créer au Théâtre Antoine ma pièce « Un sale égoïste. » Ma mère avait assisté bien sûr à la générale. Elle attendit que nous soyons seules, le lendemain, pour me demander avec étonnement : « Quand donc as-tu pu lire les carnets noirs de ton père ? »

Ce fut à mon tour d'être étonnée : ces fameux carnets, très ordinaires au demeurant, en moleskine noire, fermés par un élastique, n'étaient que de simples carnets de notes.

Comme « beaucoup de travailleurs du cerveau » – c'est ainsi que mon père appelait les créateurs – il y recopiait des phrases qui, à la faveur d'une lecture ou d'une conversation l'avaient séduit, amusé, ému. Il y consignait aussi des observations ou des réflexions personnelles, le plus souvent ayant trait à l'actualité : des graines d'idées qui parfois germaient et finissaient par donner naissance à des chansons ou à des scènes de revue.

Enfant et adolescente, j'assimilais ces carnets à des instruments de travail, au même titre que des stylos ou des blocs de papier et comme on ne m'en avait pas interdit l'accès, je n'ai jamais eu aucune envie de les regarder en cachette...

Et puis le temps a passé. J'ai quitté le domicile familial. J'ai rêvé de devenir auteur... et j'ai acheté mon premier carnet de notes. Je l'ai choisi bleu. Les suivants ont été beige, rouge, violet, jaune. Il est clair que dans mon esprit « le carnet noir » était une marque déposée appartenant en exclusivité à mon père.

Jusqu'à la fin de sa vie, il en a eu à portée de plume et a continué à en couvrir les pages de son écriture fine, ferme, régulière.

Lors de mes visites chez mes parents, comme par le passé, je

Françoise et René Dorin

« Ma ressemblance avec mon père s'est inscrite plus volontiers à l'intérieur de ma tête que sur mon visage... »

René Dorin, à droite, pendant la guerre 14-18.

voyais ses carnets entre ses mains ou sur mon bureau. Pas plus qu'autrefois je ne songeais à y jeter un œil. Mais ce n'était plus alors par manque d'intérêt, uniquement par discrétion. Par pudeur. Ces carnets étaient en grande partie l'écume de ses jours. À présent de ses vieux jours. Bientôt de ses derniers jours. Quand mon père est parti, naturellement ma mère les a gardés. Je ne les ai plus jamais vus, ni entre ses mains à elle, ni sur son bureau à lui. Elle ne m'en a jamais parlé, jusqu'à ce jour de février 1970 où elle s'étonna que j'en aie eu connaissance. Je me suis empressée de la détromper, avec une sincérité manifeste qui la convainquit immédiatement de ma bonne foi. Puis, à mon tour, je l'ai questionnée :

– Pourquoi diable as-tu pensé que j'avais lu les carnets de notes de papa ?

– Parce que dans ton « Sale égoïste », il y a une phrase qui se trouve dans l'un d'eux. Le plus ancien.

Elle alla le chercher, l'ouvrit à une page discrètement cornée et m'indiqua la phrase qu'elle m'avait soupçonnée d'emprunter.

J'ai été stupéfaite : à la virgule près, la phrase écrite par mon père quelques dizaines d'années plus tôt était la même que la mienne. Mystérieux clonage !

Certains à qui j'ai raconté cette histoire m'ont affirmé qu'il ne s'agissait là que d'une résurgence de ma mémoire ; que, petite fille, j'avais dû entendre mon père prononcer cette phrase, qu'à mon insu, je l'avais enregistrée, « digérée » et ressortie sur le papier comme étant mienne.

C'est possible. Mais moi je préfère croire que cette phrase est l'aboutissement visible d'affinités cachées ; que ma ressemblance avec mon père s'est inscrite plus volontiers à l'intérieur de ma tête que sur mon visage, sans que je m'en sois aperçue.

Je n'en ai pris conscience que grâce à cette phrase qui prouvait l'identité de notre pensée... et de notre mode d'expression.

Des exemples similaires sont venus s'ajouter à celui-là, quand, ma mère disparue, j'ai hérité des carnets noirs de mon père. Au hasard des pages j'y ai trouvé d'autres graines d'idées que j'avais cru, elles aussi, semer seule dans mes jardins. Seule ! Quelle erreur ! Il y a un fil qui relie une génération à une autre, un relais que l'on se passe, de parents à enfants ; un relais que j'ai découvert avec bonheur dans les carnets noirs de mon père.

Françoise Dorin, texte inédit

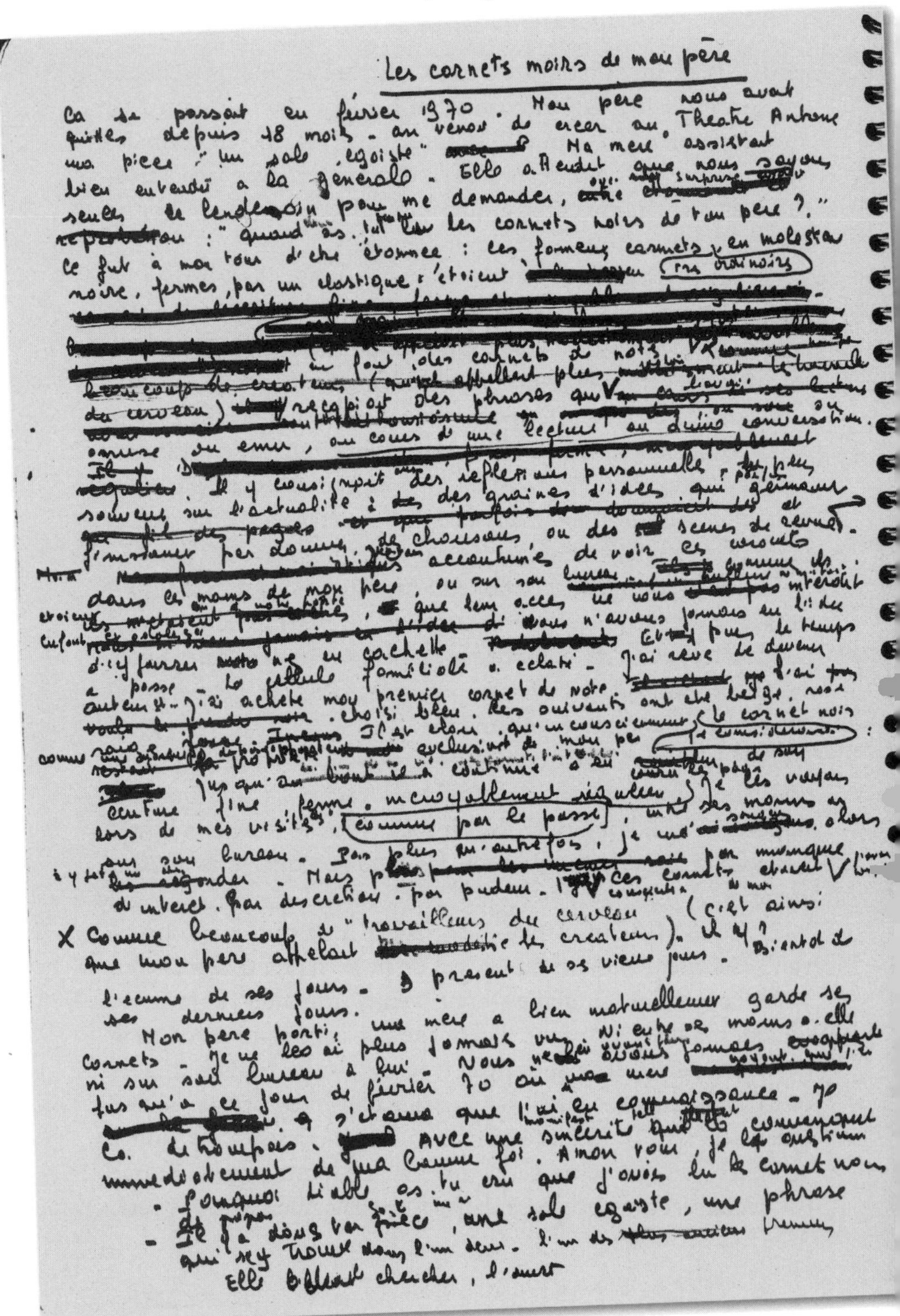

Les carnets noirs de mon père

Ça se passait en février 1970. Mon père nous avait quittés depuis 18 mois. On venait de créer au Théâtre Antoine sa pièce « Un sale égoïste ». Ma mère assistait bien entendu à la générale. Elle attendit que nous soyons seules le lendemain pour me demander : « Quand as-tu lu les carnets noirs de ton père ? » Ce fut à mon tour d'être étonnée : ces fameux carnets, en moleskine noire, fermés par un élastique, étaient

Mon père parti, ma mère a bien naturellement gardé ses carnets. Je ne les ai plus jamais vus

Page manuscrite du texte inédit de Françoise Dorin, rédigé dans l'un de ses carnets à spirale…

Un décret pour éviter les accidents d'automobile : dorénavant les moteurs auront la même puissance afin d'empêcher les dépassements.

– Je l'ai rencontré méditant profondément : « Je ne sais pas m'a-t-il dit si c'est la vie qui est triste, ou si c'est moi. »

Henriette dit tristement en parlant d'un ami neurasthénique que :

« Il va à la messe, mais il est divorcé, la messe ne lui profite pas. »

Jacques a dans son jardin des petites fleurs étoilées qui sont ouvertes que le jour
– c'est bien commode, dit-il : quand elles sont fermées je sais que c'est la nuit...

Je me suis demandé parfois, si les Français à l'étranger étaient aussi remarquables que les étrangers en France. Je suis fixé
– nous étions 3 Français – dans un grand restaurant de Londres – [illegible] un télégramme dont l'adresse est ainsi rédigée –
« 3 Français à X-Restaurant Londres ! »

Page manuscrite de René Dorin, extraite de l'un de ses « carnets noirs ».

« En écrivant sur le sable mouillé, du bout de sa canne... »

par Yann Queffélec

Mon père avait des semelles de vent. Il voyageait aux frais d'une princesse appelée Sven Nielsen, son éditeur, qui le bichonnait aux époques du succès. Il arrivait des Kouriles en bathyscaphe, à peine mouillé. Il semblait revenir de partout – du Chili, des Kerguelen, du cap Horn, Nossi-Bé, Zanzibar, Veracruz, Sfax, Bahia, Blanca, Bornéo, Guayaquil, Toronto, Manaus, Port-Saïd, Tristan da Cunha, Frisco, Pouloupry, Batoum, Funchal, Saint-Malo, Brèles, Lobito, Landivisiau, Libreville, Saint-Paul-de-Loanda, Ruscumunoc, Montserrat, Maracaïbo, Folgoët, El Ateuf, Pontique ou Ghardaïa, Saint-Paul-de-Léon, Landunvez, Trémazan, la Désirade ou Santos, mais aussi bien la Goutte-d'Or, Raspail ou le Mont-Valérien. La clé tourne dans la serrure, il est là, glorieux, les joues bien fraîches ; il a ses chaussures de flic, sa valise en peau de porc à clous de cuivre, bariolées d'étiquettes ultra-marines. Il embrasse ma mère au front. Mon amour. Il embrasse au front ses enfants. Mes enfants. Il est pressé. Il ne reste pas. Le temps de poser sur les radiateurs divers coquillages ou des utérus de morues déshydratés, le temps d'ajuster son béret basque et le voilà parti remorquer les pétroliers en mer du Nord sur le Jean-Bart. Il est au cap Horn, en mer de Chine, il nage au milieu des murènes, nos sœurs d'après saint François ou saint Maël, le celte qui pensa bon d'évangéliser les pingouins. Il se rétame en motocyclette à Mont-de-Marsan, se cuite à l'est du Labrador avec le capitaine d'un cargo allemand qui finit par avouer, entre deux derniers schnaps, que l'existence des camps de la mort, ja, ja, était bien connue des Allemands pendant la guerre et qu'il exècre Hitler, ja, ja, plus encore que sa femme. Il monte au Groenland pêcher la morue, redescend au Monténégro porter la belle parole française, la sienne et celle de Julien Gracq, son labadens de la rue d'Ulm. Il est au mieux dans les rafiots, les églises de campagne, la 2 CV des bonnes sœurs, à la table des prêtres, au comptoir des malheureux soûlographes pour qui le diable ne vit pas seul dans la bouteille, il y a sa bonne amie la mémoire. Il était une fois... Cette diablesse-là, elle seule, mon père aimait la courtiser dans ses romans.

Lui-même buvait peu. Du vin rouge à midi dans un bock de verre indiquant les 25 centilitres à ne pas dépasser. Il s'y tient. C'est un homme de volonté. Je ne l'ai jamais vu lever le coude, et l'aurais-je vu que je n'en dirais rien – Ô Magnus, grand Spi, Pharos, Bichon, Petit vieux, El Penor, Gonzalvez, Truffalduni, Plomodiern, Lisor, Tréompan, « Henri ! Henri ! » s'exclamait ton épouse émerveillée. Toi la Main rouge et le grand méchant Loup, toi puissant Chef, Mignon, Manitou –, jamais vu lever le coude, non, sauf au Diben chez Antony Lhéritier et la Mouche, à Kerhuiten chez le génial Le Quintrec, à bord du Penfret, le sablier de fer où l'on fêtait ses quatre-vingts ans sur un air de Balavoine, à Versailles chez Marie-Louise, à l'Aber sur le Ninioblo, au Trez-Hir chez la tante Annie, sous le regard de ses quatre sœurs émues aux larmes par leur champion. Il n'était jamais ivre, il ne bégayait ni ne devenait amer ou geignard, il parlait d'or et tout le monde se taisait. Il discourait en grec, en latin, – chantait en breton –, puis s'apercevant que nous n'y comprenions rien si ce n'est « Thalassa ! Thalassa ! », il revenait au français, bénissait la coquille Saint-Jacques, symbole de la charité au Moyen Âge, exaltait la pluie, cette araignée monotone, ce crucifix à mille bras, déluge au sens primordial, eau d'une arche où nous remonterions un jour, nous tous : garçon et fille, poissonne et poisson, oiselle et oiseau, bateaux, lion châtré du cirque Zéphyrian, dompteur teint, bouée sifflante et brouillard, Job, oncle Jo, Amatha. Il bénissait le ciel, en tombât-il des cordes ou des rayons. Il vitupérait le

progrès mécanique, lui l'usager des avions, des taxis, des sous-marins, lui qui voulait percer le mystère des atomes. Et soudain, levant son verre, il interpellait rageusement Sartre, sa bête noire, auteur de *La Nausée*, livre indigne d'un bel esprit.

C'est un remueur immobile, un albatros exilé dans Paris, qu'il a fini par aimer comme un bout d'Armorique, une île à terre. Il n'a pas d'auto, pas de permis, il traverse le monde à longues enjambées, il a des pantalons feu-de-plancher, un stylo qui fuit, un rasoir antédiluvien, il méprise les puissants.

Chez nous il est des noms tabous, par exemple la banane : fruit d'une exploitation criminelle à l'échelle planétaire ; le Coca-Cola : breuvage des insensés qui ratiboisèrent Brest en 44 ; le chewing-gum : cette pâte obscène ; l'Orangina : pseudo-produit français, on le paye en francs et des exploiteurs se remplissent les poches de dollars ; le coton, le tabac : allusions morbides au Ku Klux Klan, à des milliers de gens courbés sous le fouet ; le Banania : ce chocolat du xénophobe, et mon père de citer son ami Senghor, le Celte noir : « Je déchirerai le rire Banania sur tous les murs de France. » Il déchirait, buvait du café au lait, du thé fumé, du Gamay. Mais prononçait-on les mots coquillage ou langoustine, il exultait. Évoquait-on Penmarc'h, Tévennec, Saint-Guénolé, Kérity, Guilvinec, il décernait des palmes d'or, ou des algues, à ces hauts lieux du songe armoricain : algue d'or au phare de Nividic quand il fait bleu violet sur la fine fureur des lames enchevêtrées ; algue d'or au raz de Sein quand se tordent les filons du courant.

...

Il arrivait chez nous et disait : « Bretagne », à peine sa valise posée. Il voulait déjà repartir, quitter Paris avec ses carnets, son stylo plus ou moins becqueté, ses rêves d'enfant. Il mettait sur pied des battues à la crevette. Il repérait sur l'*Almanach du marin breton*, sa bible, un coefficient prometteur de trous giboyeux dans un paysage miraculeusement délivré des eaux. Ensuite, il prenait conseil de l'oncle Jo.

...

J'étais peut-être un peu jaloux de leur amitié. Mon oncle était jaloux que je sois le fils de mon père, et mon père non pas jaloux mais troublé que j'aime la Bretagne autant que lui. Je l'ai prouvé.

...

Pique-nique au frais d'un rocher. Avec son gibus de papier journal, mon père a la touche d'un vieux Chinois dans la rizière. Elle est pas belle la vie ? Le déjeuner fini, la canne de ma mère à l'épaule, il s'éloigne vers les rochers et disparaît. Qui oserait l'espionner ? Il est au bord de la mer, il mange une pomme en écrivant sur le sable mouillé, du bout de la canne. Qu'est-ce qu'il peut bien gratouiller ainsi de haut en bas ? Quand il a fini, il attend que la mer monte et il se baigne là où il vient d'écrire. Mais parfois ma mère l'appelle entre-temps. Il se sauve alors comme un voleur, abandonnant son manuscrit de sable au soleil. Mon instamatic fait alors des prouesses.

Yann Queffélec, Le Soleil se lève à l'Ouest, *2001*

« L'un des sujets les plus impudiques qui soient... »

par Amélie Nothomb

On m'annonça que nous étions tous conviés à aller écouter chanter mon père.

– Papa chante ?

– Il chante le *nô*.

– C'est quoi ?

– Tu verras.

Je n'avais jamais entendu mon père chanter : il s'isolait pour ses exercices, ou alors il les faisait à son école, auprès de son maître de *nô*.

Vingt ans plus tard, j'appris par quel singulier hasard l'auteur de mes jours, que rien ne prédisposait à une carrière lyrique, était devenu chanteur de *nô*. Il avait débarqué à Osaka en 1967, en tant que consul de Belgique. C'était son premier poste asiatique et ce jeune diplomate de trente ans avait eu pour ce pays un coup de foudre réciproque. Le Japon devint et demeura l'amour de sa vie.

Avec l'enthousiasme du néophyte, il voulait découvrir toutes les merveilles de l'Empire. Comme il ne parlait pas encore la langue, une brillante interprète nippone l'escortait partout.

...

Elle l'emmena donc au sein d'une vénérable école de *nô* du Kansai, dont le maître était un Trésor vivant. Sa présence avait provoqué la perplexité de l'école entière. Le vieux maître de *nô* finit par venir au-devant de lui pour lui dire :

Honorable hôte, c'est la première fois qu'un étranger pénètre ces lieux. Puis-je solliciter votre opinion sur les chants que vous avez entendus ?

Confondu d'ignorance, mon père hasarda de gentils clichés

Patrick Nothomb devant un portrait de sa fille, Amélie.
« Parler de lui revient à parler de ce que j'ai de plus intime. »

sur l'importance de la culture ancestrale, la richesse du patrimoine artistique de ce pays et autres sottises plus touchantes les unes que les autres. Consternée, l'interprète décida de ne pas traduire une réponse aussi bête. Cette japonaise lettrée substitua donc son propre avis à celui de l'auteur de mes jours et l'exprima en des mots choisis.

Au fur et à mesure qu'elle « traduisait », le vieux maître écarquillait les yeux de plus en plus. Quoi ! Ce blanc ingénu, qui venait à peine de débarquer et qui écoutai du *nô* pour la première fois, avait déjà compris l'essence et la subtilité de cet art suprême !

– Honorable hôte, vous êtes un mage ! Un être exceptionnel ! Vous devez devenir mon élève !

Et comme mon père est un excellent diplomate, il répondit aussitôt :

– C'était mon souhait le plus cher.

...

Le disciple belge se sentait écrasé par ce monument de civilisation nippone auquel on tentait de l'incorporer. Lui qui, avant son arrivée au Japon, aimait le football et le cyclisme se demandait par quelle saumâtre bévue du hasard il se retrouvait à sacrifier son existence sur l'autel d'un art aussi abscons. Cela lui convenait aussi peu que le jansénisme à un bon vivant ou l'ascèse à un goinfre.

Il se trompait. Le vieux maître avait eu parfaitement raison. Il ne tarda pas à débusquer, au fond de la large poitrine de l'étranger, un organe de premier ordre.

– Vous êtes un chanteur remarquable, dit-il à mon père qui entre-temps avait appris le japonais. Je vais compléter votre formation et vous apprendre à danser.

– Danser... ? Mais, honorable maître, regardez-moi ! balbutia le Belge en montrant son épaisse silhouette pataude.

Le lendemain au terme du cours, ce fut au tour du professeur d'être consterné. En trois heures, malgré sa patience, il ne parvint pas à arracher à l'auteur de mes jours le moindre mouvement qui ne fût navrant de gaucherie et de balourdise.

Poli et attristé, le Trésor vivant conclut par ces mots :

– Nous allons faire une exception pour vous. Vous serez un chanteur qui ne dansera pas.

Le piètre danseur devint cependant un artiste sinon époustouflant, du moins appréciable. Comme il était le seul étranger au monde à posséder ce talent, il devint célèbre au Japon sous le nom qui lui est resté : « le chanteur de *nô* aux yeux bleus ».
Tous les jours, durant les cinq années de son consulat à Osaka, il alla prendre, à l'aube, ses trois heures de leçon chez le vénérable professeur. Il se noua entre eux deux le lien magnifique d'amitié et d'admiration qui unit, au pays du Soleil-Levant, le disciple au *sensei*.

À deux ans et demi, je ne savais rien de cette histoire. Je n'avais aucune idée de la façon dont mon père occupait ses journées. Le soir, il rentrait à la maison. J'ignorais d'où il venait.
– Qu'est-ce qu'il fait, papa ? demandai-je un jour à ma mère.
– Il est consul.
Encore un mot inconnu dont je finirais bien par trouver la signification.
...
– C'est ça, être consul ? C'est chanter ?
Il rit.
– Non, ce n'est pas ça.
– C'est quoi, alors, consul ?
– C'est difficile à expliquer. Je te dirai quand tu seras plus grande.
« Ça cache quelque chose », pensai-je. Il devait avoir des activités compromettantes.
...
Un jour, profitant d'une accalmie passagère, mon père voulut se promener dans le quartier.
– Tu viens avec moi ? demanda-t-il en me tendant la main.
Ça ne se refusait pas.
Nous partîmes donc tous les deux marcher dans les ruelles inondées. J'adorais me promener avec mon père qui, perdu dans ses pensées, me laissait faire les bêtises que je voulais. Jamais ma mère ne m'eût autorisée à sauter à pieds joints dans les torrents du bord de la rue, mouillant ma robe et le pantalon paternel. Lui, il ne s'en apercevait même pas.
...

J'avais le bras en l'air pour tenir la main paternelle. Tout était à sa place, à commencer par moi, quand je m'aperçus que ma main était vide.

...

Je regardai à côté de moi : il n'y avait plus personne. La seconde d'avant, j'en étais sûre, il y avait là mon père. Il avait suffi que je détourne la tête un instant et il s'était dématérialisé. Je n'avais pas remarqué le moment où il avait lâché ma main.

Une angoisse sans nom s'empara de moi : comment un homme pouvait-il se volatiliser ainsi ? Les êtres étaient-ils des choses si précaires que l'on puisse les perdre sans motif et sans explication ? En un clin d'œil, un tel monument humain pouvait-il disparaître ?

Soudain, j'entendis la voix paternelle qui m'appelait d'outre-tombe, à n'en pas douter, car j'avais beau regarder autour de moi, il n'était pas là. Sa voix semblait traverser un monde avant de me parvenir.

– Papa, où es-tu ?

...

– Je suis en dessous de toi. Il y avait un caniveau ouvert, je suis tombé dedans.

Je regardai à coté de moi. Au milieu de la rue transformée en rivière, on ne distinguait aucune trappe. Mais à bien observer, on y voyait comme un tourbillon qui devait signaler l'ouverture des égouts.

– Tu es dans le *miso*, Papa ? demandai-je avec hilarité.

– Oui, ma chérie, dit-il sereinement pour ne pas m'affoler.

– Tu es bien, là où tu es, Papa ?

– Ça va. Rentre à la maison, et dis à Maman que je suis dans les égouts, d'accord ? me demanda-t-il avec tant de sang froid que je ne compris pas l'urgence de ma mission.

– J'y vais.

Je tournai les talons et me mis à folâtrer.

En chemin, je m'arrêtai, frappée par une évidence : et si c'était ça, le métier de mon père ? Mais oui, bien sûr ! Consul, ça voulait dire égoutier. Il n'avait pas voulu me l'expliquer parce qu'il n'était pas fier de sa profession. Ce cachottier !

Je rigolai : j'avais enfin éclairci les activités paternelles. Il partait tôt le matin et revenait le soir sans que je sache où il allait.

Désormais, j'étais au courant : il passait ses nuits dans les canalisations.

À la réflexion, j'étais contente que mon père fasse un travail en rapport avec l'eau car, pour être de l'eau sale, ce n'en était pas moins de l'eau, mon élément ami, celui qui me ressemblait le plus, celui dans lequel je me sentais le mieux...

Amélie Nothomb, Métaphysique des tubes*, 2000*

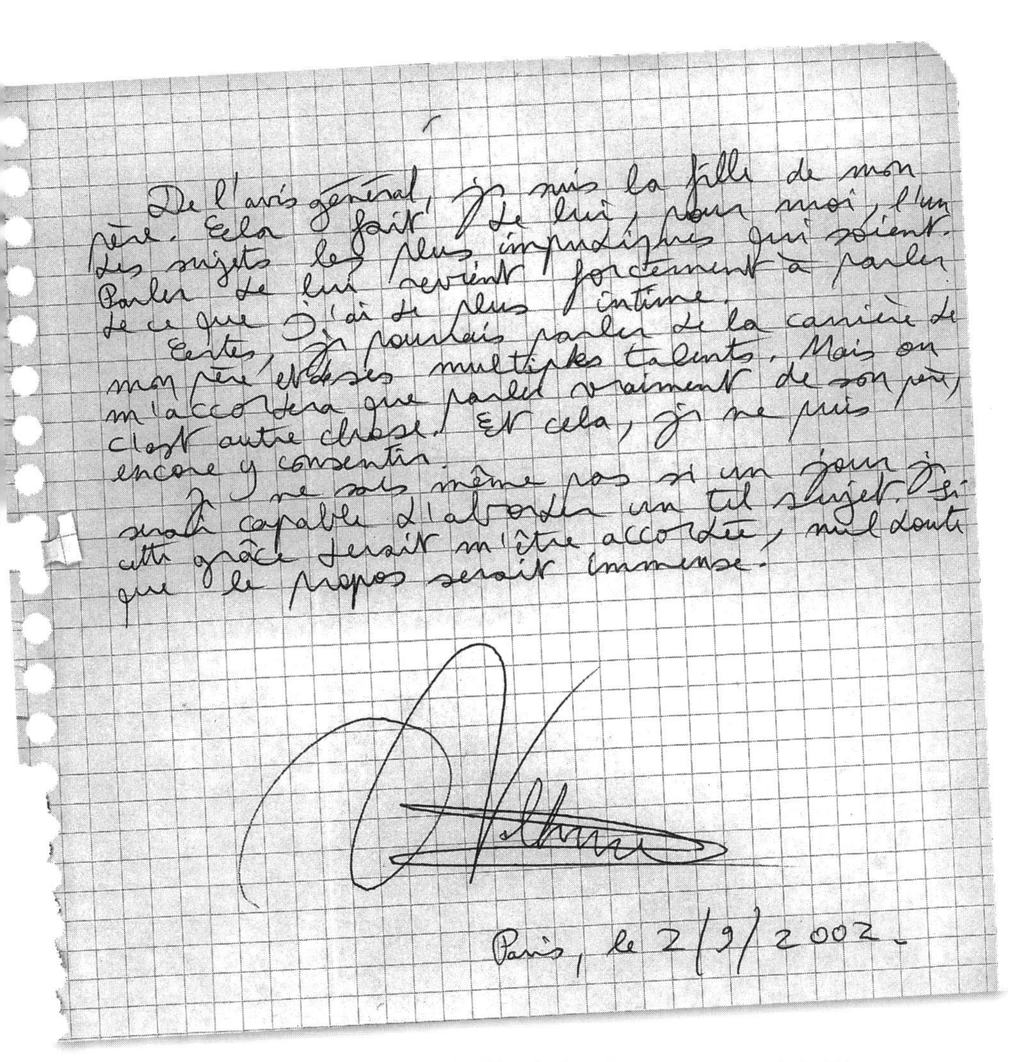

De l'avis général, je suis la fille de mon père. Cela fait de lui, pour moi, l'un des sujets les plus impudiques qui soient. Parler de lui revient forcément à parler de ce que j'ai de plus intime.

Certes, je pourrais parler de la carrière de mon père et de ses multiples talents. Mais on m'accordera que parler vraiment de son père, c'est autre chose. Et cela, je ne puis encore y consentir.

Je ne sais même pas si un jour je serai capable d'aborder un tel sujet. Si cette grâce devait m'être accordée, nul doute que le propos serait immense.

Paris, le 2/9/2002.

Amélie Nothomb, texte manuscrit inédit.

« Voulais-je vraiment être la fille de Lacan ? »

par Sybille Lacan

Quand je suis née, mon père n'était déjà plus là. Je pourrais même dire, quand j'ai été conçue, il était déjà ailleurs, il ne vivait plus vraiment avec ma mère.

...

Pourquoi alors éprouvé-je le besoin de parler de mon père alors que c'est ma mère que j'ai aimée et continue d'aimer après sa mort, après *leur* mort ?

...

Quoi qu'il en soit nous étions, ma sœur aujourd'hui disparue, mon frère aîné et moi, les seuls à porter le nom de Lacan. Et c'est bien de cela qu'il s'agit.

Dans mon souvenir, je n'ai connu mon père qu'après la guerre (je suis née à la fin de l'année quarante). Ce qui s'est produit dans la réalité je n'en sais rien, je n'ai jamais questionné maman à ce sujet. Probablement est-il « passé ». Mais ma réalité à moi, c'est qu'il y avait maman, un point c'est tout. Aucun manque d'ailleurs, car ça n'avait jamais été autrement. Nous savions que nous avions un père, mais apparemment les pères n'étaient pas là. Maman était tout pour nous : l'amour, la sécurité, l'autorité.

...

Une image de l'époque qui est restée fixée dans ma mémoire, telle une photographie que j'aurais prise et conservée, c'est la silhouette de mon père dans l'encadrement de la porte d'entrée, alors qu'il venait nous voir un jeudi : immense, enveloppé dans un vaste manteau, il était là, déjà comme accablé par je ne sais quelle fatigue. Une coutume avait été instaurée : il venait déjeuner rue Jadin une fois par semaine.

Il vouvoyait ma mère et l'appelait « ma chère ». Maman, quand elle parlait de lui, disait « Lacan ».

Elle nous avait conseillé lorsque, au début de l'année scolaire, nous remplissions le questionnaire rituel, d'écrire : « profession du père : médecin ». En ce temps, la psychanalyse n'était guère loin du charlatanisme.

...

Papa, pour notre anniversaire, nous faisait de superbes cadeaux (j'ai cru comprendre beaucoup plus tard que ce n'est pas lui qui les choisissait.)

...

Peut-être l'oppression permanente que j'ai subie de la part de mon frère et de ma sœur explique-t-elle mon amour de la justice et ma révolte face à toutes les humiliations – choses bonnes en soi –, mais que dire de mon besoin excessif de « reconnaissance » et de ma sensibilité extrême frôlant la susceptibilité ?

Mon père a été plus loin dans son diagnostic : assistant un jour avec stupéfaction à ce jeu cruel et destructeur, il intervint en ma faveur et, s'adressant à Thibaut et à Caroline, il termina par ces mots : « Vous allez finir par la rendre idiote. »

Et si un père servait d'abord à cela : à rendre la justice...

Je voyais mon père en tête à tête lorsque nous dînions ensemble. Il m'emmenait dans de grands restaurants et c'était l'occasion pour moi de déguster des plats de luxe [...]. Mais surtout j'étais avec mon père et je me sentais bien. Il était attentif, aimant, « respectueux ».

Enfin j'étais une personne à part entière. Notre conversation était entrecoupée de silences paisibles et parfois, sur la table, je lui prenais la main. Il ne me parlait jamais de sa vie privée, et je ne lui posais aucune question à ce sujet, ça ne me passait même pas par l'esprit. Il débarquait du « néant » et je n'en étais nullement étonnée. L'essentiel : *il était là*, et j'étais « épanouie, ravie », comme disait le poète.

En avril 1962 – j'avais alors vingt et un ans –, je tombai malade.

...

Dans mon souvenir, c'est maman qui eut l'idée d'appeler mon père à l'aide. Rendez-vous fut pris pour tel jour, telle heure, rue Jadin. J'attendais énormément de cette entrevue. Si tous ces médecins stupides n'avaient pu me guérir, qui d'autre que mon père – cet éminent psychanalyste dont déjà je ne mettais pas en doute le génie – pouvait m'entendre, me sauver ?

...

Je me *vois* sur le balcon à l'heure dite, guettant l'arrivée de mon père. Le temps passait, il n'était toujours pas là. Mon impatience allait croissant. Comment pouvait-il avoir un tel retard dans des circonstances pareilles ?

...

À quelques mètres de chez nous se trouvait une maison de rendez-vous, discrète, fréquentée par des gens « chics ». De mon poste d'observation, je vis soudain une femme sortir de ce lieu à pas rapides. Quelques secondes plus tard, un homme sort à son tour. Avec stupéfaction je reconnais mon père.

Comment avait-il pu m'imposer ce supplice pour satisfaire d'abord son désir ? Comment avait-il osé venir baiser rue Jadin à deux pas du domicile de ses enfants et de son ex-femme ? Je rentrai dans l'appartement au comble de l'indignation.

J'avais une trentaine d'années. [...] Alors que j'étais au Select, une vieille connaissance [...] vint vers moi dès qu'il me vit. Il avait une intéressante nouvelle à me communiquer. Sais-tu, me dit-il, que dans le *Who's who* ton père n'a qu'une fille : Judith ? Le noir se fit dans ma tête. La colère ne vint qu'après.

...

J'ai haï mon père pendant plusieurs années. Comment aurait-il pu en être autrement ? Ne nous avait-il pas tous abandonnés [...], avec tous les ravages que cette absence avaient engendrés ?

...

Mon père vivait sa vie, son œuvre, et notre vie à nous semblait un accident de son histoire, un pan de son passé, qu'il ne pouvait toutefois ignorer. Je sais qu'il nous aimait, à sa manière. C'était un père intermittent, en pointillé.

...

Je prends rendez-vous avec mon père pour l'heure du dîner

comme d'habitude. C'est urgent, précisé-je à Gloria, la fidèle secrétaire.

J'habitais encore rue Jadin, [...] j'avais donc vingt-trois ou vingt-quatre ans. Mon père vient me chercher en voiture, comme il le faisait à l'époque. Encore sur le trottoir, il me lance d'un air furibond : « J'espère que tu ne vas pas me dire que tu épouses un imbécile ! »

« Père, si peu », mais père quand même.

...

Voulais-je vraiment être la fille de Lacan ? En étais-je fière ou irritée ? Était-il agréable de n'être *aux yeux de certains*, que « la fille de », c'est-à-dire personne ?

Les années ont passé et, l'analyse aidant, mes sentiments vis-à-vis de mon père se sont clarifiés, apaisés. Je les reconnais pleinement comme mon père. Mais surtout – ce qui est bien plus important encore –, aujourd'hui *j'ai foi en moi* et peu importe qui est mon père. D'ailleurs, si l'on y réfléchit bien, n'est-on pas toujours la fille (ou le fils) de ses parents ?

...

J'ai vu mon père – vivant – pour la dernière fois près de deux ans avant sa mort. Depuis longtemps je n'avais aucun signe de lui. Généralement c'était moi qui l'appelais, qui faisais le premier pas. À cette époque je voulus le mettre à l'épreuve et ne me manifestai pas.

...

Quoi qu'il en soit, j'eus besoin de me faire opérer et je n'avais ni argent pour cela, ni sécurité sociale. Non sans une certaine malice (il ne se préoccupait pas de moi, eh bien, il allait devoir le faire...), je saisis cette occasion pour revoir mon père. Je pris rendez-vous par l'intermédiaire de Gloria comme d'habitude. J'entrai dans son cabinet où il m'attendait immobile, figé, le visage fermé, et je lui demandai gaiement de ses nouvelles. Il ne me répondit pas mais me demanda sur un ton que je ne lui connaissais pas *ce que je voulais*. Parler, te voir..., dis-je étonnée. Mais encore ? Blessée, je lui répondis que je devais subir une opération, que je n'avais pas l'argent nécessaire et que, par conséquent, j'espérais qu'il me le donnerait. Sa seule réponse fut non, puis il se leva pour mettre un terme à la « séance ». Aucune question sur ma santé. Incrédule, j'essayai de le réveiller mais en vain, il me dit *non* encore, tenant la porte ouverte devant moi. Jamais mon père ne m'avait traitée ainsi. Pour la première fois j'avais affaire à un étranger. Sur le trottoir de la rue de Lille, je me jurai de ne revoir ce type que sur son lit de mort.

...

Plusieurs années après la mort de mon père, je suis passée par Guitrancourt, où il est enterré, au retour d'un week-end à Honfleur...

Je montai au milieu des tombes fleuries jusqu'à celles de mon père, située tout en haut de l'enceinte. Une vilaine dalle de ciment avec son nom et les dates traditionnelles (naissance - mort). J'étais émue. Il y avait tant d'années qu'on ne s'était pas parlé.

En désespoir de cause, je collai ma main sur la pierre glacée, jusqu'à la brûlure.(Si souvent, dans le passé, nous nous étions tenus la main.) Rapprochement des corps, rapprochement des âmes. La magie opéra. Enfin j'étais avec lui. *Cher papa, je t'aime. Tu es mon père, tu sais*. Il m'a sûrement entendue.

Rentrée à Paris, au milieu de la nuit j'écrivis une longue lettre à une amie qui, je me souviens, se terminait ainsi : « Il ne faut pas laisser les morts trop seuls. »

...

J'ai rêvé que mon père guérissait (il n'était pas mort) et que nous nous aimions. C'était une histoire uniquement entre lui et moi. [...] C'était une histoire d'amour, de passion.

Sybille Lacan, Un père, *1994*

« Un jeune mort dont je serai l'aîné éberlué... »

par Jérôme Garcin

Mon père est mort d'une chute de cheval le samedi 21 avril 1973, veille de Pâques, dans l'insoucieuse et très civilisée forêt de Rambouillet. Il avait quarante-cinq ans, j'allais en avoir dix-sept. Nous ne vieillirons pas ensemble. Je n'ai jamais accepté, malgré les années, malgré les bonheurs qu'on arrache sans douceur à la vie qui va et renaît, malgré la faculté qu'on développe si bien de savoir survivre, tête haute, à ceux qui nous ont faits et qu'on a perdus, je n'ai jamais accepté ce verdict sans appel, cette jeunesse, la sienne, soudain figée dans un effroi pompéien, ce mouvement arrêté comme par la main de Pisanello, Delacroix ou Géricault. J'écris ce livre pour tenter de transcrire, sur le papier, la partition du mortel galop dont l'obsédante musique à trois temps n'en finit pas de chanter, de cogner dans ma tête.

« Mon père portait une bombe noire et ses lunettes d'écaille. Il avait les talons bas et les pieds parallèles des cavaliers chez qui le métier est entré par le mollet. Qu'il fût en selle ou dans son fauteuil d'éditeur, je l'ai toujours connu cravaté. »

Ce matin-là, près de Montfort-L'Amaury, mon père montait « Quinquina » et son ami Frédéric F., « À-nous-l'or ». Pendant un quart d'heure, les deux hommes avaient détendu leurs chevaux au manège. [...] J'imagine le bonheur de mon père quand, avec son ami, il quitte enfin le club.

...

Le chemin monte et zigzague à travers le bois de Tremblay. Quinquina étant plus vif et plus rapide que À-nous-l'or, mon père double son compagnon, lui fait un signe de la main et part au galop debout, rênes tendues. [...] Il respire à pleins poumons un parfum de mûres, de noisettes et de résineux. Il sent contre ses cuisses la chaleur du cheval lancé dans une course solitaire. Il ne pense à rien d'autre qu'à cette incomparable jouissance d'être au-dessus de soi. C'est un état merveilleux qui abolit la notion de risque, ignore l'hypothèse de l'accident.

Longtemps, mon père n'avait été qu'un pur intellectuel méprisant, sinon le sport, du moins la dépense physique. Il la jugeait inutile et, pour tout dire, inélégante. Le dandy, qu'il avait été à vingt ans, ajoutait une pointe de cynisme au dédain du lettré pour tout ce qui fascine les foules et n'épuise que le corps. En khâgne, au lycée Henri-IV, il mettait avec ostentation des gants beurre frais sur ses mains trop douces et jetait un regard dégoûté sur ses camarades, internes aux ongles noirs, qui glissaient dans leur Gaffiot, en guise de marque-page, des peaux graisseuses de saucisson à l'ail. Il appelait ça « l'épreuve de la familiarité sale ». Ce n'était pas du mépris, mais l'illustration d'une maladive timidité. J'ai retrouvé ce mot, qui en dit long, dans un carnet intime tenu pendant sa khâgne : « Ils se figurent que je suis heureux, parce que je crâne. »

Il préférait Saint-Évremond au foot et Rivarol au rugby. Chaque soir, il lisait *Le Monde* in extenso, mais sautait la page sportive comme s'il se fût agi d'une incongruité. Je ne l'ai jamais vu s'intéresser à une compétition, suivre un match à la télévision. [...] D'ailleurs, il ne regardait pas la télévision. Ses soirées, il les passait dans son bureau-bibliothèque, lieu de haute solitude, parmi ses ouvrages recouverts de cellophane, à écrire des études brèves et profondes sur ses écrivains de prédilection auprès desquels il trouvait le réconfort que l'époque

Philippe Garcin, « mon père avec qui, depuis trente ans, j'entretiens un perpétuel dialogue intime ».

et ses contemporains s'obstinaient à lui refuser. Pas plus qu'il ne parlait de lui, il n'écrivait pour lui.

...

Car s'il n'était pas tendre avec autrui, il était intraitable avec lui-même. Le jour où quelques malheureuses virgules furent déplacées dans sa longue étude sur Stendhal, donnée en 1960 à la *N.R.F.*, il envoya une lettre courroucée à Jean Paulhan qui, par retour du courrier et en promettant de « rechercher le coupable », signa, sans le savoir, le meilleur autoportrait de mon père : « Ah, la vie ne doit pas être facile avec vous. La vie ne doit pas *vous être facile avec vous.* » Il travaillait en effet à la perfection dans un monde irréel où il exigeait que chacun eut les mêmes ambitions. [...] Le seul livre qui porte son nom et la trace de son intelligence inflexible n'a d'ailleurs paru qu'après sa mort. Il s'intitule *Partis pris*. Ceux-là même auxquels il ne dérogea jamais.

...

C'est après la mort d'Olivier, mon frère jumeau, que mon père rompit avec ses habitudes casanières, son confort, sa paresse et ses préventions d'intellectuel.

...

Il avait la foi, elle l'a préservé et maintenu droit. Pour n'avoir point à se confier, il travaillait, dira son ami Pierre Nora, à être conforme à sa réputation : « Cambré, cassant, sanglé, distant, intransigeant sur les principes et les intérêts de sa maison d'édition. » Le week-end, son bureau était vide, inutile et sans voix. Il était à cheval, du matin jusqu'au soir. Ce fut une longue, rude, altière et dangereuse convalescence.

Il voulait soulager sa mémoire, perdre du poids, atteindre peut-être à cette légèreté qui met l'âme à la disposition de Dieu et les hommes brisés à la hauteur du paradis où les enfants morts ne grandissent plus. Il voulait en découdre avec l'invisible. Il cherchait l'ordalie. J'ai passé mon adolescence dans les écuries et dans les manèges de Chevreuse en bordure des terrains de concours hippiques du Calvados, [...] où seul il promenait un fier et grand cheval bai foncé, mais je ne m'imaginais pas le combat intime que, derrière ses lunettes noires et sa cravate blanche de compétition, mon père menait avec lui-même.

Il ne reprit la plume qu'une seule fois, dix ans après la disparition de son fils, pour louer soudain Charles Péguy. Son texte est resté inachevé. Je l'ai retrouvé manuscrit, dans le tiroir de son bureau. À la veille de mourir, mon père écrivait ainsi de l'auteur du *Mystère des saints innocents* : « Cet homme pour qui seul comptait l'accomplissement de la tâche était aussi celui qui rêvait d'être arrêté au plus fort de sa course par une traverse imprévue [...]. Vision d'un devenir accidentel qui ne suspend pas les actions, qui ne ruine pas les raisons d'agir mais les renforce au contraire à la lumière du malheur qui va fondre. [...] *Il voulait la mort au dépourvu.* » Elle prit Péguy à l'improviste, dans les seigles trop mûrs de Villeroy, et mon père, sur un chemin de terre sèche de la forêt de Rambouillet.

...

J'ai grandi dans la mort sans l'avoir jamais vue à l'œuvre, sans avoir jamais pu la combattre, la haïr, ni la supplier de gracier mon jumeau, de sauver mon père. [...] Depuis, je vis dans l'obsession de l'accidentel qui menace les miens, dans l'angoisse de me les voir retirer, à mon insu. [...] Alors, pour faire bonne figure, je travaille sans cesse à feindre la sérénité, à tuer en moi la conviction que les enfants disparaissent à six ans, les pères, à quarante-cinq, et qu'il est toujours trop tard, de quelques jours, de quelques heures, pour leur sourire une dernière fois, leur murmurer mon amour, embrasser leurs lèvres mortes.

...

Il m'arrive d'espérer croire en la vie éternelle, alors je me dis que mon père n'a tant galopé que pour atteindre la forêt où retrouver son fils, qu'ils sont maintenant réunis, main dans la main, et qu'ils ont à jamais les âges que la vie a bien voulu leur octroyer.

...

Après l'accident de mon père, j'avais fui les chevaux. Je traversais, en voiture, les campagnes de France et d'Italie sans les voir, derrière leurs barbelés où ils semblaient exécuter une lointaine danse de mort, et je voulais tant vivre. Je ne les détestais point, je les ignorais.

...

Le cheval semblait être entré, pour toujours, dans les paysages lunaires d'une préhistoire intime, où les défunts sont figés dans l'élan. C'est l'aîné des garçons qui, à huit ans, vint l'y chercher, le caressa d'une main très sûre et lui mit, d'instinct, un licol pour le ramener dans ma vie. [...] Cet animal qui avait tué mon père, mon fils me le rendait, tranquille et innocent... Le cheval ne figurait plus un témoin encombrant du passé, il devenait une promesse d'avenir.

J'ai passé mon adolescence à me chercher dans le regard de mon père ; je m'observe aujourd'hui dans les yeux de mes enfants, Gabriel, Jeanne et Clément. Ils voltigent sur des haflingers aux croupes caramel et aux crinières sable avec une élasticité d'acrobates, sautent sur des pur-sang des barres plus hautes qu'eux, taquinent, sur l'herbe rase, des balles de polo en bois blanc avec des maillets argentins, galopent à cru, des heures rieuses durant...

...

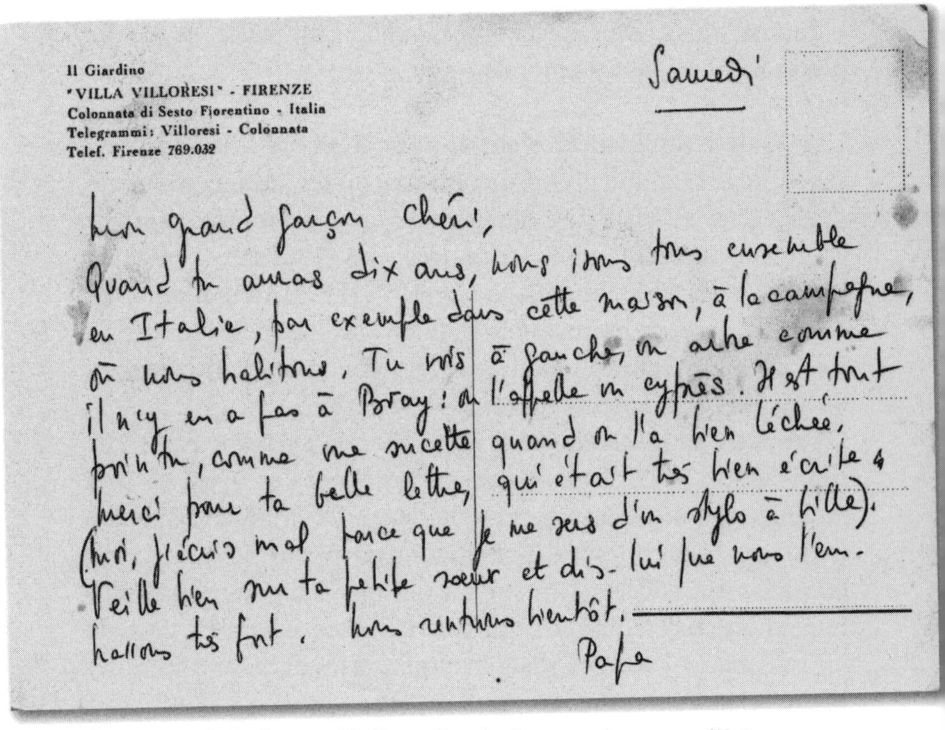

Il Giardino
"VILLA VILLORESI" - FIRENZE
Colonnata di Sesto Fiorentino - Italia
Telegrammi: Villoresi - Colonnata
Telef. Firenze 769.032

Samedi

Mon grand garçon chéri,
Quand tu auras dix ans, nous irons tous ensemble
en Italie, par exemple dans cette maison, à la campagne,
où nous habitons. Tu vois à gauche, un arbre comme
il n'y en a pas à Bray : on l'appelle un cyprès. Il est tout
pointu, comme une sucette quand on l'a bien léchée.
Merci pour ta belle lettre, qui était très bien écrite
(moi, j'écris mal parce que je me sers d'un stylo à bille).
Veille bien sur ta petite soeur et dis-lui que nous l'em-
brassons très fort. Nous rentrons bientôt.
Papa

Carte postale écrite par Philippe Garcin à son petit garçon, Jérôme…

Je n'oublierai jamais cet après-midi caniculaire de juillet où tout ce qui était noué en moi se libéra. J'étais parti seul en promenade sur un demi-sang, agile et bon sauteur, que je montais souvent en dressage.

...

C'est à cet instant précis que je compris les raisons de ce bonheur : non seulement j'avais vaincu ma vieille peur d'accidenté, mes étouffantes suspicions de rescapé, mais je découvrais surtout la jouissance physique qu'avait connue mon père pendant près de dix ans et dont son ultime promenade avait été non pas l'aboutissement mais la consécration. Elle avait donné à sa mort, la fougue d'une joie juvénile et l'avait exempté de ce qui, d'ordinaire, menace les hommes ayant trop pris soin d'eux, s'étant ménagés : la décrépitude, sous le bedon et le confort.

Cela fait un quart de siècle que mon père tant aimé, comme pour préserver notre complicité, n'en finit pas, sur la dernière photographie que j'ai prise de lui dans la forêt de Rambouillet, d'avoir quarante-cinq ans. Encore quelques saisons équestres, quelques chevauchées sous les futaies du Brévedent ou dans les bois du Houley, quelques concours hippiques avant lesquels on éprouve le trac des comédiens qui vont entrer en scène, quelques reprises à chercher un idéal *rassembler*, un léger sursaut du temps, un sursis de la mémoire, et nous aurons le même âge ; ce jour-là, mon père sera mon autre jumeau. Nous encadrerons alors tous les deux Olivier.

Il n'y avait rien de morbide dans ce trouble que je ressentais, debout sur mes étriers, au grand galop, rien qui pût non plus ressembler au sentiment de revanche ; je vivais au contraire en communion avec celui dont jamais la présence à mes côtés n'avait été si rayonnante, si légère, si nécessaire.

...

Mon père, lui, galope toujours dans la forêt, il n'a abdiqué ni sa jeunesse, ni ses désirs, ni son amour exigeant de la langue équestre, il n'est même pas fatigué, il a encore rajeuni et il n'aura plus jamais peur, jamais, de tomber de cheval.

Jérôme Garcin, La Chute de cheval, *1998*

Hier encore...

Hier encore, parce que le cheval était au mieux de sa forme, équilibré dans les tournants, régulier dans ses foulées, droit dans ses abords, léger au planer et que je nous sentais à l'unisson, j'ai demandé à ce que l'on monte les barres, un trou, et puis deux, et puis trois, que l'on élargisse l'oxer au carré et qu'on élève progressivement la sortie du double. Plus le parcours était haut, plus les combinaisons étaient délicates, mieux Eaubac venait sur les obstacles. Il semblait prendre plaisir au défi tandis que j'éprouvais, grisante, chassant le trac, la volupté cadencée du risque. On était en sueur, lui et moi, on volait, c'était à la fois doux et violent, harmonieux et bravache, excitant et vain. À quoi tiennent nos ferveurs !

Avant de rentrer aux écuries, pour le sécher et reprendre ma respiration, j'ai emmené mon cheval dans les bois, où l'ombre fraîche a des parfums acidulés. J'étais heureux, comme le sont les enfants qui goûtent après l'effort. J'exprimais à Eaubac, en lui caressant l'encolure, ma gratitude pour la qualité et la loyauté de ses sauts, pour la confiance que je lui devais d'avoir recouvrée. Quelques sales chutes à l'obstacle, des côtes cassées et surtout un mémorable vol plané après un refus au pied d'un gros oxer avaient presque instillé le doute en moi. Lentement, je reprenais donc goût aux performances.

Mais hier, sous les futaies de l'été, une voix protectrice que je connais bien me murmurait soudain de faire attention, de ne pas trop jouer à narguer le destin, de ne pas *m'abuser*. Cette voix grave et belle, c'était celle de mon père avec qui, depuis bientôt trente ans, j'entretiens un perpétuel dialogue intime.

Depuis le 4 octobre dernier, j'ai l'impression que la musique de ses mots est plus forte et le phrasé de sa vigilance, plus clair. Car ce jour-là, j'ai fêté mes quarante-cinq ans. L'âge qu'avait mon père quand son cheval emballé l'a désarçonné en forêt de Rambouillet. J'ai longtemps attendu avant d'oser écrire un livre impudique aux trois allures – pas, trot, galop – et beaucoup hésité avant d'avouer combien il me manquait, pourquoi je l'aimais, comment j'avais hérité de sa passion pour le bel animal qui avait eu raison de sa jeunesse, de notre complicité, de quelle manière aussi je l'avais transmise, comme un trésor, à mes enfants.

Je ne suis pas d'une nature superstitieuse, et pourtant cette année me pèse. Elle ne me laisse guère de répit. Jusqu'en octobre prochain, je suis en effet l'exact contemporain de mon père. Certains amis, qui étudient trop les astres et ont lu de trop près la *Chute de cheval*, me conseillent de me ménager, de prendre garde, de moins sauter – ces insidieuses précautions d'usage me font sourire, mais elles m'obsèdent un peu. Je persiste à préférer être fidèle à ma conviction selon laquelle on peut, sur un deuil et ses ruines obscures, fonder un enthousiasme, faire naître une nouvelle vie et prolonger la mémoire de ceux qu'on a aimés. Alors, je monte de plus en plus. Je me rudoie comme mon père se malmenait pour supporter, au grand galop, la disparition de son enfant mort, de mon frère jumeau. Et quand j'écris, c'est sur des vies brèves, des destinées fauchées. Je n'arrive pas à faire vieillir mes modèles, à encroûter mes rêves, à tempérer mes cavalcades. C'est que je n'en finis pas d'être le fils d'un jeune mort dont je serai pour la première fois, dans trois mois, l'aîné éberlué.

Jérôme Garcin

Jérôme Garcin, texte inédit

« Pères, sacrifiez-vous... La civilisation est à ce prix... »

par Philippe Sollers

Maintenant que je pense à lui, je me demande comment mon père trouvait la force ou l'inconscience, le surcroît d'adolescence ou de sainteté spontanée, le génie infranerveux, de rester toujours, ou presque, de bonne humeur... C'était peut-être sa vengeance... Montrer qu'il ne se passait rien... Que rien n'avait de sens... Silencieux, mais gai... Pas d'issue, mais léger.

...

Tous les matins, avec Stephen [mon fils], nous organisons une petite séance d'arts martiaux... je mets le kimono bleu marine et blanc que Deb m'a ramené du Japon ; je pousse des cris Kabuki ; nous nous saluons respectueusement ; je lui apprends à porter les coups... Rôhôôôôô !... Il me frappe... La main à plat ; le bras horizontal... Le sabre imaginaire partant en éclair ... en réponse, je le pousse un peu ; je le bouscule... Il rit. À cinq ans, il apprend à tuer papa... Sérieusement... De toute son énergie...

...

Il faut que Papa soit toujours calme, un peu distant, humoristique, mais pas trop... Oui, oui... Non, non... Papa est un tuteur pour végétaux fous, en hélice... Du fait qu'il tienne nerveusement le coup dépend non seulement la couleur de toute la journée et de la nuit suivante, mais, de proche en proche, l'atmosphère générale...

Philippe Sollers le jour de sa première communion, à Bordeaux, en 1948.

Octave Joyaux, père de Philippe Sollers, en 1936, à Cannes.
« Papa est comme Dieu. Il existe, mais il ne répond pas. »

Pères, sacrifiez-vous... La civilisation est à ce prix... Sachez mourir et mentir... Repoussez la transparence... Ne dites rien... Ne vous confiez jamais... Ne soyez pas malades... Marchez ou crevez... Restez souples, détendus, ironiques, même si, à l'intérieur, vous tremblez d'angoisse... Soyez généreux, compréhensifs, enthousiastes, faussement naïfs, exemplaires... Vides... Votre rôle, fixé de toute éternité, est sublime : incarner l'axe du monde, la vertèbre cosmique, la colonne d'harmonie... N'en parlez surtout pas... Silence... Pas de déclarations... Pas de plaintes... Pas de valeurs déclamées... Payez !

...

Papa est un être enchanté, aventureux, indiscutable, diagonale du carré, portrait dans le tapis, atmosphère diffuse... Autant dire qu'il n'existe que sous forme de certitude hypothétique... Il existe ? Il n'existe pas ? Il a ses apparitions, en tout cas... Papa est, par définition, quelqu'un dont on ne demande pas de nouvelles... Qui est censé savoir se débrouiller dans son coin... Qui n'est pas de ce monde... Qui peut donc en sortir à tout moment... Est-ce qu'il n'est pas déjà mort, d'ailleurs ? Destiné à ça ? À moins qu'il ne soit Idéal... Chevalier éthéré... Prince de la lumière perdue... Mort aussi, en un sens ou disparu... Papa *sait*... Ou est censé savoir... Papa n'est pas comme nous... Papa est inexplicable... Quelque part sur l'océan...

Drôle de fonction inhumaine, transhumaine, c'est vrai... Sur laquelle on sait peu de choses... Très ténébreux, cet endroit de l'envers du décor... Et pour cause... Fonction algébrique... Au-delà de la géométrie... À sa source, à son point d'extinction... Il y a une belle expression de Joyce, justement, dans *Finnegans Wake* « Father Times and Mother Spocies. » Le Père-les-Temps, La Mère les Espaces et l'Espèce... Ou encore : le Père qui *tempe* – et même qui temporise ; la Mère qui ponctue et aménage les lieux et les habitants de ces lieux... Le Père-son... La Mère-image... Synchro difficile... Représenter le temps, et le temps des temps, et ce qui bat de temps dans le temps ; être le compteur individuel mais universel ; incarner en passant dans l'espace le point de fuite de cet espace, ce n'est pas une petite affaire...

Le petit Philippe avec sa sœur, en 1938.

« J'ai été beaucoup fils et pas assez père mais ça vient j'y vais j'y parviens... »

Qu'est-ce qu'un père ? Silence... Embarras... Bafouillages... Religions... Et comme l'idée que l'on se fait des parents est une création imaginaire des enfants... comme il n'y a en un sens, du début à la fin, *que* des enfants... Et que ces enfants meurent en criant maman... Alors que maman aussi n'est qu'une enfant... Ça ne tient pas le coup, voilà... C'est la raison de mon catholicisme raisonné, toujours plus intériorisé... Je suis un enquêteur sérieux, moi... La combinatoire sexuelle... Les systèmes métaphysiques...

Philippe Joyaux, dit Philippe Sollers, Femmes, *1983*

Papa est étrange. Il sait des choses qu'il ne dit pas de front, mais en se taisant, en indiquant, en montrant.

...

Il n'a jamais l'air fatigué. Il ne se plaint pas. Pendant la semaine, il se lève très tôt le matin, se rase, s'habille, s'en va, rentre, écoute des concerts à la radio, se couche. Il ne croit à rien, ne rit pas facilement.

...

Il aime la préhistoire, l'archéologie, la chimie, l'astronomie. On va interroger les étoiles, la nuit, à l'Observatoire. C'est lui qui m'a offert le microscope qui est là, à côté de la lampe rouge, sur le bureau Flaubert. Sa bibliothèque était, comme lui, technique, sans appel. Il a très bien compris ce que je faisais à l'époque dans les coins, il ne m'a jamais dénoncé, tout ça n'a pas d'importance. Lorsque j'ai quitté le Sud, il m'a toujours envoyé de l'argent, en douce. Le microscope, les gouttes d'eau, silence sur l'argent et la politique, musique et sommeil fermé, c'est tout.

Philippe Joyaux, dit Philippe Sollers, Studio, *1997*

Il est là à faire du courrier dans son bureau, à recevoir des clients, à répondre au téléphone, etc. Ce n'est sans doute qu'une impression enfantine, mais j'ai le sentiment qu'il fait tout ça sans enthousiasme, parce qu'il faut bien le faire, mais cela ne l'intéresse absolument pas. Mais jamais la moindre pression, le moindre stress. C'est étrange, cette vision de quelqu'un qui tient debout, qui fait tout ce qu'il faut pour cela, qui est très gentil, compréhensif, qui ne se met jamais en colère, qui n'aime que les opérettes, et ne transmet cependant rigoureusement aucune opinion positive sur l'existence. Aucune contrainte, rien de vraiment totalement négatif. Disant qu'on parle beaucoup pour ne rien dire, qu'il faut se méfier du blabla. Une position à la Beckett, presque.

...

Il ne m'a jamais emmerdé ! Un jour, j'ai découvert avec stupeur qu'il avait collectionné des articles me concernant. Je n'ai jamais su s'il lisait mes livres. Nous n'en avons jamais parlé ensemble. Il n'était pas contre le fait que j'écrive, mais ne donnait pas son avis. Ce qui a l'avantage de rejeter toute forme d'hypocrisie. C'est un fait : il ne mentait jamais.

...

Ça, son silence, ça m'a terriblement marqué.

...

Sa disparition m'a beaucoup touché. Un choc très profond. Parce que ce qui m'est soudain apparu, c'est cette figure réfractaire d'anarchiste résigné. Il m'a semblé que son attitude face à la vie lui conférait une sorte de grandeur ; il prenait de la hauteur. En fait, toute une partie de moi se sent assez proche de tout ça, évidemment : déserteur, réfractaire, faire sans trop y croire...

...

Je vous ferais remarquer que dans la littérature en général il n'y a pratiquement rien sur le père et le fils, c'est une question qui est tout à fait occultée, toujours vécue sur le même thème de l'incompréhensibilité œdipienne tragique, de l'incommunicabilité. Vous savez, comme moi, que mon grand héros, c'est Ulysse, entouré de Pénélope et de Télémaque. Je n'arrête pas de mettre ça en scène de façon sous-jacente. Qu'est-ce que c'est, en effet, qu'un père et un fils unis grâce à Athéna, déesse protectrice délivrant une femme et un enfant de la pression des prétendants, avec, à la clef, un massacre tout de même assez ébourrifant ?

Vous connaissez ma théorie ? Si on est écrivain ou artiste, il faut déloger le père de sa mère, sinon ce n'est pas la peine, on est en deçà du jeu. Il vaut mieux que la mère soit intéressante... Il y a des époques à père, comme il y a des époques à mère... Mozart a eu ce père-là, Sade cet autre... Et puis après, c'est autre chose. Ça passe par les mères... Il y a des moments où ça passe davantage par les femmes que par les hommes. Nous sommes en plein dedans, et pour longtemps.

Ph. Sollers

Philippe Joyaux, dit Philippe Sollers,
entretiens avec Gérard de Cortanze, Philippe Sollers, *2001*

« Je n'ai jamais eu le sentiment de la différence d'âge... »

par Marguerite Yourcenar

On veut que les enfants détestent leurs parents ou les adorent. À la vérité, je n'ai à aucune époque « adoré » mon père, et ce n'est que tard, me semble t-il, que je l'ai même vraiment aimé.

...

C'était quelqu'un qui a vécu selon ses impulsions et ses caprices du moment, un lettré comme on l'était autrefois, pour l'amour des livres, pas pour « faire des recherches », ou même, systématiquement pour s'instruire ; un homme infiniment libre, peut-être l'homme le plus libre que j'aie connu. Il faisait exactement ce qu'il voulait faire, ce qu'il aimait faire. Il se souciait peu du reste.

Quand j'avais quinze ans, si quelque chose allait mal, n'importe quoi, il définissait la situation par une formule qu'il avait probablement apprise à l'armée, car il avait été sous-officier de cuirassiers avant sa désertion, qui avait été elle aussi une aventure, il me disait : « Oh ! Ça ne fait rien, on s'en fout, on n'est pas d'ici, on s'en va demain », ce qui semblait répondre à sa philosophie de la vie. Il y avait en lui un mélange d'audace et de générosité, et aussi, avec toute cette ardeur, un haussement d'épaules, un fond d'indifférence : il a fait successivement tout ce qu'ont voulu ses femmes, épouses ou maîtresses.

...

Il était très bien [avec moi], c'était à peine un père. Un monsieur plus âgé que moi – je ne dirai pas un vieux monsieur, je

La petite Marguerite en 1908.

n'ai jamais eu le sentiment de la différence d'âge, je ne l'ai toujours pas – avec lequel on se promenait pendant des heures en parlant de philosophie grecque ou de Shakespeare, ou de ses souvenirs et de ceux qu'il tenait des gens plus âgés que lui, ce qui m'a tout de même donné une mémoire s'étendant sur presque deux générations avant la mienne ; un ami avec lequel on visitait des églises, des champs de fouilles, ou avec lequel on parlait des animaux, des chevaux ou des chiens, et qui, par moments, avait l'air d'un vieux vagabond, à la fin de sa vie, assis sur la route avec son couteau, mangeant un sandwich.

...

Après l'avoir pleuré, mort (j'avais vingt-cinq ans), j'avoue que pendant près de trente ans je l'ai presque oublié. Ce qui ne l'aurait d'ailleurs ni étonné ni choqué, car un être jeune doit oublier et doit vivre. Ce n'est que beaucoup plus tard dans ma vie que mon père est redevenu pour moi une pensée assez constante. Mais durant mon adolescence et ma première jeunesse, nous avions des rapports excellents, de bons échanges. D'abord, il m'a donné le premier goût de l'exactitude et de la vérité. [...] Et puis, il ne me contredisait jamais, ce qui me paraît un très grand art, vis-à-vis de la jeunesse.

...

Je l'ai soigné, mal d'ailleurs, parce qu'on a tout de même ses soucis, ses préoccupations personnelles, à vingt-quatre ans ; on est encore novice devant la maladie et la mort. Il m'arriva de le quitter beaucoup plus souvent qu'il ne m'arrive de quitter Grace Frick malade en me disant avec angoisse : « Qu'est-ce qui pourrait se passer ? Devrais-je être là ? » À vingt-quatre ans, on a encore trop confiance dans la vie. Mais enfin j'étais avec lui : je l'ai vu mourir. Cela m'a donné la leçon immédiate d'une très belle existence réussie, quand de l'extérieur cela paraissait une vie folle et manquée.

Je l'ai senti tout de suite. J'avais un âge où l'on est assez adulte pour en juger. Et lui aussi l'a senti ; il avait le sentiment que sa vie avait été très pleine.

...

Par nature, ce n'était pas un intellectuel – non que je prétende en être une – mais je veux dire qu'il aurait parfaitement pu se passer de rien lire, de rien voir. Il aurait été parfaitement content de se promener dans un bois en regardant les arbres, et je crois que cette espèce d'ardeur intellectuelle de l'adolescence, qui était la mienne, l'a réveillé, ravivé. Nous nous sommes épaulés l'un l'autre.

...

Il aimait beaucoup lire et avait des auteurs favoris, mais des passions littéraires, j'en doute. Par exemple, il aimait Shakespeare, Ibsen. Nous avons lu Ibsen ensemble, quand j'avais environ seize ou dix-sept ans. J'ai encore plusieurs pièces annotées par lui : il voulait m'apprendre à lire à haute voix, et il avait imaginé une espèce de notation musicale, pour marquer les endroits où l'on s'arrête, et les endroits où la voix s'élève et retombe.

Nous lisions beaucoup ensemble, à haute voix. Nous nous passions le livre. Je lisais, et quand j'étais fatiguée, c'était lui qui prenait le relais. Il lisait fort bien, beaucoup mieux que moi : il extériorisait beaucoup plus.

...

C'était un jeu entre mon père et moi. Parce que c'était mon père qui m'offrait cette espèce de cadeau de Noël qu'était la publication de mon poème sur Icare, il m'a dit : « Préfères-tu prendre un pseudonyme ? » J'ai répondu : « Oui, bien sûr. » D'abord cela vous éloigne de la tradition familiale, à supposer qu'il y en ait une, ou en tous cas des entraves familiales : on est libre. Et naturellement il ne pouvait que s'accorder à cette idée. Alors nous avons cherché, nous nous sommes amusés à faire des anagrammes du nom de Crayencour, et après une soirée agréable, déplaçant les mots, les lettres sur une feuille de papier, nous sommes tombés sur Yourcenar. Alors nous nous sommes dit : « Très bien. Va pour l'Y. » Un pseudonyme que j'ai toujours gardé, finalement, à travers beaucoup de vicissitudes. C'est même devenu mon nom légal. Vous voyez quel élément de jeu il y a dans tout cela !

...

Mon père avait lu le manuscrit [*Alexis*]. Il ne m'en avait pas parlé, mais j'ai trouvé un petit papier qu'il avait glissé dans le dernier livre qu'il ait ouvert, la *Correspondance* d'Alain Fournier et de Jacques Rivière. C'était un tout petit bout de papier sur lequel il avait écrit : « Je n'ai rien lu d'aussi limpide qu'*Alexis*. » J'étais heureuse, vous pensez ! Dans cette dernière parole, il y avait toute l'amitié, toute la compréhension entre mon père et moi.

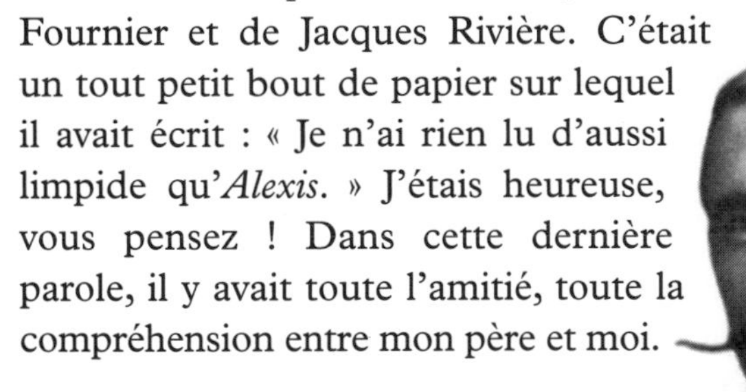

Michel de Crayencour, père de Marguerite Yourcenar, à l'âge de 38 ans.

Marguerite de Crayencour,
dite Marguerite Yourcenar,
Les Yeux ouverts, entretiens
avec Matthieu Galey, *1980*

« Ce n'est pas tout d'être mon père... »

par Georges Brassens

Du fait qu'un couple de fieffés
Minables a pris le café
Du pauvre, on naît et nous voilà
Contraints d'estimer ces gens-là.
Parc' qu'un minus de cinq à sept
Chevauche une pauvre mazette
Qui resta froide, sortit du
Néant un qui n'aurait pas dû.

Ce n'est pas tout d'être mon père,
Il faut aussi me plaire.
Être' mon fils ce n'est pas tout,
Il faut me plaire itou.
Trouver son père sympathique,
C'est pas automatique.
Avoir un fils qui nous agrée,
Ce n'est pas assuré.

Quand on s'avise de venir
Sur terre, il faut se prémunir
Contre la tentation facile
D'être un rejeton d'imbécile.
Ne pas mettre au monde un connard,
C'est malcommode et c'est un art
Que ne pratique pas souvent
La majorité des vivants.

Brassens, père et fils, en 1938.

Georges Brassens entouré de ses parents dans la maison familiale de Sète.

L'enfant naturel, l'orphelin
Est malheureux et je le plains,
Mais, du moins, il n'est pas tenu
Au respect d'un père inconnu.
Jésus, lui, fut plus avisé,
Et plutôt que de s'exposer
À prendre un crétin pour papa,
Il aima mieux n'en avoir pas.

C'est pas un compte personnel
Que je règle ; mon paternel,
Brave vieux, me plaisait beaucoup,
Était tout à fait à mon goût.
Quant à moi qui, malgré des tas
De galipettes de fada,
N'ai point engendré de petits,
J' n'ai pas pu faire d'abrutis.

« Je me dis que ces gens-là n'étaient pas mes parents... »

par Charles Bukowski

Mon père n'aimait pas les gens. Il ne m'aimait pas, moi non plus.

« Les enfants, me disait-il, on devrait les voir mais pas les entendre. »

...

J'avais commencé à ne plus aimer mon père. Ceci ou cela, il était toujours en colère. Où que nous allions, il finissait par se disputer avec tout le monde. Et pourtant, les trois quarts des gens ne semblaient guère avoir peur de lui : souvent même ils se contentaient de le dévisager calmement pendant que sa colère montait.

...

Je n'avais pas le droit de jouer avec les enfants du quartier. « Ce sont des vauriens, disait mon père. Leurs parents sont pauvres. » « C'est vrai », disait ma mère. Mes parents voulaient tellement être riches qu'ils s'imaginaient l'être.

...

J'entendis mon père rentrer. Il fallait toujours qu'il claque la porte, marche à pas pesants et parle fort. Ça y était : il était là. Au bout d'un moment, la porte de la chambre s'ouvrit. Mon père faisait un mètre quatre-vingt-dix, c'était un costaud. Fauteuil dans lequel j'étais assis, murs, papiers peints et pensées qui me trottaient par la tête, tout disparut. Les ténèbres qui recouvrent le soleil, c'était lui ; devant la violence qu'il avait en lui, tout le reste disparaissait. Mon père était tout en oreilles, nez et bouche ; je ne pus même pas regarder ses yeux.

En face de moi, il n'y avait plus qu'un visage rouge de colère.

« Parfait. Passe à la salle de bain. »

J'entrai, il referma la porte derrière nous. Les murs étaient blancs. Il y avait une glace et une petite fenêtre, la moustiquaire était noire et cassée. La baignoire, le siège des cabinets, le carrelage. Il tendit la main et décrocha le cuir à rasoir d'un piton. C'était la première raclée de ce genre que j'allais recevoir ; elles allaient être nombreuses et se répéter de plus en plus souvent. Et sans vraie raison, à mon avis au moins.

« Parfait, et maintenant tu baisses ton pantalon. »

Je baissai mon pantalon.

« Et ton caleçon. »

Je le baissai, lui aussi.

Il attaqua avec le cuir. Le premier coup me fit plus de peur que de mal. La douleur arriva avec le second. Et augmenta avec chacun de ceux qui le suivirent. Au début, je sentais bien qu'il y avait des murs, un siège de W.-C., une baignoire. À la fin, je ne vis plus rien du tout. Il me réprimandait tout en me battant mais je ne comprenais pas ce qu'il disait. Je pensai à ses roses, à la façon dont il s'y prenait pour les faire pousser dans la cour. Je pensai à son automobile dans le garage. J'essayai de ne pas hurler. Je savais que si je le faisais, il s'arrêterait sans doute : de le savoir et de deviner qu'il avait envie de m'entendre hurler m'en empêchaient. Les larmes coulaient de mes yeux mais je restais silencieux. Au bout d'un moment, tout ne fut plus qu'une espèce de grand tourbillon, de confusion générale d'où il n'émergeait plus qu'une seule possibilité parfaitement horrible : celle de rester là jusqu'à la fin des temps. Pour finir, comme quelque chose qui démarre avec une secousse, je commençai à sangloter. Et avalai les cochonneries salées qui m'avait coulé dans la gorge et me mis à m'étouffer. Il s'arrêta.

Il n'était plus là. Je sentis à nouveau la présence du miroir et de la petite fenêtre. Là-bas, il y avait le cuir à rasoir ; il était accroché à un piton, il était long, il était marron, il était tout tordu. Comme j'étais incapable de me pencher pour remonter mon pantalon et mon caleçon, je gagnai la porte avec maladresse, mes habits autour de mes chevilles. J'ouvris et trouvai ma mère debout dans le couloir.

« C'est pas bien, lui dis-je. Pourquoi est-ce que tu n'es pas venue à mon secours ?

– Le père a toujours raison », me répondit-elle.

Et puis elle s'éloigna.

J'allais jusqu'à ma chambre en traînant mes habits autour de mes pieds et m'assis au bord du lit. Le matelas me fit mal. Dehors, je vis les roses de mon père. Rouges, blanches et jaunes, elles étaient grandes et pleines. Le soleil était très bas mais ne s'était pas encore couché : ses dernières lueurs arrivaient, obliques, à la fenêtre de derrière. Le soleil, lui aussi, appartenait à mon père : je n'y avais pas droit parce qu'il brillait sur sa maison, à lui. C'était comme ses roses : c'était à lui qu'elles appartenaient, pas à moi...

Lorsqu'ils m'appelèrent pour le souper, j'avais trouvé assez de forces pour remonter mes habits.

...

– Pardon, fis-je, mais j'ai pas tellement envie de manger...

– Tu vas me faire le plaisir de MANGER ! cria mon père. C'est ta mère qu'a tout préparé !

...

Je commençai à manger. C'était horrible. J'avais l'impression d'être en train de les avaler, eux ; eux et ce à quoi ils croyaient, eux et ce qu'ils étaient.

...

Pendant ce temps-là, mon père n'arrêtait pas de s'exclamer : « Ah ! que tout ça était bon ! Ah ! Quelle chance nous avions d'être en train de manger de bonnes choses alors qu'il y avait tant de gens dans le monde qui, oui, et même en Amérique, étaient pauvres et crevaient de faim. »

Lèvres graisseuses et humides poussées tout en avant, il avait une gueule immonde. Il faisait comme si de rien n'était, comme s'il ne venait pas de me flanquer une raclée. Rentré dans ma chambre je me dis que ces gens-là n'étaient pas mes parents, qu'ils m'avaient adopté et que, maintenant, ils étaient bien malheureux de voir ce que j'étais devenu.

...

« Descends ton pantalon. »

Je l'entendis décrocher le cuir à rasoir. Ce cuir à rasoir il s'en servait pour aiguiser son rasoir et moi, dès le matin, je le haïssais : cette gueule toute blanche de crème à raser ! Ce type qui se rasait debout devant la glace ! C'est alors que le premier coup de cuir m'arriva dessus. Ça fit un grand bruit plat, un bruit presque aussi horrible que la douleur que je ressentis. [...] À agiter son cuir, mon père ressemblait à une machine à frapper. J'eus l'impression d'être enfermé dans un tombeau. Le cuir s'abattit encore une fois : je me dis que c'était sûrement le dernier coup. Mais non. Il retomba encore et encore. Mon père je ne le haïssais pas. Il y avait seulement qu'il était incroyable, que moi, j'avais tout simplement envie de m'éloigner de lui. Je n'arrivais pas à pleurer. J'étais bien trop mal pour pleurer, bien trop paumé. Le cuir atterrit encore une fois. Et puis mon père s'arrêta. Je me redressai et attendis. Je l'entendis raccrocher le cuir. Je l'entendis sortir de la salle de bain. Les murs de la salle de bain était beaux, la baignoire était belle, le lavabo aussi était beau, et aussi le rideau de la douche. Même le siège des W.-C. Mon père n'était plus là.

...

« Baisse ton pantalon et ton caleçon. »

Je refusai. Il m'attrapa le devant des habits, m'ouvrit la ceinture d'un coup sec, me déboutonna et me descendit le pantalon à toute force. Mon caleçon y passa aussi. Le cuir m'atterrit dessus. C'était toujours la même chose : ni le bruit d'explosion ni la douleur qui s'ensuivait n'avait changé.

« Tu vas finir par tuer ta mère ! » glapit-il.

Il me frappa à nouveau. Mais cette fois-ci, les larmes ne venaient pas. J'avais les yeux étrangement secs. Je songeai à le tuer. Je me dis qu'il devait bien y avoir un moyen d'y arriver. D'ici un ou deux ans, je serais capable de le battre à mort. Sauf que c'était tout de suite que je voulais le faire. Mon père, ce n'était pas grand-chose. Je devais être un enfant adopté. Il me frappa encore un coup. La douleur était toujours là mais l'appréhension avait disparu. Le cuir m'atterrit dessus encore une fois. La pièce avait cessé d'être floue. Je voyais tout de manière parfaitement claire. Mon père avait dû sentir le changement qui s'opérait en moi car il se mit à me cogner de plus en plus fort, encore et encore, sauf que plus il me rossait et moins je sentais la douleur. C'était presque comme si c'était lui qui était devenu à plaindre. Il s'était produit quelque chose, oui : quelque chose avait changé. Mon père s'arrêta. Il était essoufflé. Je l'entendis raccrocher le cuir. Il gagna la porte. Je me retournai.

« Hé ! » fis-je.

Il se retourna et me regarda.

« File-m'en encore un ou deux, lui dis-je... si ça peut te faire du bien...

– Ose encore me parler comme ça et tu vas voir ! » s'écria t-il.

Je le regardai. Je vis les plis de chair qu'il avait sous le menton et autour du cou. Je vis de tristes rides et aussi de la peau craquelée. Il avait le visage couleur mastic fatigué. Il était en tricot de peau, il avait le ventre qui pendait, qui faisait des bourrelets sous le coton. Ses yeux avaient perdu leur éclat. Ses yeux se détournaient, ses yeux n'avaient plus la force de rencontrer les miens. Il s'était passé quelque chose. Les serviettes le savaient, et aussi la baignoire et le chiotte. Mon père me tourna le dos et sortit. Lui aussi, il le savait. C'était la dernière fois que je me laissais rosser : par lui.

Charles Bukowski

Henry Charles Bukowski Junior, dit Charles Bukowski,
Souvenirs d'un pas grand-chose, *1985*

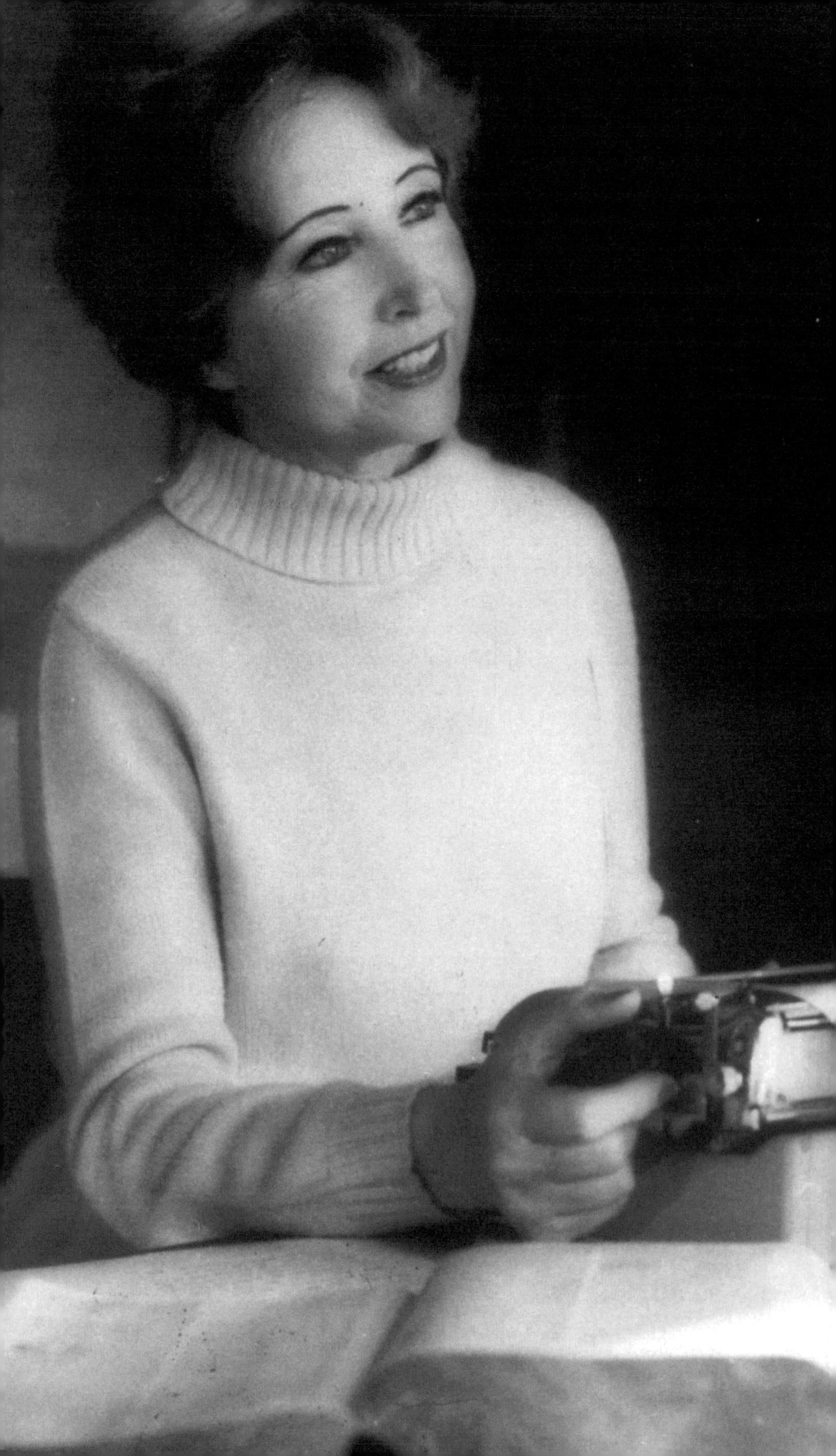

« L'homme qui n'est qu'une moitié de moi-même... »

par Anaïs Nin

Premier jour de l'histoire de Père. Le Roi Père arrive après avoir triomphé d'un lumbago qui l'immobilisait. Pâle. Souffrant. Impatient de venir. Il m'apparaît plutôt froid, poli, mais j'apprendrai par la suite qu'il n'était pas content que l'on se retrouve dans une gare – comme tout le monde. Il dissimule ses sentiments. Son visage n'est qu'un masque.

Nous allons tout de suite nous promener. Il me parle du système que nous avons mis au point et selon lequel nous vivons. Un système qui n'appartient qu'à nous. Mais nous n'avons trouvé personne pour l'adopter avec nous. Il ne marche que pour nous. C'est un monde. Dans lequel nous sommes seuls. Si l'on se réfère aux critères courants, nous sommes des êtres amoraux. Nous n'avons pas été fidèles à certains êtres humains, mais à nous-mêmes. À notre développement profond. Nous sommes à la fois barbares et sublimes. Nous avons vécu comme des barbares civilisés. Les plus barbares et les plus civilisés.

« Il n'existe pas de père sur terre. Le père, c'est l'ombre de Dieu le Père projetée sur le monde, une ombre plus grande que l'homme. Et cette ombre, tu l'adorerais et tu voudrais la toucher, tu rêverais jour et nuit de sa chaleur et de sa grandeur, tu rêverais qu'elle te recouvre et qu'elle te berce, cette ombre plus grande qu'un hamac, aussi grande que le ciel, assez grande pour contenir ton âme et toutes tes peurs, plus grande que l'homme et que la femme, que la maison et que l'église, l'ombre d'un père magique, mais qu'on ne trouve nulle part – car c'est l'ombre de Dieu le Père. »

Nous ne parlons plus. Nous nous contentons de valider nos théories mutuelles. Nos phrases se font écho. Il n'y a pas un seul mot à côté. Branchés... sur la même longueur d'onde. Il me dit : « Exactement. J'ai toujours voulu être un être complet – c'est-à-dire civilisé, mais également barbare, fort, mais sensible. » Ce but, il l'a atteint, mieux qu'aucun autre homme ne l'a fait. Sa vie entière est un chef-d'œuvre d'équilibre où sont rassemblés tous les éléments de déséquilibre. Un équilibre d'une finesse extraordinaire au-dessus de l'abîme le plus profond.

...

Il ne m'a pas laissé l'aider à défaire sa valise. Il se sentait humilié d'être ainsi diminué par sa maladie. Il m'a traitée comme sa fiancée. (Il a dit à Maria : « Il faut que j'aille rejoindre ma fiancée. » Il a pris l'habitude de m'appeler sa promise, du jour où je lui ai envoyé une photo de moi à seize ans.) J'ai pu constater sa fierté, et aussi sa vanité, son horreur de se montrer en état de faiblesse, malade, à son désavantage. Et tandis que je remarquais tous ces traits de caractère chez mon père, je les reconnaissais également en moi. La coquetterie. La peur de l'intimité. Un respect inhabituel pour l'illusion.

...

Je ne peux pas noter toute l'histoire de la vie de mon père, telle qu'il me l'a racontée. Ce que je désire, c'est le cerner, lui, le roi, le visionnaire, obstiné et solitaire, visionnaire d'équilibre, d'équité, de logique, de transcendance.

...

– « Tu es la synthèse de toutes les femmes que j'ai aimées. »

Il ne cessait de me regarder. Il m'a dit : « Enfant, tu étais merveilleusement faite. Des formes parfaites. Tu avais un si beau dos cambré. J'adorais te photographier. »

Je suis restée toute la journée assise au pied de son lit. Il me caressait le pied.

Puis, il m'a demandé : « Est-ce que tu crois aux rêves ? »

– Oui.

– J'ai fait un rêve de toi qui m'a effrayé. J'ai rêvé que tu me masturbais avec une main couverte de bijoux et que je t'embrassais comme un amant. Pour la première fois de ma vie, j'étais terrifié. C'était après ma première visite à Louveciennes.

– J'ai aussi rêvé de toi.

– Je n'éprouve pas envers toi des sentiments de père.

– Je n'ai pas non plus le sentiment d'être ta fille.

– Quelle tragédie ! Qu'allons-nous faire ? J'ai rencontré *la* femme de ma vie, l'idéal, et c'est ma fille ! Je ne peux même pas t'embrasser comme j'aimerais le faire. Je suis amoureux de ma propre fille !

– Tout ce que tu éprouves, je l'éprouve aussi.

Entre nos phrases s'écoulait un long silence. Un silence lourd. Des phrases d'une grande simplicité. Nous ne bougions même pas. Nous nous regardions comme dans un rêve, et je lui répondais avec une étrange candeur, sans détour.

« Quand je t'ai vue à Louveciennes, tu m'as beaucoup troublé. L'as-tu senti ?

– J'étais aussi très troublée.

– Amenez Freud ici, et tous les psychanalystes. Que diraient-ils de ça ? »

Nouveau silence.

« Et puis j'ai eu très peur, ai-je dit.

– Il ne faut pas que cette peur nous empêche d'être nous-mêmes. Et j'ai eu d'autant plus peur, Anaïs, quand j'ai vu que tu étais une femme libérée, une *affranchie*.

– Déjà, je me suis sentie obligée de freiner.

– J'ai été désespérément jaloux de Hugo. »

Père m'a demandé de me rapprocher de lui. Il était allongé sur le dos, incapable de bouger.

« Permets-moi d'embrasser ta bouche. » Il m'a prise dans ses bras. J'ai hésité. J'étais en proie à des sentiments contradictoires : je désirais sa bouche, mais j'avais peur, j'avais l'impression que j'allais embrasser un frère, mais j'étais néanmoins tentée – terrifiée et pleine de désir. J'étais tendue. Il a souri et entrouvert ses lèvres. Nous nous sommes embrassés et ce baiser a libéré une vague de désir. J'étais couchée en travers de son corps et ma poitrine sentait son désir, dur, vibrant. Autre baiser. Plus de peur que de joie. Joie de quelque chose d'innommable, d'obscur. Lui, si beau – à la fois dieu et féminin, séduisant et buriné, dur et tendre. Une dure passion.

« Nous devons éviter la possession, a-t-il dit, mais, oh !, laisse-moi t'embrasser. » Il m'a caressé les seins et les bouts se sont durcis. Je résistais, je disais non, mais les mamelons durcissaient. Et quand sa main m'a caressée – Oh ! quelle science dans ses caresses ! –, j'ai complètement fondu. Cependant, une part de moi demeurait rétive et terrifiée. Mon corps cédait à la pénétration de ses doigts, mais je résistais, je résistais à la jouissance. Je ne voulais pas montrer mon corps. Je me suis contentée de découvrir mes seins. J'étais timide et réticente, mais profondément troublée. « Je veux que tu jouisses, que tu jouisses, dit-il. Jouis. » Et ses caresses étaient si précises, si subtiles ; mais j'étais incapable de jouir et, pour lui échapper, j'ai fait semblant. Je me suis à nouveau allongée sur lui et j'ai senti la dureté de son sexe. Il s'est découvert. Je l'ai caressé. Je l'ai vu trembler de désir.

Avec une étrange violence, j'ai enlevé mon négligé et me suis couchée sur lui.

« Toi, Anaïs, je n'ai plus de Dieu ! »

Son visage extatique et moi folle de désir de m'unir à lui... ondulant, le caressant, me collant à lui. Son orgasme fut terrible, de tout son être. Il s'est vidé tout entier en moi... et mon consentement était sans limite, de tout mon être, avec seulement ce noyau de peur qui m'a empêchée d'éclater dans un suprême orgasme.

Ensuite, j'ai voulu le laisser. Il y avait encore, dans quelque recoin secret de mon corps, un dégoût. Et il craignait ma réaction. J'avais envie de fuir. Mais je l'ai vu si vulnérable. Et il y avait quelque chose de terrible à le voir ainsi, allongé sur le dos, crucifié, et pourtant tellement plein de puissance – quelque chose d'irrésistible. Et je me suis souvenue que, dans toutes mes histoires d'amour, j'avais eu cette réaction de fuite – que j'avais toujours eu peur. Et je ne voulais pas le blesser en fuyant. Mais en cet instant, après la passion, il fallait au moins que je retourne dans ma chambre, que je sois seule. Je me sentais empoisonnée par cette union. Je n'étais pas libre de jouir de sa splendeur magnifique. Une sorte de sentiment de culpabilité pesait sur ma joie et continuait de peser sur moi, mais je ne pouvais pas le lui avouer. Il était libre – passionnément libre –, il était plus âgé et plus courageux. Je pourrais beaucoup apprendre de lui. J'essaierais enfin d'être humble et d'apprendre quelque chose de mon père !

Je suis retournée dans ma chambre, empoisonnée. [...]

J'étais divisée, et je mourrais divisée – je luttais pour atteindre la joie, et la joie était inatteignable. L'irréalité oppressante. La vie, de nouveau, qui se retirait, qui m'évitait. Je possédais l'homme que j'aimais en esprit ; je l'avais dans mes bras, dans mon corps. J'avais l'essence de son sang dans mon corps. L'homme que j'avais cherché dans le monde entier, l'homme qui avait marqué mon enfance au fer rouge, l'homme qui m'avait hantée. J'avais aimé des morceaux de lui chez d'autres hommes : le brio de John [Erskine, romancier à succès en Amérique], la compassion d'Allendy [René Allendy, membre fondateur de la société de Psychanalyse, en 1926], l'esprit abstrait d'[Antonin] Artaud, la force créatrice et le dynamisme de Henry [Miller] – et le *tout* se trouvait là, dans un corps et un visage si beaux, si ardents, avec une force encore plus grande, le tout était réuni, synthétisé, encore plus brillant, encore plus abstrait, et avec encore plus de force et de sensualité ! L'amour de cet homme, à cause de nos similitudes, à cause de nos liens de sang, paralysait ma joie. Et voilà donc la vie qui me rejouait son éternel même tour : elle se dissolvait, devenait impalpable, perdait sa normalité. Le mistral soufflait, et il n'y avait plus ni formes ni couleurs. Le sperme était un poison, un amour qui était un poison...

...

Nous sommes restés assis jusqu'à deux ou trois heures du matin. « Quelle tragédie de t'avoir trouvée et de ne pas pouvoir t'épouser ! » C'était lui qui cherchait à me charmer. C'était lui qui parlait, qui était anxieux, qui déployait sa panoplie de séductions. C'était moi que l'on courtisait, si merveilleusement. Et il a dit : « Comme c'est bon de te faire la cour. Ce sont toujours les femmes qui m'ont recherché, qui m'ont courtisé. Je n'ai fait que me montrer galant. »

Histoires de femmes à l'infini. Exploits. M'enseignant du même coup la plus grande expertise en amour – jeux, subtilités, nouvelles caresses. Par moments, j'avais vraiment l'impression d'être en présence de don Juan en permanence, don Juan qui avait possédé plus de mille femmes, tandis qu'étendue là, j'apprenais ses leçons ; et il ne cessait de vanter ma sensibilité amoureuse, de me dire à quel point tout en moi était merveilleusement accordé, réceptif. « Tu as la démarche d'une courtisane grecque. Quand tu marches, on dirait que tu offres ton sexe. »

...

J'avais désiré que le journal meure avec la confession d'un amour que je ne pouvais réaliser. J'avais désiré qu'au moins mon amour incestueux ne fût jamais écrit. J'avais promis à Père le secret total.

Mais un soir, ici, à l'hôtel, quand j'ai pris conscience qu'il n'y avait *personne* à qui je pourrais raconter ce qui s'était passé avec Père, j'ai cru étouffer. Et je me suis remise à écrire. C'était inévitable. Il m'était impossible de faire mourir le journal, au moment où j'atteignais le sommet de ma vie, au moment même où j'avais le plus besoin de m'accrocher à quelque chose, quelle que soit la gravité du crime que représente ma franchise.

Tout cela me fait suffoquer. J'ai besoin de me libérer à nouveau, et cette fois toute seule. Personne ne peut m'aider à jouir de mon tragique amour incestueux, à me délivrer des dernières chaînes de la culpabilité. J'ai besoin d'ordre. Je suis plus malade que jamais, plus névrosée, et il faut que je conserve mon équilibre.

...

Je revois en Père l'image de mes années d'attente, de mes années de solitude, une sombre image de solitude revécue et comprise grâce aux liens du sang. Mon père le créateur, devait donner naissance à la femme à laquelle il donnerait son âme, et il ne pouvait donner son âme qu'à sa propre image, ou à son reflet, c'est-à-dire l'enfant qu'il aurait engendré.

...

Cet amour pour mon Double n'est-il, une fois encore, qu'une forme d'amour de soi ? Est-ce une incapacité à résister aux difficultés et aux souffrances qu'apporte la vie avec l'Autre – le Toi – *le toi* ? Retomberais-je toujours sur le moi – mon père, l'homme qui n'est qu'une moitié de moi-même ?

Anaïs Nin, Inceste, Journal inédit
et non expurgé des années *1932-1934*

« Mon père était persuadé que je deviendrais ministre ou poète national... »

par Jean Dutourd

Ma mère était atteinte de phtisie, mal terrifiant qui tuait comme, à présent, le cancer ; on envoya donc ma mère à Vence [...]. Abandonné à Paris avec mon papa, je pensais à ma pauvre exilée. [...] Ma mère étant si loin, il était inévitable que mes relations avec mon père devinssent plus étroites.

...

Les clients de mon père étaient au courant de notre situation et compatissaient à notre malheur. Ils voyaient quelque chose de très romanesque, de très digne de pitié dans cet homme de quarante-cinq ans et son enfant qui vivaient l'un par l'autre, l'un pour l'autre, s'aidant mutuellement à porter le poids effrayant qu'était un être cher mourant de consomption à mille kilomètres d'eux. Mon père était un homme fort attachant, qui suscitait l'amitié, tant par sa bonne grâce, sa gaieté, son insouciance, une certaine jactance, que par le caractère puissant que l'on devinait sous tout cela. Il était bien à l'image de son Auvergne natale, fait de basalte à l'intérieur, ce qui n'empêche pas d'offrir un agréable paysage aux yeux du promeneur.

...

Mon père [...] se faisait une haute idée de son rôle d'éducateur et se sentait responsable de mon destin. Une de ses théories était qu'une famille doit s'élever de génération en génération. La nôtre, à ce point de vue, était exemplaire. Mon arrière grand-père était paysan, mon grand-père, prénommé Michel (né au Vigean en 1840), instituteur ; lui, mon père, était dentiste ou, plus exactement, « stomatologiste ». J'étais l'échelon suivant : je devais dépasser mon père, de préférence dans la médecine, et devenir un ponte de la Faculté, un « chirurgien des hôpitaux ». [...] J'avais beaucoup moins confiance que mon père dans mon avenir et je craignais bien d'être indigne de la série de grimpeurs dont il était si fier. La fonction de chirurgien des hôpitaux, dont il me rebattit les oreilles jusqu'à ma dix-huitième année au moins, ne m'inspirait pas le moindre désir.

...

Aux personnes qui demandaient « ce que je comptais faire plus tard », mon père répondait avec autorité que je serais chirurgien des hôpitaux, que c'était ma voie, mon ambition et la plus belles des réussites humaines. Il paraissait si convaincu, il était si plein d'espoir que je n'osais pas le contredire, malgré ma certitude que jamais je ne m'occuperais de médecine ni de chirurgie.

C'est ainsi que les malentendus s'installent. Celui-ci a duré plusieurs années. Il n'a commencé à se dissiper qu'après que j'eus passé le baccalauréat et qu'il fallut penser sérieusement à une carrière pour moi.

...

Il y avait peu d'apparence pour que les malentendus entre mon père et moi cessassent. Ils étaient constamment alimentés par ma politesse enfantine, ou plus exactement l'appréhension que j'avais de lui « faire de la peine » s'il découvrait que je n'étais pas du même avis que lui sur tous les sujets. Il paraissait si persuadé que j'étais sa réplique morale et intellectuelle, son décalque, qu'il eût été sacrilège de le détromper. Pis que sacrilège : j'y eusse vu une horrible ingratitude, une mauvaise action caractérisée.

...

Mon père n'était pas différent des autres : chaque fois que je me mettais dans un cas litigieux, il ne prenait en compte que l'avis de l'autorité. Quelles que fussent les circonstances, j'étais dans mon tort. Avec lui la « présomption d'innocence » n'existait pas, mais plutôt la « présomption de culpabilité ». De tout cela, il suit qu'il ne se dérangeait guère pour aller conférer avec mes professeurs. Pour me féliciter ou me gronder, il se fondait sur mon carnet de correspondance et sur les bulletins trimestriels, lesquels portaient généralement l'appréciation « Pourrait mieux faire », ce qui le rendait de méchante humeur pour la journée et se traduisait par de furieuses lamentations que j'écoutais d'un air contrit.

...

Chaque soir, vers sept heures, on entendait le moteur de la De Dion qui était, à mes oreilles, le bruit le plus joyeux de l'avenue Gustave-Téry. C'était mon père qui rentrait de sa journée de travail ; avec lui, le monde extérieur, si imprévu, si amusant, faisait irruption dans notre solitude champêtre, laquelle n'était pas si grande pourtant que je ne me fusse acoquiné avec quelques galopins du voisinage.

...

Mon père, qui avait toujours eu du goût pour les automobiles et se vantait de posséder un des premiers permis de conduire qui eussent été attribués (exactement le deux cent quinzième), prenait grand soin de cette maison roulante, qu'il conduisait périodiquement pour des révisons ou des « remises en état » à l'usine De Dion... Il m'y emmenait souvent, ce qui était pour moi l'occasion d'admirer sa puissance : on le recevait comme un prince ou tout au moins un nabab dont on espère qu'il dépensera une fortune. Mieux encore, on prévenait de sa venue le propriétaire-constructeur des automobiles De Dion-Bouton, qui descendait aussitôt de son étage directorial et venait nous accueillir en personne sur ses domaines.

Jean Dutourd, Jeannot mémoires d'un enfant, *2000*

On trouve souvent mon père à demi absorbé par cette anémone de velours, lisant son journal, qui est celui dans lequel j'écris, et qui, de ce fait, change tous les trois mois. Tous les trois mois en effet, on me flanque à la porte du journal où je travaille. [...] Bien entendu, lorsqu'un journal juge bon de se séparer de moi, mon père, dans cette passe, me donne aveuglément raison et voue aux gémonies l'établissement stupide et malveillant qui m'a exclu de son sein. Cependant cette aptitude étonnante que j'ai de réunir l'unanimité des antipathies sur ma tête ne laisse pas de l'inquiéter un peu. Il fait confiance à mon courage, à ma ténacité et à mon astuce, mais serait plus tranquille si j'étais avocat, médecin ou professeur une bonne fois pour toutes. Il est persuadé que je deviendrai un jour ministre ou poète national, ou les deux à la fois, mais aimerait néanmoins que ma fortune actuelle fût moins vacillante. Il admire fort le maigre éclat que mes travaux ont communiqué à notre nom, ne céderait pour rien au monde un pouce de ma gloire, mais trouverait excellent que je gagnasse trois cent mille francs par mois. En guise de compensation, lorsqu'il parle de moi à ses amis ou clients, il me présente comme possesseur d'une situation magnifique, comme occupant d'une place brillante dans la presse, la politique et la littérature. C'est merveille de voir comme le cœur fécond des gens qui aiment orne la figure de ceux qui leur sont tout, et pour ainsi dire la recrée.

...

MON PÈRE : Moi, j'ai toujours été comme un camarade à l'égard de Jean. N'est-ce pas ?

MOI : Euh !... pas toujours. À partir d'un certain âge seulement. En fait, pas avant que je n'aie eu dix-huit ans minimum.

MON PÈRE : Comprends-moi bien, mon petit, je savais très bien que tu me roulais, que tu faisais subtiliser tes retenues ou tes bulletins trimestriels par la bonne, mais je faisais celui qui ne s'aperçoit de rien.

MOI : Ce n'est pas ce que je veux dire. Ce que je veux dire, c'est que jusqu'à dix-huit ans je ne t'ai pas fait beaucoup de confidences. D'ailleurs, essaie de te rappeler, tu m'engueulais à tout propos.

MON PÈRE : Il fallait bien. Tu ne voulais rien foutre. Tu étais dernier partout au lycée.

MOI : Je ne dis pas, mais ce n'est pas ainsi qu'on se conduit entre camarades. Et chaque fois qu'on parlait de l'amour ensemble, tu me racontais qu'on était sûr d'attraper la vérole chaque fois qu'on tirait un coup.

MON PÈRE : Pour ce que ça t'a gêné.

MOI : Quoi ? Je n'ai jamais attrapé la vérole, ni même la chaude-pisse.

MON PÈRE : Heureusement. Mais je t'ai dit au moins cent fois : « Jean, si tu as la moindre chose de ce côté-là, viens me le dire tout de suite. »

MOI : Tel que tu étais à mon égard à cette époque-là, je n'aurais jamais osé te le dire.

MON PÈRE : Eh bien ! Mon vieux, tu aurais été bien bête.

MOI : Que veux-tu ? C'est comme ça. On ne refait pas le passé. Mais, si j'attrape la vérole maintenant...

MON PÈRE : La grande, pas la petite.

MOI : Je te promets que je viendrai t'en faire part.

MON PÈRE : Oh ! maintenant tu es établi à ton compte, tu te débrouilleras tout seul pour te faire soigner la queue.

...

MOI : Tu vois tout en père de famille ; c'est-à-dire d'une façon tragique. Le point de vue du père de famille est forcément tragique. Par définition. Tout ce qui semble insignifiant à une personne normale devient hautement tragique à un père de famille, si ça regarde le moins du monde son enfant. Je dois dire que tu es plus père de famille qu'il n'est permis de l'être. Note bien que ce n'est pas une critique. C'est simplement une constatation.

Jean Dutourd, Le Déjeuner du lundi, *1948*

« Pour mon père, il n'y avait qu'un Jardin : lui. »

par Pascal Jardin

Je revois son visage furtivement enjoué, ses cheveux bien coiffés, plaqués, la raie du côté gauche. J'entends sa voix chaleureuse et son phrasé à l'élocution parfaite.

Il articulait comme il pensait, de manière très claire. Et pourtant, son esprit enchevêtré entre le paradoxe, l'humour et une aisance extrême à passer, sur tout sujet, de l'analyse à la synthèse, donnait lieu à des périodes oratoires qu'il savait rompre, casser, reprendre, comme un clown funambule se rattrape à son fil.

La tristesse tendre de son regard laissait toujours à penser que, pour mon père, le pire de la vie n'était sûrement pas la mort.

...

Ma vie, elle a grandi et tourné autour de la sienne. Rien de ce qui m'est advenu ne lui fut étranger. Nous étions toujours ensemble ou toujours fâchés, mais jamais en eau calme.

Il fut la tour dont j'arpentais la circonférence pour en trouver la porte, le rocher où je me blessais et puis, beaucoup plus tard, une manière, une espèce d'enfant écorché vif, que je n'ai pas su protéger contre lui-même, quand est venu sa fin.

Aussi loin que je remonte, j'ai le souvenir d'avoir été un frelon. Et lui, quand il n'était pas la tour imprenable, il était acacia, arbre noble et rebelle aux piquants meurtriers. Passant entre les épines, je venais prendre ma force au milieu de ses fleurs pareilles à des glycines amères.

Certains naissent orphelins. Je le suis devenu à plus de

quarante ans. Et n'allez pas penser que ce soit chose banale. Tous ceux qui perdent leur père ne le sont pas pour autant.

Je serais même enclin à penser qu'en règle générale, la mort de nos parents nous pousse au premier rang, fait de nous des aînés. En règle générale... Mais en ce cas particulier, je n'ai connu l'amour et la notoriété qu'à travers ce qu'il avait préalablement vécu, entrepris, et parfois comme raté pour moi. Malgré des guerres immenses, jusqu'à en venir aux mains, nous étions bien le même. Depuis, qu'il est parti, je me sens une moitié, une moitié de moi-même qui court après une ombre qui ne reviendra plus.

Pourquoi cette blessure ? Un petit homme est mort, combien d'autres ont dû naître dans la même journée ? Pourquoi donc l'empreinte à jamais enfoncée comme la fleur de lis dans le dos du forçat ?

Peut-être parce qu'il était de ceux qui forment à eux tout seuls une sorte d'unité face à la multitude ! Il est mort en croyant à toutes les vertus auxquelles je ne crois pas. Mais de le voir y croire, quelle beauté !

...

Il voulait l'Absolu, que les idées ne soient plus des mots en l'air, ni les Institutions des leurres inconscients, ni les Lois des brigandages, ni les Administrations des pilleries. Et quand je lui disais que ce pouvoir parfait était impossible, il répondait :

– Qu'est-ce que cela peut faire, puisqu'il est nécessaire ?

...

Pour lui, ce qui comptait, c'était d'apparaître à mes yeux, non pas tel qu'en tous ses défauts humains, mais plutôt tel qu'il aurait dû être, tel qu'il voulait que je sois. Il m'a tellement rêvé, j'en rêve encore.

...

Comme le père de Chateaubriand, mon père avait la passion de son nom. Il le trouvait exemplaire de simplicité. Il n'en enviait pas d'autre. Pourtant, plus haut, dans notre filiation, rien qui marque, ni savant, ni militaire, ni prélat de haut vol, seulement des paysans enracinés sur le plateau de Neuburg...

Il avait une curieuse manière de se présenter seul, à moitié militaire, à moitié comédienne :

– Jean Jardin!

Ce nom que Giraudoux trouvait le plus beau, mon père le portait comme un titre acquis au feu d'une vie de passions. Pour lui qui méprisait très profondément les honneurs classiques, être né Jardin, c'était un peu comme être né Brissac, Broglie Clermont-Tonnère, Lusignan, mais tout cela avant, du temps des rois. Il s'était anobli tout seul, en secret, et les autres le savaient et le reconnaissaient. Admirable folie, qui vite ne l'était plus, puisque c'est les autres eux-mêmes qui la rendaient normale.

Pour me présenter à ses amis, il ne me trouvait qu'un titre :

– C'est mon fils.

Quand on lui parlait en mal de mes livres, il répondait :

– Apouh, apouh...

Critique littéraire globale qu'il soulignait et terminait d'un geste large et universel.

Quand on lui parlait en bien des mêmes livres, il répondait :

– J'ai fait l'auteur.

Au fond, il était snob, mais pas comme maintenant, ni comme hier, comme l'était Proust, comme un poète.

...

Je n'ai jamais vu quelqu'un avoir autant besoin d'être aimé et si parfaitement y réussir. Personne ne lui résistait sauf moi. J'avais compris très jeune que, pour se remettre d'un père d'une telle envergure, il fallait que je vole au plus vite de mes propres ailes. J'ai quitté la maison à l'âge de quatorze ans. Je voulais vivre ma vie. Y ai-je réussi ? En tout cas, mes rapports avec lui furent préservés par ce départ. Ayant choisi un métier hors de l'étendue terrifiante de ses compétences, j'ai fait carrière à ma guise, souvent sous son courroux, parfois même son mépris. Cela m'était égal. Nous nous aimions bien trop pour être du même avis. Et puis, il m'avait dit un jour qu'il ne fallait jamais écouter son père. Avais-je deviné qu'au moment où il me prodigua ce conseil il était vraiment sincère ? Toujours est-il que je l'ai cru.

...

C'est dans la mesure où je ne voulais jamais faire ce qu'il me disait, mais bien plutôt lui ressembler, que nos rapports prenaient parfois dans mon enfance des allures de conflits armés.

...

Je touche là le fondement du conflit passionnel, tragi-comique, qui nous opposa toute notre vie. Pour mon père, il n'y avait qu'un Jardin : lui.

Très vite, dès l'âge de dix ans, pour tenter d'exister, je décidai qu'il y en aurait au moins un second : moi.

Il me détestait de vouloir prendre sa place. Il m'aimait follement d'être un autre lui-même.

À l'intérieur de ces rapports infernaux, il ne coulait jamais la moindre paix, seulement des moments de joie et d'enthousiasme toujours suivis de ruptures virulentes et de retrouvailles éternellement momentanées.

...

Le Nain Jaune demeure pour moi une des sources premières de ce qui a fait ma vie. Mais c'est en lui, en lui seul que réside cette richesse.

...

Ce qu'il y avait peut-être de mieux chez mon père, pour l'enfant que j'étais, c'était une manière définitive et hors cadre de prendre deux ou trois choses au tragique, et tout le reste d'en rire !

Ce n'est jamais au moment des drames qu'il me parlait du sens de sa vie ou du sort de l'époque, mais plutôt après avoir marché sur les mains ou exécuté quelques farces de grandes personnes, qui ne sont que des incantations destinées à retenir le parfum du passé.

Il ne m'a jamais dit :

– Mon fils, il faut que je te parle !

Il m'embrassait, me recoiffait avec son peigne, prenait place à table, en levant la jambe par-dessus le dossier de sa chaise, avalait des couteaux que je voyais s'entasser dans la manche de sa veste, grimaçait, souriait, buvait du vin rouge, dévorait sa pitance, et puis soudain, comme entre parenthèses, il m'enseignait qu'il n'est de paix véritable que celle des cimetières.

– Eh, oui, mourir enfin, pour ne plus voir sa mort en face, mais de dos !

Je frissonnais et lui aussi, car nous riions tous deux sur le fil du rasoir. Il est des plaisanteries qui sont des renseignements, et qui côtoient l'abîme. [...] Et il m'enseignait à rire, tout en méditant sur le terme du voyage. [...] À l'âge de la marelle, il m'a mis de plain-pied avec l'éternité.

J'ai vu mon père pleurer une seule et unique fois. Mais, un quart d'heure plus tard, il me faisait des tours avec une nappe blanche, comme la colombe imaginaire que je croyais voir s'ébattre entre ses mains. Pourquoi récupérait-il si vite ? Peut-être parce qu'il était comme moi, un homme de type comédien, que la représentation, au sens le plus large, avait pour lui autant ou plus de sens que la méditation. Peu importait la pièce pourvu qu'il y eut théâtre !

...

Peut-être un jour, quelques amis, de ceux qui résistent au vent, diront de moi que tel mon père, et instruit par lui de l'art de la comédie, j'aurai vécu mon désespoir comme il a vécu le sien, le plus gaiement possible.

Ce désespoir, que nous avons l'un et l'autre couvert de mille tambourins et autres flûtes imaginaires, il nous est venu à tous deux vers l'âge fatidique de la fameuse quarantaine.

...

Le terrorisme intellectuel du Nain Jaune qui cataloguait les femmes en deux catégories, les saintes et les putes, me marqua profondément.

Mon respect de ce que sont les femmes m'est venu de là, en réaction.

Les femmes, la femme furent mon conflit majeur avec mon père. Plus il pensait et parlait en mal d'elles, plus je m'efforçais à les aimer, et à écrire sur elles le meilleur de moi-même.

...

Jamais je n'ai vu autant aimer un homme qui ne croyait plus en l'amour.

Aujourd'hui, je suis l'autre Nain Jaune. Je suis devenu son double. Il m'a passé le fardeau invisible qui était le sien propre ; il m'a légué aussi son formidable et irrationnel désespoir concernant les femmes. Comme Oscar Wilde, il savait que chacun tue ce qu'il aime. Jusqu'à la fin, il n'a jamais cessé de tuer son amour et d'en mourir, après, lui-même.

Lui et moi, si nous avions aimé la mer comme nous aimions nos femmes, tout le monde nous aurait félicités. On aurait dit de nous : « Voilà des grands marins et de curieux poètes ! » Alors qu'on dit de moi, comme on disait de lui : « C'est un fou. »

...

Oui, je croyais l'amour humain sans fin, et j'ignorais que le masque qui recouvrait les traits du visage de mon père allait devenir le mien. J'ignorais qu'un jour il ne serait plus là, et que, moi, je serais lui.

...

La boue cachait souvent la tendresse, et l'injure la passion. J'en veux tenir pour preuve la dernière lettre qu'il m'ait écrite [...]. Il termine par un remerciement, pour un court portrait que j'avais brossé de lui dans un précédent livre.

Ces quelques lignes, elles sont, je le crois, le plus beau cadeau qu'un père puisse faire à son fils avant de mourir. Les voici :

... *Au soir d'une vie à la fois brillante et ratée, elles me sont ces pages, une bouleversante et tendre récompense. Lorsque les heures seront trop noirs, j'aimerai souvent les relire, et comme le chevalier du Jardin sur l'Oronte, je souhaite, quand l'heure sera venue, entendre la voix de ta mère me les réciter pour la dernière fois.*

...

Le Nain Jaune, je l'aime malgré nos folles disputes passées ou bien à cause d'elles. Je l'aime, et à chaque instant je me dis : où est-il ? Où boit-il ? Où tousse-t-il ? Où fume-t-il ? Où dort-il aujourd'hui qu'il a déserté son apparence ? Où son regard se porte-t-il ? Sur quel objet ? Quel paysage ? Nulle part ? Même pas sur moi, son fils, l'autre lui-même, son frère de rage et d'espérance, d'ambition, de tabagie et de folie ?

...

Le Nain Jaune venait de partir. Je venais de perdre ma protection, mon oppression, mes racines. Comme un arbre déjà grand, secoué par le vent, je sentais tout à coup le poids périlleux de mes branches et de mon feuillage : j'étais tout seul.

...

Un prêtre entra et fit les gestes qu'ils font. Intimidé de ne plus y croire depuis longtemps déjà, je sortis dans le couloir. Entre Dieu, la Mort, mon père et moi, je n voulais ni trait d'union, ni messager.

...

Ma fille m'accompagnait. [...] Elle pleurait. Elle me répétait :

– C'est mon vrai père qui vient de mourir.

Mon père était-il donc le père de toute sa famille ?

Inventeur, destructeur, conteur prodigieux d'une vie qui

n'était extraordinaire que parce qu'elle était sienne, et qu'il savait la reprendre au bond et la transfigurer, la faire rebondir et la réinventer, mon père était un génie que j'imagine souvent une balle à la main. Peut-être parce que, dans mon premier souvenir de lui, il ramassait une balle à la main dans un parc normand dans les derniers beaux jours de l'avant-guerre, ou peut-être parce qu'il était un joueur exquis qui désarmait le destin à grands coups de raquette folle.

Personne n'a eu mon père ! Mêmes pas mes frères, même pas ma mère. Je suis le seul à l'avoir vu et aimé sur toutes les coutures. Je l'ai vu Guignol, je l'ai vu Roi Lear, et je me souviens de lui du temps qu'il était un jeune Cid de province, un héros de Giraudoux, qui rêvait d'humanisme, d'une France superbe et d'une Europe immense.

Plus le temps nous sépare et plus il nous rapproche. Un jour, nous nous retrouverons. Je lui prendrai le bras car il sera fatigué, et mort plus jeune que lui, je resterai son cadet.

Nous marcherons ensemble dans le vert paradis de nos rêves communs, au milieu de nuages comme des cathédrales émergeant des blés murs, de Parthenons chrétiens, tous peints à nos couleurs.

Nous parlerons encore de nos femmes humaines, et puis nous rêverons Dieu comme si l'on y croyait.

Pascal Jardin, Le Nain Jaune, *1997*

« Savait-il comment être père, lui qui demeura toujours un fils ? »

par Alexandre Jardin

Le jour où mon père est mort, la réalité a cessé de me passionner. J'avais quinze ans, je m'en remets à peine. Lui seul avait le pouvoir de me relier à la vie en la rendant aussi électrique que dans les bons livres. Avec cet homme que j'ai aimé plus que tout, exister était une fête. Toujours occupé à vivre l'essentiel, même et surtout lorsqu'il feignait d'être léger, il m'entraînait sans cesse sur les toboggans de son quotidien turbulent. Être en vie était pour lui synonyme de s'exposer totalement, de clamer sa vérité, sans la couper de précautions ; jamais il ne se protégea de ses appétits. Quand d'autres renoncent à une part d'eux-mêmes pour s'acclimater sur cette Terre, lui était paniqué à l'idée de s'amputer d'un gramme de sa nature si riche en contradictions. Et Dieu sait que les envies les plus opposées naissaient et fermentaient dans son cerveau énorme, obèse de folies !

Mais ses désirs à lui, toujours immodérés, avaient le pouvoir de tordre le réel. Souvent, après avoir parlé, au restaurant ou ailleurs, il laissait l'assistance interloquée tant les situations qu'il provoquait semblaient tenir de la fiction. En sa compagnie, tout pouvait arriver, le pire et surtout le meilleur.

...

Mon père avait le défaut, ou la qualité, je ne sais, de ne se sentir vraiment à l'aise que sur les cordes raides. C'était son confort à lui, bien particulier, je le concède ; et finalement assez peu commode pour son entourage. Mais qu'importe ! Pour moi, il était tour à tour mon clown, Hamlet, d'Artagnan, Mickey et mon trapéziste préféré.

Enfant, je me sentais à ses côtés comme exonéré de toutes les peurs qui ligotent le genre humain. Le quotidien, continûment bousculé par sa vitalité exorbitante, avait tantôt des airs de roman de Dumas père, tantôt l'allure d'un chapitre de Musset.

...

Alors, quand il s'est éteint le 30 juillet 1980, à quarante-six ans, il avait peut-être vécu plusieurs destinées, écrit plus de cent films, publié six livres rares, usé quatre-vingt-sept voitures et laissé plusieurs millions de dettes fiscales, je m'en fichais pas mal. Je me suis surtout senti très seul, horriblement seul, devant sa croix.

(Finis les rires, les sublimes mensonges qui prêtaient à la réalité la fantaisie qui lui faisait défaut ! Les coups de feu qu'on tirait par les fenêtres le samedi soir ! Terminées les équipées dans des maisons très closes où de vieilles et tendres putains me parlaient avec ferveur des chagrins des hommes et de la beauté des rêves des femmes !)

Je venais de perdre la seule grande personne qui eût mon âge, le seul adulte qui fût disposé à croire en toutes mes folies. L'univers me semblait soudain peuplé d'empaillés, d'automates ennemis des belles imprudences. L'enchanteur me laissait seul, cerné par un réel soumis aux lois du raisonnable, avec pour tout héritage cinquante deux paires de chaussures trop grandes. À quinze ans, je n'avais pas atteint sa taille, et mes pieds en retard ne me permettaient pas encore de marcher sur ces traces.

Quelque chose en moi s'est alors raidi. Mon rire s'est modifié pour devenir cette sorte de douleur rentrée qui ne m'a plus quitté. Je me suis fâché avec la réalité, cette mauvaise farce qui me paraissait inacceptable quand il ne l'améliorait plus. J'allais devenir un fils à papa sans papa et, tout à coup, me mettre à haïr mes penchants vers les dérèglements qui sont si familiers aux Jardin. Vivre en s'exposant commença de me terrifier. L'Alexandre furieusement heureux que j'avais été, le fils de Pascal, fut mis en terre en même temps que le corps de son père.

...

Plus tard, je me suis souvent demandé pourquoi il inventait ces moments merveilleux avec un tel enthousiasme. Désirait-il rivaliser avec Buffalo Bill dans notre imaginaire ? Peut-être ne savait-il pas comment être père, lui qui demeura toujours un fils ; alors, sans doute faisait-il de son mieux. Je crois aussi qu'il voulait désespérément vivre, qu'il craignait par-dessus tout de se laisser entortiller dans un quotidien anesthésiant. Alors il se débattait, fabriquait sans relâche des situations, avec la trouille de mourir un jour sans avoir suffisamment exploré sa nature. À moins qu'il n'ait agi ainsi pour m' inoculer le goût de la fiction, dans l'espoir de faire de moi un écrivain... Le fond de son cœur me reste encore une énigme ; sans doute est-ce pour cela que je me comprends parfois si mal.

...

Papa, pourquoi m'as-tu abandonné ? Pourquoi m'as-tu laissé dans ce monde où les vastes désirs semblent toujours un peu ridicules ? Lui seul croyait en mes folies, lui seul me donnait envie de devenir quelque chose de plus grand que moi. Ce goût de l'infini et de l'infiniment drôle m'est resté comme une terrible nostalgie.

...

Quand il nous parlait, mon père ne se rendait pas compte que nous étions encore des enfants ; d'ailleurs, moi aussi, je m'adressais à lui comme s'il avait eu notre âge. Le Zubial était de son enfance comme on est d'une province ; jamais il n'en perdit l'accent. Il paraissait également ne pas être conscient que nous avions une mère, et que ses amours illégitimes avaient le don de nous inquiéter. À ses yeux, je crois que nous n'étions pas des fils mais de futurs amants.

...

Je contemplai mon père avec les mêmes yeux qu'aujourd'hui, avec cette jalouse admiration mêlée de consternation ; car il me fatiguait et me révoltait, je le confesse. Mais dans le même temps, je l'ai trouvé si séduisant, si follement jeune, si gorgé de vitalité qu'il m'a semblé le plus enchanteur des pères.

...

Le Zubial fut, avec mon grand-père dit le Nain Jaune, cause de ce dérèglement de nos boussoles intimes. Tous, nous avons voulu être un peu de ces hommes fabuleux, détestés et adorés.

Il m'est arrivé d'aimé des femmes uniquement pour plaire à mon père, alors qu'il n'était plus là.

...

À quinze ans, j'ai commencé à régler mon allure comme si je devais moi aussi mourir à l'âge de quarante-six ans. [...] Aujourd'hui, à mesure que je me rapproche de son décès – entendez quarante-six ans – je me sens de plus en plus son jumeau. Mais mort plus vieux que lui, je resterai son aîné.

...

– Je ne suis pas son fils, c'est lui qui est mon père ! furent mes premières paroles publiques, bafouillées à la télévision, en octobre 1986.

[...] J'aurais tant aimé être un fils à papa ; mais j'étais sans papa. Le Zubial m'avait abandonné sur le bord du chemin à cet âge où l'on esquisse ses premiers pas de jeune homme. Quinze ans... J'avais poussé dans le froid de son absence, appris à me raser sans qu'une main d'homme me montre le bon geste. [...] Brusquement à vingt et un ans, la vie publique me rappela mon origine.

La haine que me voua toujours le journal Le Monde, si irrité par mon existence même, me fit souvenir du procès qui opposa l'un de ses critiques les plus détériorés au Zubial. Par un curieux phénomène de legs, tout se passa comme si j'avais hérité des hostilités de mon géniteur. Paris me restituait ainsi ce père que j'avais trop brièvement croisé. Les voies de l'hérédité littéraire sont décidément bien inattendues...

...

Arranger mes sentiments, me prêter d'imaginaires facultés en les confiant à mes personnages me dispensait de la douleur de n'être que moi-même, ce petit garçon qui, à Verdelot, était paniqué à l'idée de ne jamais pouvoir rivaliser avec ce père trop magique dès qu'il maniait les mots. Le Zubial, lui aussi, avait connu cette angoisse devant son propre père, ce Nain Jaune qui subjuguait ses interlocuteurs. Si nous avions pu en parler peut-être serions-nous devenus des frères, au lieu de porter tous deux nos blessures en affectant en société des airs de légèreté. La langue française appelle cela de la pudeur ; j'y vois de plus en plus une infirmité.

...

Certes, je voyais souvent le Zubial [...]. Mais, c'était le fils du Nain Jaune ou l'amant de ma mère qui m'entraînaient dans leurs cavalcades parisiennes. C'était un homme qui aimait les femmes que je retrouvais dans notre atelier de Verdelot, ou bien Pascal Jardin que l'on saluait dans les restaurants qu'il me montrait pour nous montrer. Mon père, lui, eut toujours le plus grand mal à se produire devant moi ; ce rôle de composition était sans doute pour le Zubial un contre-emploi. S'il intéressait son amour-propre, il ne satisfaisait pas ses besoins. Pourtant, il me légua tant de rêves, tant de questions, qu'il m'arrive de me prendre pour un héritier.

Mais je pense que l'événement décisif qui me permit de rester debout fut... la mort du Zubial ; c'est elle qui me fit rencontrer le monde réel, et m'en dégoûta. Quelle violence ! Mais ma souffrance fut ma chance.

Grandir en face de lui m'aurait condamné à demeurer un fils, je le sais. Ou à mal tourner. Si les acrobaties séduisantes de mon père s'étaient prolongées, j'aurais fini dans la peau d'un spectateur subjugué, d'un velléitaire pathétique, de son imitateur ou de son plus violent contradicteur. Peut-être me serais-je même tiré une balle dans la tête, comme mon frère Emmanuel, par désespoir de n'être que moi. Au lieu de cela le Zubial me laissait la place.

Si je suis l'un de ses fils, c'est peut-être moins par les gênes que par le cœur. Au fond, il me semble que, par les voies de cette hérédité-là, tout le monde peut devenir un fils de Zubial.

Alexandre Jardin, Le Zubial, *1997*

« Oui, on peut entendre un silence... »

par Claude Roy

Il arrive que le bonheur des uns ne se contente pas de faire le malheur des autres, mais commence justement par faire aussi le malheur des uns, tout le premier. J'avais onze ans quand mon père toucha enfin au bonheur qu'il avait toute sa vie rêvé. Il le saisit, et le voit s'évanouir aussitôt. Mais ce bonheur en vain, si vite vaporisé dans ses mains, fit du moins, très sûrement, mon malheur : mon père se retira à la campagne, et me mit en pension.

Quand un ami, orphelin, jeune, me dit : « Je n'ai pas connu mon père », j'ai toujours envie de répondre : « Moi non plus. »

Furtivement, dans les miroirs et les rétroviseurs, il m'arrive de plus en plus souvent de le rencontrer : mes poches sous les yeux qui se creusent d'année en année, mes yeux un peu bridés à l'envers, négatifs de Chinois, c'est lui, qui me regarde avec morosité quand je me regarde sans me regarder. J'ai envie de lui dire : « Si nous causions ? »

Mais nous n'avons jamais causé. Il a seulement sept ou huit fois vaincu sa réticence à parler, me parler, dans les grandes circonstances, c'est-à-dire critiques. Pour me dire d'ordinaire qu'il désapprouvait, et pourquoi. Il a désapprouvé mon grand embrasement communiste. Il a courtoisement, péniblement (fermement) désapprouvé à peu près tout l'usage que j'ai fait de ma vie.

...

À table, je l'entends (oui, on peut entendre un silence), je l'entends encore s'enfermer dans le mutisme, puis le repas terminé, s'enfermer à clef dans un atelier (j'entends la serrure claquer sec).

Nous avions des relations diplomatiques. Ma mère allait de l'un à l'autre transmettant des messages, des notes de protestation, des questions orales, des interpellations, des rapports.

« Tu devrais dire au petit... » « Tu devrais parler à ton père. » Il parlait parfois. Non à moi, mais de moi, brièvement, devant moi, comme on parle d'un petit animal. Un été où je lisais dans le jardin, du réveil à la tombée du noir, j'entends sa voix objective expliquer à un ami qui s'étonnait qu'on ne me forçat pas à aller jouer, nager, ou « faire du vélo » : « Pendant qu'il lit, au moins il oublie de vivre. Pourquoi le réveiller ? Ayons un peu pitié, mon cher. »

Il avait deux enfants, dont l'un était seulement un peu plus enfant, et moins supportable que l'autre : ma mère. L'écervellement joyeux de celle-ci le remplissait d'un étonnement sans limites.

J'ai compris à l'âge d'homme que mon apparition avait dû condamner mon père, en l'obligeant à épouser maman, à mourir lentement étouffé. Il me *tint* en mains et à distance, avec une rigueur lointaine ; peut-être au fond de lui, me tenant rigueur d'être. En même temps, m'aimant, avec la maladresse à aimer des hautains pachydermes, une passion timide, constamment défendue, et peut-être blessée.

...

Mon père modèle, modèle parce qu'il était mon père, et parce qu'il était si rigoureux (envers lui-même, et nous), regardait mon amour tout neuf pour ma mère du même regard que celui qu'il avait eu enfin pour son ancien amour : une bêtise qui ne pouvait engendrer que des désagréments. Il m'était ennemi, et obstacle deux fois : parce qu'il partageait le lit de ma maman, et parce que ça avait l'air de lui peser beaucoup. Je me sentais son rival, qu'il tenait pour un niais. Au reste, tolérant, bienveillant avec distraction.

...

Il était pour moi la statue et la stature calme du silence. Il était grand, fort, pesant, taciturne, froid par maladresse autant que par horreur du mouillé. Il était tout ce que je n'étais pas et que je désespérais d'être. Il avait l'involontaire dureté des Dieux austères, qui rabrouent l'effusion du fidèle et découragent l'élan du sacerdoce. Je désespérais de l'égaler. Si j'ai, depuis, entrevu sa faiblesse, deviné sa fissure, et retourné parfois en ressentiment apitoyé la vénération effrayée qu'il m'inspirait, il eut longtemps pour moi cette armure intacte du chevalier vaincu, et désespéré. Un épicurien sentimental admirait un stoïcien silencieux. Le doux mépris qu'il marquait à ma mère m'embrassait dans sa réprobation. J'étais de la race maudite des exubérants bavards, soubresautant d'émotions et d'élans, le cœur sur la main, la main sur le cœur, le visage toujours vulnérable et nu de trop exprimer les mouvements de leur cœur. Il y avait de l'autre côté d'un abîme que je ne franchirais jamais les Grands Calmes, les hautaines citernes d'amertume et de silence. Je ne me sentais pas devant mon père faible seulement de ma petitesse en face de sa stature, de mon agitation en face de sa réserve, de mon ébullition d'eau vive en face de son poli de bronze. Car j'étais non seulement désarmé – mais indigne. Né coupable. Il m'a fallu vivre mille ans pour entrevoir enfin la chance d'être innocent, et de ne m'avouer coupable qu'à partir de cette innocence première.

...

J'avais été à la fois écrasé et déçu par un père tout ensemble autoritaire et évasif. Une présence-absence austère avait pesé sur toute mon enfance. La défaillante et inconsistante protection d'une mère faible et sotte n'en avait pas allégé le fardeau. J'ai donc cherché des remplaçants de père. Je les préférais inconsciemment sévères et durs, sournoisement fouettards, autoritaires et secrets. Je demandais aux femmes de me consoler délicieusement d'une mère inexistante, et aux hommes ou aux pouvoirs que j'investissais de ma confiance, de recommencer mon père, *en mieux*. J'ai mis des années à démêler l'étouffant réseau de substitutions dans lequel je m'empêtrais : persécuteur (aristocrate) et persécuté (masochiste), demandant au monarque ou au Parti, au chef ou au dirigeant, d'être ce Père que ni mon père, ni Dieu, n'avaient consenti d'être. Je me suis résolu tard à me savoir un homme enfin adulte, c'est-à-dire orphelin, qui n'a plus que des frères, même s'il a des enfants. Frère Abel, frère Caïn : avant tout mes *semblables*. Cette révolution intérieure ne changeait pas mes jugements fondamentaux, ni la portée de ma critique de la vie, ni le projet d'aider toujours, dans la mesure de mes forces, à la changer. Mais elle me libérait d'entraves et de distorsions qui longtemps freinèrent ma marche. Dès que j'eus accepté d'être seul au monde, je ne fus plus jamais solitaire.

...

Une lucidité difficile purifiait ma passion politique. Elle ne la *réduisait* pas. J'avais chassé Dieu de mon projet. J'en avais débusqué durement l'image du Père rassurant terrifiant. Le projet était encore là, tenace.

...

« Si Dieu n'existe pas, tout est permis », dit le personnage de Dostoïevski. Si le Père n'est pas là, aussi.

J'étais libre. J'avais mis la ligne de démarcation entre mon Père et moi. Je pouvais faire tout ce qui était défendu. Je pouvais me choisir une famille à mon goût, des idées à ma convenance, des plaisirs à ma fantaisie, un avenir à ma dimension, des opinions à ma pointure.

Je fis avec curiosité l'essai de quelques pères intérimaires : les pères de vacances pour la vacance du père. [...] Mais à l'épreuve, ces pères-là demandaient trop peu, pour satisfaire mon inconscient besoin d'un commandeur de pierre. Ils devinrent des amis, mes amis à peine aînés. Gide aurait eu tout ce qu'il faut pour assumer le rôle, sauf l'envie de le jouer. Le père le plus convenable c'était bien Giraudoux. Mais c'était un père de remplacement, comme la fameuse morale du cours de philo, la morale sans obligation ni sanction. Être son enfant, c'était devenir le fils de l'air. Cet elfe vieillissant condamnait à être libres les jeunes gens qu'il aimait. Peser n'était pas son fort. Qu'on pesât sur moi était sans doute ma faiblesse.

...

Quand mon père se sentit mourir, il m'écrivit deux lignes : « Viens vite. Je meurs. » Je ratai une correspondance à Genève, et j'arrivai trop tard, juste pour l'enterrer.

Claude Orland, dit Claude Roy, Moi je, *1969*

« Je pense souvent à toi, mon père, comme à un frère plus jeune... »

par Andrée Chedid

Mon père, mon enfant...

Maintenant que j'ai dépassé ton âge, je pense souvent à toi, mon père, comme à un frère plus jeune. D'ici quelques années, je te verrai comme un fils.

Un fils qui se serait longtemps absenté et dont l'image, calquée au fond de ma mémoire, n'aura pas été altérée par le temps.

Pourtant, tu n'es ni mon frère ni mon fils. Tu es mon père. Je te reconnais aussi comme tel, dans la même seconde, dans le même mouvement.

Durant mon enfance égyptienne, l'existence des parents et celle des enfants étaient totalement dissociées.

La disposition de nos chambres en des lieux opposés de la vaste maison, la présence d'une gouvernante, dressant un perpétuel écran entre nous, nous maintenaient en des mondes autonomes qui voisinaient sans se pénétrer, qui se frôlaient sans se rejoindre. Même nos repas n'étaient pas pris en commun. Le baiser au lit était rare ; à ces heures-là, devant le miroir à trois glaces de leurs cabinets de toilette respectifs, mes parents se préparaient longuement, soigneusement à leurs sorties.

De sept à dix ans, je conserve de mon père le souvenir d'une haute et furtive silhouette dans des complets de couleur sobre, de coupe impeccable, en gabardine, en tussor, en drap d'Italie.

Quand il se penchait pour m'embrasser, légèrement, sur les

joues, il se dégageait de toute sa personne une discrète odeur d'eau de Cologne Atkinson, dont il gardait toujours un flacon sur sa table de chevet. Il était fidèle à ses marques : lotion Atkinson, cigarettes Gianaclis, whisky Johnnie Walker, cravates de chez Charvet ; comme à son barbier, à ses amis, à son tailleur.

Je me souviens que tu portais toujours la même moustache, que ta coupe de cheveux n'a jamais varié. Que tu étais beau, que tu cultivais le silence, que tu avais des mains admirables.

Ayant passé une partie de mon adolescence au Caire, en pension, puis dans des écoles à l'étranger, je t'ai à peine fréquenté. Toutes ces distances ont fait que je t'ai, peu à peu, perdu de vue. Le téléphone d'un continent à l'autre n'était pas encore pratiqué ; tu n'écrivais pas, tu ne faisais pas grand-chose en somme pour maintenir un lien entre nous.

Un lien que, tout au contraire, ma mère, riche de fantaisie et d'élans, trouvait, malgré l'absence, mille façons d'alimenter.

Ta voix s'effaça, ton image devint floue.

De ce manque – s'il y en avait un –, je ne peux pas dire que j'en ai souffert, ni que je t'en ai voulu. La vie m'a toujours offert de multiples raisons de la chérir. J'étais aussi naturellement éprise de la liberté des autres que de la mienne ; attachée à leur indépendance, à leur intimité.

Peut-être, aussi, pour me préserver d'un venin dont j'aurais été la première atteinte, me suis-je toujours gardée de tout sentiment de frustration, sachant d'instinct que le dommage que l'on fait subir au visage des autres ne fait que dénaturer nos propres traits.

Ce n'est que bien plus tard, en 1938, que nous avons partagé le même toit.

J'avais dix-huit ans, je rentrais d'Europe. Tu étais divorcé depuis quelques années. Je te sentais inquiet d'avoir à assumer la responsabilité de cette enfant, la tienne, grandie au loin ; et devenue, sans que tu t'en fusses aperçu, une jeune femme.

Tu te demandais sans doute comment ces rapports « père-fille » se pratiquaient, et quelle conduite tu devais adopter ? Les conventions sociales, auxquelles tu ne prêtais en général guère attention – non par désir de marginalité, plutôt par goût d'une existence sans apprêt, sans prétention –, te commandaient cette fois de songer, pour moi, à un mariage proche et d'y veiller en premier lieu.

Je devinais ton souci ; ton embarras me fit sourire. Je t'abordai de face – cela inaugura entre nous une communication franche et confiante, quoique toujours brève –, je te fis comprendre que je prendrais mon destin en main, quoi qu'il arrivât ; à commencer, surtout, par le choix d'un amour. Je ne prononçai ni le mot de « mari » ni celui d'« époux » ; je n'étais guère pressée, et j'avais sur le mariage des vues personnelles et peu orthodoxes.

Mes déclarations te soulagèrent. Les préjugés des autres s'effondrèrent devant mes options, que tu devinais inébranlables. À partir de cet instant, il s'installa entre nous un climat de bonne foi, de complicité tacite, sur lequel tu n'es jamais revenu. J'avais le champ libre. Nous savions, l'un et l'autre, que je n'en abuserais pas.

J'appris à t'estimer ; plus important, à t'aimer. Rien dans nos préférences, nos perspectives, nos projets ne nous rapprochait, mais j'appréciais ta réserve, ta simplicité, si opposées au fatras, à l'ostentation de ton milieu. Ton existence était radicalement différente de celle des premières années de ton mariage, qui t'avaient entraîné dans un tourbillon de fastes et de fêtes ne te ressemblant pas.

Loin des quartiers résidentiels élevés en bordure du Nil, tu avais choisi de vivre dans un modeste immeuble que tu possédais, en pleine cité.

Aux neuvième et dixième étages, tu habitais un duplex de quatre pièces, que nous partagions désormais. Quelques meubles d'une ancienne splendeur : un bahut en laque rouge, une table en cristal, un buffet signé Jansen, paraissaient ridiculement déplacés dans cet espace restreint. Ce manque d'harmonie ne semblait pas te gêner.

Tu dînais tous les soirs à un club de jeux ; tu évitais de déjeuner à la maison sans compagnie. Les mêmes amis se relayaient auprès de toi ; je me souviens de l'un deux, un médecin, terne et bonhomme, avec qui tu partageais tes repas, tes silences, tes longues parties de carte ou de trictrac, ponctuées de jurons et de rires.

Tes succès féminins, je l'ai appris plus tard, étaient nombreux. Ton physique de bel homme, allié à tant de calme et de modestie, devait en séduire plus d'une ; mais tu t'en tenais, je crois, à une liaison plaisante et secrète, à des laps de temps qui n'affleuraient pas dans nos existences communes. Je n'ai jamais été témoin d'une rencontre, jamais surpris un coup de fil.

Tu prenais soin de ta personne, comme jadis. Non par vanité, mais singulièrement, par désir de passer inaperçu, ne laissant rien clocher, ne te faisant remarquer par aucun détail notable. Rasé de près, la moustache bien taillée, il n'y avait jamais de tache à tes vêtements, jamais un pli malencontreux à ton costume ou à ta chemise en soie, couleur ivoire, marquée à ton chiffre.

Tu arborais souvent un sourire d'une douceur extrême, la bouche un peu de côté. Tu savais écouter sans interrompre. Mais écoutais-tu vraiment ?

Vingt-deux ans seulement nous séparaient, mon père, mais – était-ce l'époque ? – tu paraissais bien plus que tes quarante ans ! Je me le dis en regardant tes photos, surtout maintenant que les distances se sont presque inversées.

Tu me parlais déjà de ton âge avec du recul. Tu répétais une phrase qui ne me semblait pas insolite auparavant, mais qui me paraît extravagante aujourd'hui :

– Maintenant que la vie est derrière moi et que la tienne commence...

J'avais entrepris des études universitaires que tu jugeais sans doute inutiles, mais jamais tu n'essayas de m'en dissuader. J'aimais, à la folie, la danse, le théâtre ; mal à l'aise en société, j'évoluais sur les planches avec agilité et bonheur.

Tu n'es jamais venu à ces spectacles ; d'ailleurs je ne t'y conviais pas. J'appris ainsi qu'on peut s'aimer sans tout partager ; qu'on peut être proches et solidaires en évitant ingérences et indiscrétions.

Quatre ans après mon retour, je me suis mariée.

Tu étais d'accord. D'accord aussi sur notre désir de réduire les solennités en usage : cérémonie et réception. Je portais un tailleur blanc, mon amour un complet marine. Nous n'avions invité que les plus proches.

J'éprouvais une sourde rébellion envers une Église que je jugeais étroite et conformiste ; envers une société que je tenais pour inconsciente et vaniteuse. Toi, tu ne jugeais pas. Insensible aux honneurs, au clinquant, ton caractère te portait spontanément vers la simplicité. Tu étais affable sans simagrées ; à l'écart sans critiques.

À quarante huit ans tu fus terrassé par une première attaque, un premier infarctus.

Tu t'en es tiré, mais marqué et vieilli, les tempes blanchies, le côté gauche de ta figure paralysé, l'arcade sourcilière enfoncée, l'orbite rétrécie, le maxillaire affaissé.

Ton sourire incliné, que j'aimais tant, était pris, figé dans la glace de tes muscles faciaux. Un sourire douloureusement épinglé sur une bouche oblique.

Ton dos s'était légèrement ployé, t'ôtant quelques centimètres ; tu continuais tout de même de garder ta haute stature.

Tu marchais en t'aidant d'une canne. Tu mis immédiatement de la coquetterie à en choisir le bois, l'épaisseur, la poignée.

Je te revois, mon père, mon frère, mon enfant, tandis que tu avances à petits pas, cherchant à minimiser ton affaiblissement, à réduire notre chagrin.

Le père d'Andrée Chedid, probablement vers la quarantaine.

Ali, le valet-cuisiner, dans sa longue robe blanche, qui s'occupe depuis dix ans de tes repas, de ton habillement, t'aide à te vêtir, à te dévêtir. Il maintient aussi en parfait état ton linge et tes costumes ; car tu veilles toujours, avec un soin extrême, à ton apparence.

Selon les recommandations du médecin, tu « prends l'air » chaque après-midi. Tu te laisses conduire par Latif, le chauffeur, à qui tu ne cédais jamais le volant avant ta maladie. Chargé uniquement de la maintenance de la voiture, et de trouver où la garer – déjà un problème dans cette cité pourtant beaucoup moins peuplée qu'aujourd'hui –, il te surveille aujourd'hui dans son rétroviseur, tout étonné de se trouver à ta place.

Je t'accompagne souvent dans ces randonnées, le long de la corniche du Nil, ou sur le boulevard qui mène aux Pyramides. Nous ne mentionnons pas ton état de santé, tu ne le souhaites pas. Je te prends la main, nous parlons peu. Sauf, parfois, de cette Égypte que tu chéris, et qui vient miraculeusement – nous sommes en 1946 – d'échapper à la guerre.

— Une oasis, répètes-tu. Une oasis !

En juin 1948, mon père est mort. Il venait d'atteindre la cinquantaine.

Plus tard, à travers ma propre histoire, mêlée à des bribes de notre passé commun, il m'arrive de m'interroger sur ta personnalité.

Tu étais beau, fortuné, on te chérissait ; d'où te venait alors ce peu d'assurance, qui ne m'est pas totalement étranger ? Je ne te connaissais aucun véritable sentiment religieux, aucune philosophie ; d'où tirais-tu cet effacement, je dirais presque cette humilité ?

Parfois, nous nous prenons la main, toi et moi, et nous déambulons dans les rues grouillantes du Caire ; ou bien, à Paris, l'été, nous nous attablons à l'un de tes cafés favoris, du côté de l'Opéra ; ensemble, nous regardons les gens passer. Ou bien, ayant choisi des voies divergentes, nous finissons toujours par nous retrouver, comme au bout de tous les chemins terrestres, au même point de non-retour.

Je te questionne. Qu'as-tu fait de ta vie ? Te plaisait-elle ? De quel manque souffrais-tu ? De quel tourment, de quelle soif ? Tu as l'air de me répondre que je t'invente, que tu ne te sentais ni malheureux ni spolié. Du même coup, je me rappelle avec précision ce scintillement malicieux et tenace tout au fond de tes yeux verts.

Ton fantôme se dissipe, chaque fois, avec facilité. Il ne frappe pas aux portes, il n'exige pas de revenir.

Comme jadis, tu ne veux ni peser sur mon existence, ni la marquer d'une empreinte indélébile. Tu la laisses à elle-même, tu t'éclipses sans regret.

– Ma vie est derrière moi, c'est la tienne qui commence...

C'est ainsi, il est vrai, comme si par moments un même sang alimentait nos veines, que j'envisage aujourd'hui le passage de ma vie, vers ceux qui suivent et qui suivront.

Ai-je assez parlé de ton regard taquin ? Une espièglerie voilée – mais pourtant bien là, enracinée dans l'âme – que je retrouve, plus apparente, plus déclarée, dans les yeux noirs de mon fils.

J'en aperçois même le pétillement dans l'œil des fils de mon fils ; familiers déjà, eux aussi, des ressources du silence et de la vie.

Andrée Chedid, née Andrée Saab, À la mort, à la vie, *1992*

Décembre 2000

Je relis ce texte écrit il y a une dizaine d'années et me retrouve au même carrefour, au cœur des mêmes chemins.

J'ai avancé en âge, tu me parais plus jeune encore. Je voudrais dans un élan de l'esprit et des bras te serrer contre moi, te consoler d'être parti si tôt ; te dire aussi que la vie vaut la peine d'être longuement vécue et qu'elle s'enrichit parfois de cette longévité...

Mais tu avais tant de réserve et de discrétion que par un haussement d'épaules tu aurais détourné mes questions, considérant que le temps imparti à chacun devait s'accepter.

Mon visage d'aujourd'hui t'aurait-il étonné ? Peut-être y retrouverais-tu encore cet amalgame de rébellion et de calme, cette passion de vivre que je tiens de ma mère, cette distance du vivre que je te dois ?

Peut-être aurais-tu caressé mes cheveux, toujours aussi touffus ? Peut-être, malgré le temps qui laboure et nous sépare, m'aurais-tu encore appelé ton enfant ?

Andrée Chedid

Texte manuscrit inédit d'Andrée Chedid.

« Si seulement mon père avait été ma mère ! Et ma mère mon père ! »

par Philip Roth

Oh ce père ! Ce père affectueux, anxieux, borné, constipé ! Condamné à l'engorgement par ce Saint Empire Protestant ! La certitude, le savoir-faire, l'autorité et les relations, tout ce qui donnait aux blonds aux yeux bleus de sa génération le pouvoir de diriger, d'animer, de commander, au besoin d'opprimer, il ne pouvait en acquérir la centième part. Comment aurait-il pu devenir oppresseur ? C'était *lui* l'opprimé. Comment aurait-il pu exercer la puissance ? Il était, *lui*, sans pouvoir. Comment aurait-il pu savourer un triomphe quand il méprisait à ce point les triomphateurs ? et sans doute l'idée même du triomphe.

...

Malheureusement sur le front domestique, le mépris pour un tout puissant ennemi n'était pas si aisément accessible en tant que stratégie défensive – car, avec le passage du temps, l'ennemi était de plus en plus son propre fils bien-aimé. En vérité, durant cette période de rage prolongée qu'il est convenu d'appeler mon adolescence, ce qui me terrifiait le plus à propos de mon père, ce n'était pas la violence que je m'attendais à le voir déchaîner passagèrement contre moi, mais la violence que je souhaitais chaque soir au cours du dîner exercer aux dépens de sa carcasse de barbare ignorant. Comme j'avais envie de l'expédier, hurlant, *ad patres*, quand il mangeait en se servant dans le plat avec sa fourchette, ou lapait la soupe dans sa cuiller au lieu d'attendre poliment qu'elle refroidisse, ou tenter, à Dieu ne plaise, d'exprimer une opinion sur un sujet quel qu'il fût... Et ce qu'il y avait de particulièrement terrifiant dans mes vœux meurtriers tenait à ceci : si j'essayais de les réaliser, il était probable que je réussirais, il était probable qu'il m'y aiderait ! Je n'aurais qu'à bondir par-dessus la table servie, les doigts tendus vers sa trachée artère, pour qu'il s'effondre instantanément sur la table avec la langue pendante. Pour crier, il pouvait crier. Pour se chamailler, il pouvait se chamailler. Et pour *nudjh*, oh ça pour *nudjh*, il ne craignait personne. Mais se défendre ! Contre *moi* ! « Alex ! Continue à répondre comme ça » m'avertit ma mère tandis que je sors de la cuisine en révolution, tel Attila, que je fuis une fois de plus en hurlant un dîner à moitié mangé, « continue à manquer de respect comme ça et tu vas donner à cet homme une crise cardiaque ! » « Tant mieux ! » je vocifère en lui claquant au nez la porte de ma chambre. « Très bien ! » je braille [...]. « Formidable ! », je brame, et les yeux noyés de larmes je fonce vers le coin de la rue pour y soulager ma fureur sur le billard électrique. Bon Dieu, devant mon défi – si seulement mon père avait été ma mère ! et ma mère mon père ! Mais quelle confusion de sexes sous notre toit ! Qui, de droit, devrait marcher sur moi et battre en retraite – et qui devrait battre en retraite, marcher sur moi ! Qui devrait morigéner, perdre tous ses moyens, totalement annihilé par un tendre cœur ! Et qui devrait perdre ses moyens au lieu de gronder, corriger, réprouver, critiquer, prendre en faute sans fin ! Combler le vide patriarcal ! Oh, Dieu merci ! Dieu merci ! Lui du moins il avait la bite et les couilles ! Si vulnérable... (pour parler par euphémisme) que fût sa masculinité dans ce monde de *goyim* aux cheveux d'or et au verbe éloquent, entre les jambes (Dieu bénisse mon père) il était bâti comme un homme d'importance, avec deux grosses couilles solides comme un roi serait fier d'en exhiber et une *shlong* de longueur et de tour magistraux. Et elles étaient *bien à lui* ; oui, de cela, je suis absolument certain, elles pendaient bien de, elles étaient rattachées à, elles ne pouvaient être retranchées de, *lui* !

Philip Roth, Portnoy et son complexe, *1970*

Moi non plus, je ne savais pas qu'un père pouvait aimer sa fille comme ça...

J'aimerais me souvenir de la voix douce de mon père errant dans la maison, une petite poupée fragile contre son grand corps. Il l'aide à s'endormir, la berçant doucement sur les notes d'une comptine. Mélodie de petite enfance.

Je me souviens de mon corps tendu de petite fille, guettant au soir le retour tardif de mon père... L'attente... à en pleurer. La porte du garage qui s'ouvre... Ses pas dans l'escalier... Les bruits de placard, là, tout à côté, dans le couloir. À peine un mètre de distance le sépare de mon lit, où je prie et me plie à toutes les superstitions afin qu'il vienne m'embrasser et murmurer quelques mots à mon oreille... Peu importe lesquels... « Je compte jusqu'à trois, si sa cheville craque, il poussera ma porte... » Je ne me souviens pas que cela soit arrivé et pourtant oui, certainement, cela s'est passé.

Je revois mon père, derrière la vitre d'une régie de station de radio, penché sur un micro, susurrant à tant d'oreilles anonymes un billet d'humeur comme il aimait en ciseler...

Je n'ai pas oublié, plus tard, sa voix impuissante et inquiète, toute pleine d'incompréhension, dans un couloir d'hôpital, derrière une autre vitre, une autre porte, verrouillée celle-ci... Tous nous en cherchions la clef... Moi, dans ma tête de jeune fille au corps décharné, vide, empli de manque et de trop de secrets. Lui... lui, je ne sais toujours pas.

Tant bien que mal j'ai su entrouvrir la porte, franchir le seuil et faire mes premiers pas de femme... vers mon papa. Lui a appris, je crois, à se montrer plus démonstratif. Sans doute, sommes-nous encore bien maladroits.

Des moments de complicité, de fous rires et de tendresse, oui, aujourd'hui, je m'en souviens aussi.

J'ai la chance d'avoir un père. Les yeux de ma mère, cette orpheline, ne cessent de me le rappeler. Je n'ai pas le droit de le « manquer ». Je ne manquerai pas mon père.

Ce livre lui est dédié. Bien évidemment.

Bibliographie

ASSOULINE Pierre (1953), *Le Fleuve Combelle,* © Éditions Calmann-Lévy, 1997
BARBARA (1930-1997), *Il était un piano noir...mémoires interrompus,* © Librairie Arthème Fayard, 1998
BARICCO Alessandro (1958), *City* © Alessandro Baricco, 1999 ; publié en 1999 par RCS Libri, Italie © Éditions Albin Michel S.A, 2000 pour la traduction française, traduit de l'italien par Françoise Brun
BESSON Patrick (1956), *28, rue Aristide Briand,* © Éditions Bartillat, 2001
BILLETDOUX Raphaële (1951), *Chère madame ma fille cadette,* © Éditions Grasset & Fasquelle, 1997
BRASSENS Georges (1921-1981), *Ce n'est pas tout d'être mon père,* © 1982, Éditions musicales 57
BUKOWSKI Charles (1920-1994), *Souvenirs d'un pas grand-chose,* © Charles Bukowski, 1992 © Éditions Grasset & Fasquelle, 1985, traduit de l'américain par Robert Pépin
CAVANNA François (1923), *Les Ritals,* Première édition : Éditions Belfond, 1978 © Éditions Albin Michel S.A., 1996
CAUWELAERT Didier van (1960), *Cheyenne,* © Éditions Albin Michel S.A., 1993
CHEDID Andrée (1920), *À la mort, à la vie,* © Flammarion, 1992
CONSTANT Benjamin (1767-1830), *Adolphe,* 1816
CORTANZE Gérard de, *Philippe Sollers,* © Éditions du Chêne, 2001
DEPARDIEU Gérard (1948), *Lettres volées,* © Éditions Jean-Claude Lattès, 1988
DUTEIL Yves (1949), *Lettre à mon père,* Paroles et musique d'Yves Duteil, © 2001, avec l'aimable autorisation des Éditions de l'Écritoire
DUTOURD Jean (1920), *Le Déjeuner du lundi,* © Éditions Robert Laffont, S.A., Paris, 1948 ; *Jeannot mémoires d'un enfant,* © Plon, 2000
EMMANUELLI Xavier (1938), *Ballade pour un père,* © Éditions Ramsay, Paris, 1980
ERNAUX Annie (1940), *La Femme gelée,* © Éditions Gallimard, 1981
FALLET René (1927-1983), *Chromatiques,* © Mercure de France, 1973
GARCIN Jérôme (1956), *La Chute de cheval,* © Éditions Gallimard, 1998
GARY Romain (1914-1980), *La Promesse de l'aube,* © Éditions Gallimard, 1960
GENEVOIX Sylvie, *Maurice Genevoix, La Maison de mon père,* © Christian Pirot, 2001
GIOVANNI José (1923), *Il avait dans le cœur des jardins introuvables,* © Éditions Robert Laffont, S.A., Paris, 1995
GIROUD Françoise (1916), *Arthur ou le bonheur de vivre,* © Librairie Arthème Fayard, 1997
GOSCINNY Anne, *Paris Match,* 11 novembre 1999
HOLDER Éric (1960), *La Belle jardinière,* Le Dilettante, 1994
JARDIN Alexandre (1965), *Le Zubial,* © Alexandre Jardin et Éditions Gallimard, 1997
JARDIN Pascal (1934-1980), *Le Nain Jaune,* © Éditions Julliard, 1997
LACAN Sybille, *Un père, puzzle,* © Éditions Gallimard, 1994
LAMARTINE Alphonse de (1790-1869), *Nouvelles confidences,* 1851
LAURENS Camille (1957), *Dans ces bras-là,* © P.O.L. éditeur, 2000
LEOPARDI Giacomo (1798-1837), *Pensées,* 1845 © Éditions Allia, Paris, 1992, 1996, 1997, 1999, traduit de l'italien par Joël Gayraud

LHOTE Gilles, *Brel de A à Z*, © Éditions Albin Michel S.A, 1998
MALAVOY Christophe (1952), *À hauteur d'homme*, © Flammarion, 2001
MASSIN Brigitte et Jean, *Wolfgang Amadeus Mozart*, © Librairie Arthème Fayard, 1970
MAURIAC François (1885-1970), *Nouveaux Mémoires intérieurs*, 1965 © Éditions Gallimard, 1985
MILLET Catherine, *La Vie sexuelle de Catherine M.*, © Éditions du Seuil, 2001
MOUSTAKI Georges (1934), *Les Filles de la mémoires*, © Librairie Générale Française, 2000
NEUHOFF Éric, *Comme hier*, © Éditions Albin Michel S.A.,1993
NIN Anaïs (1903-1977), *Inceste* (Tiré du *Journal de l'Amour*), *Journal inédit et non expurgé des années 1931-1934*, © Rupert Pole, exécuteur testamentaire d'Anaïs Nin, 1992 © Gunther Stulhmann pour les notices biographiques, 1992 © Éditions Stock, pour la traduction française, 1995, 1996, traduit de l'anglais par Béatrice Commengé.
NOTHOMB Amélie (1967), *Métaphysique des tubes*, © Éditions Albin Michel S.A., 2000
NOURISSIER François (1927), *Le Petit bourgeois*, © Éditions Grasset, 1963 ; À défaut de génie, © Éditions Gallimard, 2000
PANCOL Katherine (1949), *Les Hommes cruels ne courent pas les rues*, © Éditions du Seuil et Katherine Pancol, 1990
PEREC Georges (1936-1982), *W ou le souvenir d'enfance*, © Éditions Denoël, 1975
POIVRE D'ARVOR Patrick (1947), *Petit homme*, © Éditions Albin Michel S.A., 1998
PRÉVERT Jacques (1900-1977), *Choses et autres*, © Éditions Gallimard, 1972
QUEFFÉLEC Yann (19), Le Soleil se lève à l'ouest, © Éditions Robert Laffont, 1994 © Éditions Bartillat, 2001
RÉMOND Alain, *Chaque jour est un adieu*, © Éditions du Seuil, janvier 2000
RENARD Jules (1864-1910), *Journal*, © Éditions Gallimard, 1964
ROTH Philippe (1933), *Portnoy et son complexe*, © Philip Roth, 1967, 1968, 1969 © Éditions Gallimard, 1970, pour la traduction française, traduit de l'anglais par Henri Robillot
ROY Claude (1915-1997), *Moi je*, © Éditions Gallimard, 1969
SAINT PHALLE Niki de (1930-2002), *Mon secret*, © Éditions de la Différence, Paris, 1994 ; *Traces*, © 1999 Sylvio Acatos, Lausanne (CH) © 1999 pour les textes – Niki de Saint Phalle – Éditions Acatos – 1999 © 1999 pour les dessins – Niki de Saint Phalle – Éditions Acatos – 1999
SARTRE Jean-Paul (1905-1980), *Les Mots*, © Éditions Gallimard, 1964
SOLLERS Philippe (1936), Femmes © Éditions Gallimard, 1983 ; Studio © Éditions Gallimard, 1997
VALDÈS Zoé (1959), *Le Pied de mon père*, © Zoé Valdès, 2000 © Éditions Gallimard, 2000, pour la traduction française, traduit de l'espagnol (Cuba) par Carmen Val Juliãn
VERLANT Gilles, *Gainsbourg*, © Éditions Albin Michel S.A., 2000
YOURCENAR Marguerite (1903-1987), *Les Yeux ouverts, entretiens avec Matthieu Galey*, © Éditions du Centurion, 1980
ZOLA Émile (1840-1902), *L'Aurore*, numéro 222, samedi 28 mai 1898 © Bibliothèque Nationale de France

Crédits iconographiques

COUVERTURE :

Jean et François Mauriac : © Jeanne François Mauriac
Claude et Joseph Klotz : Collection Claude Klotz
François et Louis Morel : Collection François Morel
Paul Claudel et sa fille : © Martinie / Roger-Viollet
Père anonyme donnant le biberon à un nourrisson : © Roger-Viollet
François et Paul Nourissier : Collection François Nourissier

DOS :

Octave Joyaux : Collection Philippe Sollers
Émile Zola à six ans : © Harlingue-Viollet
Père et fille anonyme : Collection A.-L. Schneider

4ème de COUVERTURE :

Une de L'Aurore, numéro 222, samedi 28 mai 1898 : © Bibliothèque Nationale de France
Charles et Geneviève Surpas : Collection Odette Surpas
Katherine et Jean-Marie Pancol : Collection Katherine Pancol
Jacques Malavoy : Collection Christophe Malavoy
François Werber : Collection Bernard Werber

PAGES 15 à 320 :

© Hulton-Deutsch Collection / Corbis : 15
© Jeanne François Mauriac : 16, 17, 19, 20
Collection Françoise Xenakis : 24, 25
© Rue des Archives : 274, 148
© Emmanuel-Robert Espalieu : 23
Collection Claude Nougaro : 27
Collection François Cavanna : 28, 29, 30, 32, 33
Collection CharlÉlie Couture : 35
Collection Claude Klotz : 39
Collection François Nourissier : 41, 47
© Stéphane Haskell : 44
Collection François Morel : 48, 49
Collection Georges Moustaki : 51, 52, 53, 54
Collection Bernard Clavel : 57
© Sophie Bassouls : 58
© by Michel Berger - DALFRANCE 171, rue Saint-Martin, 75003 : 59
Collection Raphaële Billetdoux : 60, 63
Collection Gabriel Matzneff : 64, 65
Fonds Georges Perec : 66
© Anne de Brunhoff : 67
Fonds Bianca Lamblin : 68
Fonds Robert Bober : 69
© Collection Viollet : 71, 73
Collection José Giovanni : 75, 76, 77
© Michel Dardellay : 76
Collection Éric Holder : 79
Collection Daniel Pennac : 83
© Collection J. Cuninières / Roger-Viollet : 95
Collection Sylvie Genevoix : 99, 100, 101, 102, 103, 104
Collection Xavier Emmanuelli : 106, 107

Achevé d'imprimer en France par Pollina, Luçon
N° d'impression : n° L87399
N° d'édition : 20553
Dépôt légal : octobre 2002